山下典孝 編

保険法

〔第2版〕

法律文化社

スタンダード商法シリーズの刊行にあたって

近年、商法をめぐる環境には、大きな変化がみられる。そうした変化には、例えば、ここ数年間だけでも、平成26年の会社法の改正、平成26年、27年、29年の金融商品取引法の改正、平成29年の民法（債権関係）の改正、平成30年の商法（運送・海商関係）等の改正等、大きな改正が続いていることがあげられる。

いうまでもなく、商法の対象とする範囲は広く、実質的には、商法総則、商行為法、会社法、手形法、小切手法、保険法、金融商品取引法等の諸法が含まれ、法改正だけではなく、新たな裁判例の蓄積等も目覚ましく、その範囲は、拡大の一途をたどっている。

そこで、こうした状況に鑑み、基本的に商法の全範囲についてカバーしながら、しかも、直近の法改正や新たな裁判例の蓄積等についても対応した、新しい教科書シリーズの刊行が、強く望まれてきたところである。本『スタンダード商法』シリーズ（全５巻）は、こうした期待に応えるべく、刊行されるものである。

本シリーズは、その『スタンダード商法』という名称が示すように、基本となる幹の部分を丁寧に概説することにより、主として、法学部生をはじめ、経済学部、商学部、経営学部等の学生の皆さんが、商法の全体像をしっかりと修得しながら、リーガルマインドを養成することができるように、標準的な内容を提供することをコンセプトとしている。

このような本シリーズが、これまでに刊行されてきた優れた教科書と並び、広く世の中に歓迎され、永きに亘って愛されることを心より祈念してやまない。

末筆ながら、本シリーズの刊行に向けて鋭意取り組んで下さった執筆者各位に心より敬意を表するものである。また、本シリーズの刊行にあたっては、法律文化社の皆様、特に、小西英央氏と梶原有美子氏に大変お世話になった。ここに記して、心より感謝申し上げる次第である。

2018年11月

徳本穰・北村雅史・山下典孝・高橋英治

第２版　はしがき

本書の初版を2019年２月に刊行してから５年以上が経過した。この間、保険法に関する重要な判例・裁判例が出てきた。また平成29年以降の民法改正にあわせた約款改正等も行われるに至っている。そこで、これらの状況を反映させ、内容をアップデートするために第２版への改訂を行うこととした。

第２版では、学部・大学院で初めて保険法を勉強する学生を主な対象とするため、判例・裁判例や学説の状況等は極力簡易な説明に留めている。そのため、最新の学説、裁判例の状況、刊行後の法改正の動向に対応できるようにするため、出版社の HP において追加の情報を入手できるようにすることを、新たに試みることとした。https://www.hou-bun.com/01main/01_04.html にアクセスして頂ければ、教科書では執筆されていないが、執筆者の詳細な分析内容を知り、知識を深めることが可能となるので、必要に応じてアクセスして頂きたい。

それに加え、さらに詳細な内容等を知りたい場合には、参考文献で挙げている大系書・概説書、コンメンタール、判例研究等が掲載されている雑誌等を参照頂きたい。

本書が大学学部・大学院での教科書として引き続き採用頂けることを願っている。

第２版の刊行にあたっては、法律文化社の舟木和久氏に大変お世話になった。厚く御礼を申し上げる。

2024年10月

山下典孝

はしがき

本書は、主に大学で法律を学ぶみなさんに向けた、保険法の教科書である。

保険法という場合には大きく２つの意味がある。保険契約法を規制する意味での保険法（狭義の意味での保険法）とそれ以外に、保険契約を引き受ける保険事業者に対する監督規制を行う保険業法等を含めた意味での保険法（広義の意味での保険法）とがある。本書は主に保険契約法を規制する「保険法」という名称の法律を中心に執筆を行うものである。

保険は営業的商行為の１つとして（商502条９号）、平成20年改正前商法において規律が置かれていたが、平成20年改正により商法から分離独立した単行法として保険法が成立した。保険法の規制となる保険契約は営利保険のみならず共済契約も対象とされ（保険２条１号）、立案担当者は、保険法は民法の特別法と位置付けている。もっともそのことから保険法は商法の一分野から外れることまでを意味するものではない。企業のリスク回避手段として重要な位置付けがあることは言うまでもない。

保険制度は、企業のみならず個人の生活においても欠かすことができない制度である。それにもかかわらず、司法試験科目である会社法とは違い、法学部の商法科目の中でもどちらかといえば、マイナー科目として位置付けられている。保険法は保険契約に関する民事基本法の１つであることから、その前提として民法の知識が必要となり、また保険の技術的な特色も理解する必要がある。そのことからなかなか学びにくい科目という印象がもたれやすい。

「スタンダード商法」のシリーズは、商法の基本的な制度や考え方を読者のみなさんが理解できるようにするというコンセプトの下で、通説・判例を前提に編集されている。本書もこのコンセプトの下で執筆されているが、それに加えてとくに本書の編集にあたって考慮した点は以下の通りである。

第１に、大学の教科書として、多くの大学では保険法を２単位科目として開講していることを前提に、保険法における保険契約の３分類（損害保険契約、生命保険契約、傷害疾病定額保険契約）に共通な事項に関しては、まとめて説明を行っている。その後、損害保険契約、生命保険契約、傷害疾病保険契約の各保険契約に独特な制度について順次説明を行う構成をとっている。

第2に、保険法は実務的な特色を有することから、法律の条文の解説にとどまることなく現行の保険約款の内容がどうなっているかにも言及している。理論的な説明を前提に現実に使用されている保険約款の内容や実務的な運用にも言及することにより、理論と実務の架橋を併せ持つことになる。

第3に、保険法は民法の特別法として位置付けられていることから、平成29年の民法改正の内容に対応した内容としている。平成29年の民法改正の内容に対応した保険約款改定はこれからであるが、少なくとも民法改正に対応した内容となっているものと考えている。今後の民法改正に対応した約款改定に関しては、次回の本書の改訂の際に対応できればと考えている。

第4に、「スタンダード商法」の他のシリーズにもある程度共通するが、保険法上の諸制度に関する読者の理解に役立つように、「コラム」及び「図表」を、本文とは別の枠を設けて適切な場所に配置した。また具体的な設例を用いて説明がなされている箇所もある。さらに最新の保険法をめぐる問題についても「コラム」で取扱こととして、読者のみなさんに保険法に興味をもっていただけるように工夫をした。

本書の執筆陣は保険法を研究分野としている中堅の研究者である。また各自が大学において保険法の講義を担当しそこでの教育経験も踏まえて本書の執筆にあたって頂いた。また本書の執筆にあたっては執筆者全員が数回集まり、最新の判例・裁判例や実務の動向も踏まえて執筆内容に関して議論を続けた。本書はその成果でもある。執筆者には大変忙しい中、本書の刊行についてご尽力を頂き、編者として深く感謝を申し上げたい。法律文化社の小西英央氏及び梶原有美子氏には本書の完成に絶大なご援助を受けた。心より御礼申し上げる。

2018年11月21日

山下典孝

目　次

■コラム目次

■図表目次

凡　例

1　法令の略語

会社	会社法
金サ	金融サービスの提供及び利用環境の整備等に関する法律
金商	金融商品取引法
憲	日本国憲法
自賠	自動車損害賠償保障法
商	商法
消費契約	消費者契約法
製造物	製造物責任法
道交	道路交通法
破産	破産法
保険	保険法
保険業	保険業法
保険業規則	保険業法施行規則
民	民法
民執	民事執行法

2　裁判関係

大判	大審院判決
控判	控訴院判決
最判(決)	最高裁判所小法廷判決(決定)
高[支]判(決)	高等裁判所[支部]判決(決定)
地[支]判(決)	地方裁判所[支部]判決(決定)
家月	家庭裁判月報
下民	下級裁判所民事判例集
金判	金融・商事判例
金法	金融法務事情
刑集	最高裁判所刑事判例集
交民	交通事故民事裁判例集
裁時	裁判所時報
裁判集民	最高裁判所裁判集民事
新聞	法律新聞

生判	文研生命保険判例集、生命保険判例集
生保	生命保険論集
大民集	大審院民事判例集
判時	判例時報
判タ	判例タイムズ
民集	最高裁判所民事判例集
民録	大審院民事判決録
労判	労働判例

3　文献略語

損保百選	鴻常夫・竹内昭夫・江頭憲治郎・山下友信編『損害保険判例百選〔第２版〕』有斐閣、1996年
百選（初版）	山下友信・洲崎博史編『保険法判例百選』有斐閣、2010年
百選	洲崎博史・後藤元編『保険法判例百選〔第２版〕』有斐閣、2025年
平成14年度重判	平成14年度重要判例解説
平成20年度重判	平成20年度重要判例解説
平成23年度重判	平成23年度重要判例解説
平成28年度重判	平成28年度重要判例解説
平成30年度重判	平成30年度重要判例解説
令和４年度重判	令和４年度重要判例解説

1章　総　論

I　保険制度

1　資本主義社会と保険制度

資本主義社会においては、私有財産制度が認められ（憲29条）、社会の構成員である市民の自由・平等が認められている（憲12条・14条）。そして市民には、所有権絶対の原則（憲29条）、契約自由の原則（民521条）、過失責任主義の原則（民709条）が認められている。資本主義社会では原則、国家は必要最低限度の救済しか行わず、自己責任の原則となる。しかし自己責任原則に対する修正として福祉国家による救済制度が拡充されてきた。

福祉国家においては社会保障政策の一環として保険制度を利用する社会保険制度がある。病気やケガにより病院で診療を受ける場合に、医療費の一部は自己負担となるが残額は各種の健康保険から負担される。定年後の生活費の一部を公的年金からの給付によってまかなえる仕組みがある。これらの社会保険において必要なすべての費用がてん補されるわけではない。

近時の国家財政の逼迫から国による救済は縮小され、市民自身による補完機能が必要となってきている。その補完機能の役割として保険制度は重要な役割を担っている。

例えば、病気や自分の落ち度でケガによって働けなくなった場合に備えて事前に「疾病保険」や、「傷害保険」などに加入する方法が考えられる。また一家の稼得者が死亡した場合、残された家族の生活保障に備える目的で、「生命保険」に加入することが考えられる。近時は、公的年金を補うための個人年金制度の利用も考えられている。

図表1－1　保険制度

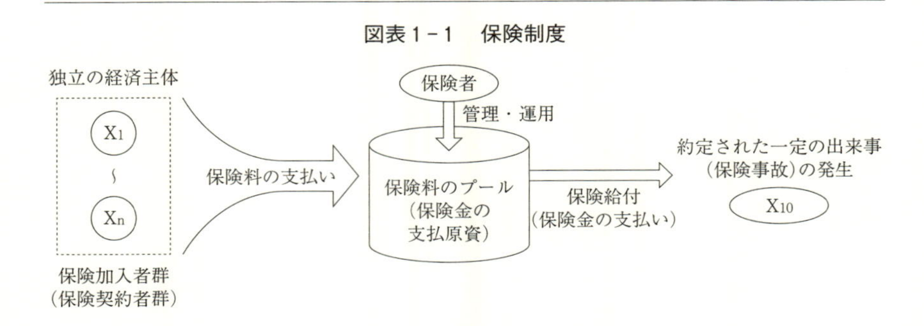

交通事故などの被害にあった場合、加害者に対して損害賠償請求を行うことができるが（民709条、自賠3条）、加害者に賠償資力がなければ、たとえ訴訟において勝訴判決を得たとしても意味をなし得ないことになる。万が一に自分の不注意で第三者に損害を与えてしまった場合の賠償資力を確保するために「責任保険」に加入することが考えられる。

交通事故の被害者救済という目的から自動車の保有者には法律上、賠償責任保険の加入が義務付けられている（自賠5条）。近時は、自転車事故による高額賠償という問題から通学に自転車を利用する場合の条件として賠償責任保険に加入することを義務付ける教育機関や地方自治体によっては条例によって自転車保有者に賠償責任保険への加入を義務付けるなどの政策提言などがなされている。

保険制度は、資本主義社会において重要な役割を担う制度となっている。

2　保険の意義

法律で保険の定義規定は設けられていない。保険の定義に関しては種々の見解が唱えられているが、一般的な意味での保険とは、同種の危険にさらされている多数の者が資金（保険料という）を出し合い、その集められた資金を原資として実際に危険が発生した際に、その資金から経済的な損失を被った者に一定の給付（保険金の支払い）を行う経済的な制度と捉えることができる。この保険制度が成り立つ前提として、事前に同じ危険にさらされている者から保険料の支払いがなされ、支払われる保険金の原資を集めておく必要があることになる。保険料の前払原則は、保険制度上の要請から考えられたものである。

3　保険制度の技術的性質

保険制度は以下で説明する技術的な性質を有する。

⑴　**大数の法則**　ある特定の事象の発生については、偶然の出来事であるが、1年間又は数年間の統計を見た場合には、一定の割合で発生することがある。このような統計学上の法則である大数の法則を利用して、保険給付の対象となる保険事故の発生確率に基づき、個々の保険契約に加入する者が負担する保険料を算出して、危険分散を行うことが可能となる。

ただし、すべての保険において大数の法則が成り立つわけではない。例えば、人工衛星保険のように大数の法則が当てはまらない分野の保険商品もある。

⑵　**収支相等の原則**　大数の法則に基づき計算された保険事故発生率に従い、保険契約者から保険料の支払いを受け、その保険料を原資に保険金の支払いがなされるが、健全な保険事業の継続性から、保険者が支払う保険金と保険契約者から徴収された保険料とが少なくとも相等なものでなければならない。このような原則を「収支相等の原則」と呼ぶ場合がある。

⑶　**給付反対給付均等の原則**　保険者が保険料を徴収する場合には、各保険契約における保険事故発生の危険度に応じて保険料の額を決定し、保険料の支払いを受けることとしている。この原則を、「給付反対給付均等の原則」という。保険事故発生の高いものについて、それに見合った保険料負担をしてもらい、同じ危険集団における保険契約者間の公平性を担保する仕組みがとられている。この制度を法律的に担保するために、保険法においては保険契約者等に告知義務や通知義務を課し、保険者は危険度に応じた保険料を保険契約者から徴収できるようにしている。但し、保険者が危険負担できないようなものについては、保険者は保険の引受けを拒否し、一定の事由によって生じた保険事故については、保険金の支払い対象から外して保険者の免責事由にしている等の対応がとられる場合がある。

4　保険契約の特色

保険契約は、契約の申込者の保険に加入したいという意思の表明、すなわち、申込みの意思表示と、その申込みを承諾して保険の引受けを行う保険者の意思表示が合致することに成立する「諾成契約」である（2条1号）。この場合、一定の要式を必要としなくとも契約の成立が認められ、このような契約を「不要式契約」という。

保険契約が成立し、保険契約の当事者である保険契約者は他方当事者である保険者に対して保険料の支払い等の義務を負い（2条3号参照)、これに対して保険者は、契約の内容として定められている期間中に、保険事故が発生した場合には保険給付を行う義務を負うことになる（2条2号参照)。このように、保険契約は、契約の当事者である保険契約者と保険者双方が義務を負うことから、「双務契約」という特色を有する。保険契約者は保険料の負担義務を負い（2条3号参照)、その対価として保険者は、保険事故が発生した場合には保険給付を行う義務を負い（2条2号参照)、保険事故の発生がない場合でも保険期間中の危険負担を負うことから、「有償契約」であるという特色を有する。

保険契約では、保険事故の発生を条件として損害保険契約においては、保険金額の範囲内で被保険者が実際に被った損害を保険金でてん補し、生命保険契約においては、予め約定している保険金額が保険金として支払われる。この保険金の支払いの条件である保険事故発生・不発生は、個々人にとっては偶然な出来事にすぎない。このような偶然な出来事に保険金の給付が左右される契約のことを「射倖契約」という。この「射倖契約性」も保険契約の特色の1つである。

保険契約は、保険事故が発生した場合に保険者が支払う保険金は、保険契約者が支払う保険料の数十倍、数百倍もの高額なものとなる。そのために、保険制度を悪用し高額の保険金を詐取することを目的に保険契約が締結される危険性がある。そのことから、保険契約は他の契約に比べて契約当事者、すなわち保険契約者に高度の善意と信義誠実が求められる。このような特色を有する契約を「善意契約性」という場合がある。

保険契約は、保険契約者と保険者との債権債務関係にすぎないが、保険制度が成り立つには大数の法則に基づく必要がある。この大数の法則が成り立つためには、より多くの保険加入者との間で保険契約を成立しておくことが必要となる。そして多数の保険契約が成立した場合に、保険者は各契約それぞれに対して公平に取り扱わなければならない。多数人を公平に取扱うためには、予め契約内容を統一しておくことが必要となる。そのため、保険者の方で、予め保

コラム1-1　モラル・ハザードとモラール・ハザード

道徳的危険のことをモラル・ハザード（moral hazard）という。広義の意味では、狭義の意味のモラル・ハザードとモラール・ハザード（morale hazard）とが含まれる。

狭義のモラル・ハザードとは、保険制度を不正に利用する危険のことを意味する。モラル・リスクとも呼ばれるもので、保険金を取得する目的で故意に保険事故を起こすような場合がこれに該当する。他方、モラール・ハザードとは、保険に加入していることに安心して注意力が弛緩してしまう危険をいう。

これらの危険は保険制度に特有なものであり、これらの危険を回避する手段として、保険法においては、一般的な契約法を規定する民法にはない特別な規定や約款において特別な条項が設けられている。例えば、前者においては、保険契約者等における保険事故招致免責規定（17条・51条・80条）、重大事由解除（保険30条・57条・86条）等の規定である。後者においては、被保険者が被った損害のすべてをてん補するのではなく一部を被保険者が負担するとする自己負担額条項がそれに当たる。

険契約の内容を定めた保険約款によって保険契約を処理することが行われている。そして保険契約者は保険に加入する際に、その保険約款の内容に拘束される。このような特色をもつ契約を「附合契約」という。

5　保険に類似する制度と保険との相違

⑴　貯　蓄　　万が一の経済的な支出に備えて、毎月一定額を金融機関に預けるという方法、貯蓄という方法がある。保険の場合は、保険者が約定している担保期間開始日から約定している給付の範囲内で、一定の偶然の出来事の発生を条件として保険給付がなされる。これに対して貯蓄の場合には、目標額に達する前に、経済的な支出が必要となった場合には、十分な対応がとれない。また保険は他の者にリスクを移転する手段であるが、貯蓄はリスクを他人に移転する手段ではなく自己でリスクに対応する手段である。

⑵　自家保険　　自家保険とは、1つの個別経済主体が特定の危険に対処するため、大数の法則を利用した事故発生率に基づく準備金を積立てていく方法である。自家保険は大数の法則を利用した事故発生率に基づき準備金を用意す

図表1－2　保険と貯蓄の相違

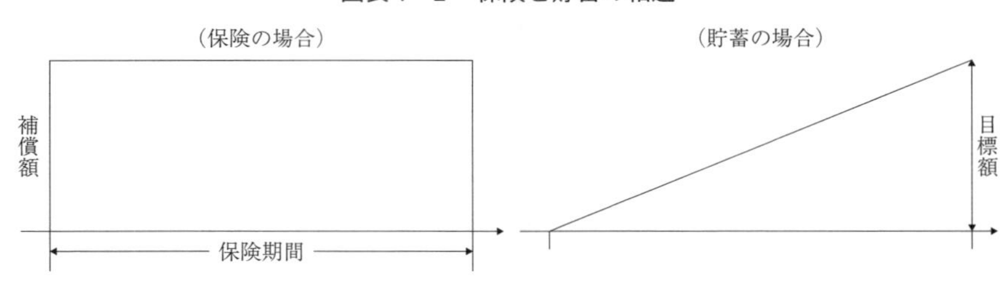

る点は保険と類似するが、保険では多くの同種の危険にさらされている経済主体が保険料を支払い危険分散や危険の移転を行うが、自家保険では、危険分散が不十分であり危険の移転が行われないため、事故発生率を超える損害が発生した場合には、当該個別経済主体自身がその損害を負担しなければならない。

⑶　**共済制度**　　保険制度では保険加入者は不特定多数を対象としている。これに対して共済制度は特定の組合の構成員である組合員のために組合が行う福利厚生制度の手段として、組合員が掛金を出し合い、特定の危険に組合員が相互に助け合いを行い、事故にあった組合員に共済給付金の支払いを行う制度である。共済契約の場合は加入者が共済契約を引き受ける組合の組合員に限定されることになる。もっとも共済契約のうちで保険契約と実質的に同じ機能を有する共済契約に関しては、保険法の適用対象となる（保険2条1号参照）。

⑷　**保証制度**　　保証とは、債務者が債務を弁済しない場合、債務者以外の保証人が債権者に対して、債務者に代わって債務の弁済の履行をなす担保手段である（民446条）。

契約上の債務又は法令上の義務の履行を保証することを約し、その対価を受ける保証契約の締結は、銀行や証券会社等の保険会社以外の法人も行える事業となっている。

当該保証行為が、保険数理に基づき、当該対価を決定し、準備金を積み立て、再保険による危険の分散を行うこと、その他保険に固有の方法を用いて行われる場合には、一種の保険契約であると解され、保証証券（ボンド）業務として、保険会社の取扱が認められている（保険業3条6項）。

⑸　**保険デリバティブ**　　保険デリバティブとは、代替的リスク移転（ART）

として保険に代替するところのリスク移転手段として、近時、企業リスクの移転手段として広く普及している。天候デリバティブ、地震デリバティブがこれに該当する。保険デリバティブは経済的には保険とは異なる制度であり、予め約定されている指標に基づき、一定額の支払いが行われる。損害保険契約とは異なり被保険者の損害のてん補や救済等を目的とするものではない（仙台高判平25・9・20金判1431・39〔百選 A1〕参照）

損害保険契約においては、約定された一定の出来事（保険事故）と相当因果関係のある損害の範囲で当該損害のてん補のため保険金の支払いが行われる。そのため、相当因果関係のある損害か否かを査定する必要がある。

これに対して保険デリバティブの場合は、予め約定された指標に達した場合、損害の有無に関係なく約定した一定の給付がなされることになる。一定の指標に達しない場合には何ら給付は実行されない。

震度6弱以上（インデックス、指標）を条件に地震保険において損害調査なしに損害を認定して費用保険金の支払いを行う「インデックス保険」というものがあるが、約定された金額まで損害を一律に支払うという契約であり、損害を填補する内容として実損填補性が確保されていることから損害保険契約と位置付けられる。

2　保険法と保険業法

1　保険監督

保険事業は社会インフラにおいて重要な役割を担うことから、保険を引き受ける事業者に対し国における監督規制の対象となっている。

保険業法は、保険事業者及び少額短期保険事業者の監督規制等を行うものである。保険業法の規制対象とならない各種共済事業者においては、特別法に基づき監督規制がなされている。

保険業法では、保険業とは生命保険業、損害保険業、その他の保険業（保険業2条1号）と定義されている。そして保険業は免許事業であり（保険業3条1項）、生命保険事業免許と損害保険事業免許の2種類からなり（同条2項）、生損保兼業は認められない（同条3項）。ただし、子会社を設立して、他方の事業

図表1－3　監督関連法規・監督官庁の具体例

事業者	監督法規	監督官庁
保険会社 少額短期保険事業者	保険業法	金融庁
全国労働者共済生活協同組合連合会（全労済・こくみん共済）	消費者生活協同組合法	厚生労働省
全国共済農業協同組合連合会(JA 共済)	農業協同組合法	農林水産省

免許を取得して、事業を行うことは認められる。傷害疾病保険については、生命保険事業免許又は損害保険事業免許を取得すれば、事業として行うことが認められている（保険業3条4項2号・5項2号参照)。

保険業を営む保険会社は株式会社又は保険業法で設立が認められている相互会社である必要がある（保険業5条の2参照)。

外国の法令に準拠して外国において保険業を行う者（外国保険事業者、保険業2条6号）も日本に支店等を設けて保険の引受けをする場合には免許が必要となる（保険業185条1項参照)。

少額短期保険事業者（保険業2条17項・18項）については、登録により事業が認められる（保険業272条1項)。

2　保険契約と保険法

⑴　**保険法の対象分野**　保険法1条は、「保険に係る契約の成立、効力、履行及び終了については、他の法令に定めるもののほか、この法律の定めるところによる。」と規定し、特別法がない限りは保険契約の一般的な規律を行うものが保険法である。

⑵　**保険契約の法源と保険約款**　保険契約の法源としては保険契約一般を規律する保険法がまず法源となる。それ以外に保険法の特別法として、自動車損害賠償保障法における自動車損害賠償責任保険に関する規定や貿易保険法、保険業法の関連規定等がある。保険法は民事基本法として民法の特別法として位置付けられていることから、保険法、特別法、約款規定がない場合には一般法である民法も法源となる。

一般消費者を保険加入者とする保険契約の場合には、消費者契約法の対象となる（消費契約2条1号～3号参照)。また保険契約者等との保険契約の締結も金融商品の販売に該当すること（金サ3条1項4号）から、金融サービスの提供及び利用環境の整備等に関する法律の規制を受けることになる。

保険契約の適用される普通保険約款は保険契約の法源ではなく、保険契約の契約内容を定めるものである。保険契約は民法548条の2第1項所定の「定型取引」に該当し、その取引に適用される保険約款は「定型約款」に該当することになる。一般的には、保険契約加入前に加入者に対して保険契約の内容は保険約款を契約内容とする合意又は加入者に対して契約内容とする表示がなされる。

3　保険契約の基本概念

1　保険契約の定義

⑴　保険契約の定義と対象範囲　　保険法2条1号は保険契約の定義として「保険契約、共済契約その他いかなる名称であるかを問わず、当事者の一方が一定の事由が生じたことを条件として財産上の給付（生命保険契約及び傷害疾病定額保険契約にあっては、金銭の支払に限る。以下「保険給付」という。）を行うことを約し、相手方がこれに対して当該一定の事由の発生の可能性に応じたものとして保険料（共済掛金を含む。以下同じ。）を支払うことを約する契約をいう。」と規定する。

保険法2条1号は、保険契約が諾成契約であり、保険契約者と保険者の意思と意思の合致により成立することを示す。また同号は、保険契約と同様な実質を有する契約はその名称に関係なく保険契約と位置付け、保険法の適用対象とする旨を明らかにしている。そのため共済契約でも実質的に保険契約と同じ位置付けの契約は保険契約として保険法の規制を受けることとなる。先述の事業者監督規制とは異なることになる。

⑵　保険契約の類型と分類　　保険法では、①損害保険契約（2条6号)、②生命保険契約（2条8号)、③傷害疾病定額保険契約（2条9号）の3部類としている。

傷害疾病損害保険契約（2条7号）は、損害保険契約の下位類型として位置

図表1－4　保険法における保険契約の類型

契約類型	損害保険契約 （2条6号）	生命保険契約 （2条8号）	傷害疾病定額保険契約 （2条9号）
下位類型	傷害疾病損害保険契約（2条7号） 責任保険契約（17条2項括弧書）		
具体例	住宅火災保険、貨物保険、動産保険、個人賠償責任保険、自動車賠償責任保険、任意自動車保険の対人・対物責任保険、弁護士費用保険、生産物責任保険（PL 保険）、会社役員賠償責任保険（D&O 保険）盗難保険、ペット保険	年金保険、死亡保険、養老保険、学資保険	単独の定額給付型の傷害保険・疾病保険・入院保険・医療保険、任意自動車保険の搭乗者傷害保険・自損事故傷害保険、生命保険契約の災害保障特約保険・傷害特約保険・疾病入院特約保険

図表1－5　給付方法による分類

	実損てん補型	定額給付型
物保険・財産保険	損害保険契約（2条6号）	（実損てん補性、利得禁止原則に反するため認められない）
人保険	傷害疾病損害保険契約（2条7号）	生命保険契約（2条8号） 傷害疾病定額保険契約（2条9号）

付け、損害保険契約に関する保険法の規定をそのまま適用することに支障がある部分については、特則を置いて対応している（保険34条・35条参照）。

損害保険契約の具体的な例としては、火災保険契約、賠償責任保険契約、動産保険契約等がある。生命保険契約の具体的な例としては、年金保険契約、死亡保険契約、生死混合（養老）保険契約等がある。傷害疾病定額保険契約の具体的な例としては、定額給付型の傷害保険、疾病保険、入院保険、任意自動車保険契約の人身傷害定額払（搭乗者傷害）保険契約、自損事故傷害保険契約等がある。損害保険契約の下位類型に当たる傷害疾病損害保険契約としては、任意自動車保険契約の無保険車傷害保険がこれに当たると考えられる。

⑶　他の基準における保険の分類

（i）　公保険と私保険　　国、その他公共団体の社会政策、経済政策など政策

コラム1－2　「人身傷害保険」の保険法上の法的性質は何か

任意自動車保険に附帯されている人身傷害保険の法的性質をめぐり、これを保険法でいう傷害疾病損害保険契約（2条7号）と解するのか、保険法での保険契約における3類型のいずれにも該当しない非典型契約と解するのか、見解の対立がある。被保険者が死亡した場合、被保険者の法定相続人が保険金請求権者となる旨の約款条項の意味付けをどう考えるかも含めて見解の対立がある。学説の多数説は、人身傷害保険を傷害疾病損害保険契約と解し、被保険者死亡の場合には、死亡した被保険者の相続財産に人身傷害保険金が一旦帰属し、その後、被保険者の法定相続人が当該保険金を承継取得すると考える。そして当該約款条項は保険法35条の規定内容を定めたものに過ぎず、相続に関する一般的な内容を確認的注意的に規定したものと解する。これに対して有力説は、人身傷害保険を非典型契約と解し、当該約款条項は保険金受取人を意味し、被保険者死亡の場合には、被保険者の法定相続人が自己固有の権利として人身傷害保険金を取得できると解する。保険法施行前の人身傷害保険契約に関する裁判例（盛岡地判平21・1・30（平成19年(ワ)第333号保険金請求事件）LEX/DB 文献番号25480033、東京地判平27・2・10生判26・39は被保険者の法定相続人が自己固有の権利として人身傷害保険金を取得できるとする立場をとる。しかし学説の多数説は、保険法施行後の契約においては、同様に解することは困難ではないかと指摘する。他方、保険法施行後の契約での裁判例（東京地判令2・3・24（平成31年(ワ)第10352号損害賠償請求事件）LEX/DB 文献番号25584935、福岡高判令2・5・28判時2480・28〔百選46〕、東京地判令5・2・27（令和3年(ワ)第33831号保険金請求事件）LEX/DB 文献番号25610376）は、保険金は死亡した被保険者の相続財産には帰属し、被保険者の法定相続人が承継取得すると解する立場をとる。

図表1－6　公保険の分類

	社会保険	経済政策保険
具体例	雇用保険、厚生年金保険、国民健康保険、労働者災害補償保険（労災保険）	貿易保険、中小企業信用保険、農業共済再保険、農業信用保険、漁船再保険、漁業共済保険、森林保険

遂行のために行われるのが公保険であり、それ以外の私的経済的活動のために行われるものが私保険である。公保険は政策保険ともいわれ、社会保険と経済政策保険とに大別される。社会保険は、社会政策的見地から実施される保険である。

(ii) 営利保険と相互保険　営業的商行為（商502条9号）として営利を目的として引き受けられる保険を営利保険という。保険加入者が保険契約者となるだけではなく、相互の保険を行うことを目的として設立された保険者（相互会社）の構成員となり、その構成員のために行われる保険を相互保険という。相互保険は営利を目的とするものではないことから、営業的商行為（商502条9号）には該当せず、相互保険を引き受ける相互会社（保険業2条5号参照）は商人（商4条1項参照）ではない。しかし相互会社が引き受ける相互保険においても商法の一定の規定が準用されることになっている（保険業21条2項）。

(iii) 元受保険と再保険　企業・一般消費者がリスク移転を目的に保険者と締結する保険を元受保険という。保険者（元受保険者、出再者、被再保険者等という）が自己の負担する保険責任の一部又は全部を、他の保険者（再保険者、受再保険者、受再者等という）にリスク移転するために締結する保険を再保険という。

(iv) 義務保険と任意保険　法律上加入することが義務付けられている保険のことを義務保険という。自動車損害賠償責任保険がこれにあたる（自賠5条）。保険に加入するか否かが保険契約者の自由に任されている保険のことを任意保険という。

2　保険契約の当事者と関係者

(1) **保険者**　保険契約の当事者のうち、保険給付を行う義務を負う者をいう（2条2号）。具体的には、生命保険相互会社、生命保険株式会社、損害保険株式会社、損害保険相互会社、少額短期保険事業者、外国保険事業者、JA共済、全労済等がこれに該当する。

(2) **保険契約者**　保険契約の当事者であり保険料を支払う義務を負う者をいう（2条3号）。保険契約者は自然人の場合もあれば法人の場合もある。

(3) **被保険者**　被保険者の意味は保険契約の類型ごとに異なる。

(i) 損害保険契約　損害保険契約における保険給付を受ける利益を有する

者をいう（2条4号イ）。

損害保険契約における被保険者は損害保険契約における受益者であり、被保険利益（3条）の帰属者でもある。損害保険契約の被保険者は自然人の場合も法人の場合もある。損害保険契約の下位類型である傷害疾病損害保険契約では、当該傷害疾病によって損害を被った者に限られていることから（2条7号括弧書）、被保険者は自然に限られる。被保険者は保険者と保険契約者の合意により決まるが、被保険利益を有しない者を被保険者とした場合には、当該損害保険契約は無効となると解される（神戸地判平29・9・8判時2365・84）。

(ii)　生命保険契約　　生命保険契約において保険事故の対象となっている者（2条4号ロ）をいう。保険事故の対象となるため被保険者は自然人のみとなる。

(iii)　傷害疾病定額保険契約　　傷害疾病定額保険契約において保険事故の対象となっており、傷害疾病に基づき保険者から保険給付を受けることとなっている者（同号ハ）をいう。生命保険契約と同様に被保険者は自然人のみとなる。

(iv)　保険金受取人　　保険給付を受ける者として生命保険契約又は傷害疾病定額保険契約で定める者をいう（2条5号）。保険金受取人は自然人の場合も法人の場合もある。損害保険契約において保険金受取人概念は存在しない。

(4)　**保険募集人**　　保険の重要性は理解できても、保険契約者が自ら進んで保険に加入するのではなく、特に個人向けの保険においては、保険募集人等による勧誘等により保険に加入することが一般的である。

保険募集人に関しては、保険業法においてその資格、募集における禁止行為等に関する法規制がなされている。詳細については**2章2**保険契約の成立と保険募集規制を参照。

2章 保険契約共通事項

1 片面的強行規定

1 私的自治（契約自由）の原則と片面的強行規定

民法、商法といった私法の領域にある法令の中に収められている法律規定には、公の秩序に関する規定（強行規定）と、公の秩序に関しない規定（任意規定）との区別がある（民91条参照）。なお、その区別は、解釈によって行われる。

公の秩序に関係する規定（強行規定）が定める内容について、もし、その変更を認めるなら、その限りで公の秩序は変更され、その秩序は維持できなくなるため、その内容を変更することは、一切、認められていない（例えば、民法5条における未成年者の行為能力にかかる法律規定や、民法93条ないし98条の2の意思表示にかかわる法律規定は、強行規定と解されており、仮にある契約の当事者間で、未成年者の法律行為や詐欺による意思表示も、取消すことはできない、と合意していたとしても、その合意は無効とされる）。

他方、公の秩序に関しない規定（任意規定）が定める内容については、私的自治が認められ、当該規定が定めている内容を、関係者（契約の当事者）が変更することは、認められている。例えば、民法の債権法（民法第3編）にかかる規定は、その多くが、当事者が明確に合意していなかったときに機能する補充規定であることから、その多くが任意規定と解されており、とりわけ、契約法領域（民法第3編第2章）では、私的自治の原則の具体化たる「契約自由の原則」の考え方の下、そこに置かれる任意規定（民法規定）の内容にとらわれず、それを自由に変更し、もって、契約内容を自由に決定することが認められている（民521条1項・2項）。

さて、保険法も、保険にかかる契約の成立、効力、履行、終了について定める法律であるから（1条）、一契約法であり、したがって、契約法一般の考え方、すなわち、上記、契約自由の原則のコンセプトが及んでくる。それゆえ、保険法の規定は、基本的に（＝公の秩序に関する規定と解される規定以外は）任意規定である、と考えることから出発する。

ところが、この基本コンセプトが保険法を支配することをめぐって、1つの問題が生じる。それは、契約自由の原則というもの（コンセプト）を何ら制限なく全面的に承認・貫徹するための素地ないし前提が、保険契約関係には欠けている、という問題である。そもそも、契約自由の原則とは、交渉能力ないし地位において対等な者同士が納得して合意した事柄（契約内容等）であるから、その合意が尊重されなければならない（その限りで、国家の関与＝任意法規が、退く）、という考え方であり、民法521条も、民法の基底に流れる理念、すなわち、契約当事者は"対等な存在である"ということを前提に、契約自由の原則を規定しているが、保険契約の当事者間には、そのような前提（対等性）が認められない。保険契約の一方当事者である保険者は、巨大資本を有し、契約形成（約款作成）に一方的に携わる（通例、保険契約者に保険契約の内容形成について、交渉余地はない）強者である一方、反対に、保険契約者側は弱者であり、その間に対等な契約交渉は期待できないのである。そのように、構造的に強者と弱者との関係にある保険契約の当事者間に、契約自由の原則の考え方を全面的に承認・貫徹すれば、強者に有利な内容の契約がその圧力の下に形成されるおそれがあり、強者を一層強者にし、もって法の理念に反する事態を招きかねない。とりわけ、保険法には、その弱者である保険契約者（側）を保護する意図で置かれた規定も数多く存在するが、仮にそこに契約自由の原則が全面的に貫徹され、これらはすべて任意法規とされるなら、その約款による変更を通じて、保険契約者を保護しようとした"法の趣旨"が没却される。労働法しかり、借地借家法しかり、そのように、契約当事者が対等な力関係にないところでは、契約自由の原則は全面的に貫徹されず、逆にこれを制約する方向で法が積極的に介入し、非対等を念頭に置きながらする利害関係の適切な調整が図られているところである（契約自由の原則の制限）。

そこで、保険法も、借地借家法などと同様に、本来は任意規定と考えられる性質の法律の諸規定（規律）を、保険契約者側の保護が必要な範囲で（＝全部ではない）片面的強行規定に指定し、そのことをもって、本来は契約自由の原則のもと認められるはずの約款（契約）による変更、すなわち、保険契約者側（弱者）に不利益な変更を、法律において禁止することとした。そのことを通じ、保険契約者側の保護を意図して設けられている法律規定の趣旨が（約款による変更によって）ないがしろにされる事態を阻止することが意図されている。ちなみに、1908年ドイツ保険契約法、1930年フランス保険契約法を筆頭に、欧州の保険法には、立法スタイルに若干の相違はあるものの、保険契約における契約自由を強行規定とし、片面的強行規定をもって制約するという仕組みが、非常に古くから根付いてきた（ヨーロッパ域内の保険契約法の統一をめざして作成された近年のヨーロッパ保険契約法原則〔PEICL: Article I［2009］103〕は、保険約款によるルール形成が広く行われる保険契約についての立法の主要な機能は、契約自由を効果的に制限することにこそあるとする考え方に基づいて、数か条の強行規定を置きながら、それ以外にはすべて、原則〔いわゆる企業保険の例外を除く〕、片面的強行規定とする）。なお、片面的強行規定に指定されていない条項については、解釈により、任意規定か強行規定かの区別がなされる。

2　片面的強行規定の指定とその違反の効果

改めて、片面的強行規定とは、特約により、損害保険における保険契約者・被保険者に、又は、生命保険若しくは傷害疾病定額保険における保険契約者・被保険者・保険金受取人に不利な変更をすることが許されていない、保険法上の規定をいう。どの規定が片面的強行規定にあたり、また、より具体的に保険契約者側の誰に対して不利に変更してはならないかは、保険法の各章（第２章損害保険・第３章生命保険・第４章傷害疾病定額保険）ごとに置かれた、各節（第１節成立、第２節効力、第３節保険給付、第４節終了）の最後の条文（7・12・26・33・41・49・53・65・70・78・82・94条）が指示している。

もし、片面的強行規定に違反する特約（＝片面的強行規定に指定されている保険法の規律の内容を保険契約者等の側に不利益に変更した約定）がなされた場合、その特約（合意）は、無効になる（7条等が定める法的効果）。特約の効力が奪われ、特約は（実際はあったが）なかったものとされるので、保険法の規定（＝片面的強行規定に指定されている法律規定）が復活して、それが定める内容（すなわち、保険契約者等の利益を保護している内容）において、当事者の権利義務関係が規律されるという結果が生じる。

なお、不利な特約とは、例えば、“軽”過失の告知義務違反の場合にも保険者は保険契約を解除することができるとするような、明らかに法文言に反する約定（28条・33条１項参照。⇒54頁参照）のみならず、実質的にみて、保険法がある規定を片面的強行規定としている趣旨を没却するような特約もそれに該当する（例えば、免責事由〔17条参照〕として、「危険増加によって生じた損害」を列挙する約定は、危険増加解除が可能な場合に一定の制約のもとに免責が認められる、とする片面的強行規定〔29条１項・31条２項２号・33条１項参照〕に反する特約となる）。

3　片面的強行規定の適用除外

片面的強行規定の効力（＝保険契約者等の側に不利益に変更してはならない）は、保険法が指定（限定列挙）する特定の契約については、及ばないものとされている（片面的強行規定の適用除外）。すなわち、その特定の契約に該当すれば、当該契約の中（約款）で、片面的強行規定に指定されている保険法規定の内容を保険契約者の側に不利益に変更すること（そのような特約を設けること）も許されることになる。もっとも、このような適用除外は、保険契約の引受けにかかる支障・障害を除去する、という現実の必要性に応じて用意されたものであり、保険法は、結果的に、損害保険の分野でしか、適用除外契約（＝例外）の存在を認めていない。すなわち、損害保険の分野には、片面的強行規定の効力が及ばない特定の契約が存在するが、生命保険、傷害疾病定額保険の分野に片面的強行規定の適用除外契約はなく、したがって、その分野内にあるどのような契約にも片面的強行規定の効力は及ぶ。

保険法36条１号ないし４号が指定する片面的強行規定の適用除外契約は、①海上保険契約（船舶保険、貨物保険など。商815条１項・818条・819条参照）、②航空（物・賠償責任）保険（機体保険、航空貨物保険、乗客損害賠償責任保険、第三者損害賠償責任保険など）、③原子力（物・賠償責任）保険（原子力財産保険、原子力損害賠償責任保険など）、④「事業活動に伴って生ずることのある損害をてん補する損害保険契約（傷害疾病損害保険契約を除く）」である。

①②③の保険契約には、そこに引き受けられるリスクが類型的に巨大であり、再保険手配が必要になる、というリスク自体の特殊性（それゆえの片面的強行規定の適用除外の要請）があり、このような保険契約では、元受保険会社またはそれを会員とする共同引受プール（日本航空保険プール、日本原子力保険プール）が、元受保険会社（会員）の引受能力、消化能力を超える部分について、海外に再保険手配を行っているところ、もし、元受保険契約に片面的強行規定の効力が例外なく及び、そこに自由な設計ができないとなれば、それが原因で再保険契約の合意に至れないなど再出に支障をきたすおそれがあり、結果、再出困難を懸念した元受自体の拒絶（＝要するに、保険の引受けに支障が生じる）という問題が起こりかねないことから、適用除外が認められた。

④の保険契約は、リスクが類型的に巨大になることのほかに、そのリスクが複雑である、という特殊性をもつ。保険法立案の過程においてここに想定されたのは、製造業者等が製品の欠陥・瑕疵に基づいて負担する損害賠償リスク（製造物３条参照）に備えるPL保険であり、立案担当者によれば、PL保険を（典型）例とする事業活動に特有のリスクを引き受ける④の保険契約には、a）そこに引き受けられるリスクが類型的に巨大になり、また、b）リスクに関する情報が保険契約者側に著しく偏在する、という、リスク自体の特殊性（それゆえの片面的強行規定の適用除外の要請）があるところ、もし当該保険契約に片面的強行規定の効力が例外なく及ぶとすれば、保険の引受け自体が困難になり（告知義務に関する質問応答義務が強制されたルール＝片面的強行規定になることによる困難。４条参照⇒45頁）、あるいはそれを無理に引き受けようとすれば保険料が非常に高くなる（＝要するに、保険の引受けに支障が生じる）という問題が起こりかねないことから、適用除外が認められたという。法文言は、このような意図を十分に反映していないという問題はあるが、立法趣旨がそのようなものであるとすると、それに該当するかどうかは、リスクが類型的に巨大であり、かつ、保険者が片面的強行規定に反する約定の下でしか保険の引受けができない性質をもっている（上記のa）b）の両要件を満たす）、という実質基準による縛りを受ける。PL保険以外にもこれに該当するものはあり得、例えば、近年、企業（会社）がその保険料の全額を負担することができるようになったD&O保

コラム2-1　片面的強行規定違反の解釈

本文に述べた通り、片面的強行規定に違反するかどうかは、形式的にのみならず、実質的に判断される。保険法の立案担当者によると、ある約款の規定が保険法の片面的強行規定に実質的に反するか否かは、当該片面的強行規定の趣旨及び射程範囲、当該約款規定の目的、要件及び効果等を総合的に勘案して判断されるという（なお、借地借家法など他の法律においても、このような総合判断において、片面的強行規定違反の有無が判断されている。最判昭31・6・19民集10・6・665、最判昭40・7・2民集19・5・1153、最判昭44・5・20民集23・6・974等参照）。例えば、残存物代位（24条）をするか否かを保険者が決定できる（代位しない可能性を残す）とする特約（⇒139頁参照）は、実質的に、被保険者に不利な特約ともなり得るが、24条の片面的強行規定の射程範囲は、保険者が代位により取得できる権利の割合の問題にのみ及ぶ、との解釈の下、代位しない約款は、被保険者に不利な特約ではないと解されている。

険（役員賠償責任保険）は、a）そこに引き受けられるリスクは類型的に巨大であり、また、b）リスク（役員の損害賠償リスク）に関する情報（役員が、これまで、どのような業務執行を行ってきたか、また、訴訟ないし潜在的問題案件を抱えているか）は、役員・会社の側に著しく偏在している（＝自発的申告義務化が必要）といえるから、36条4号に該当する契約であるといえる。反対に、事業会社が所有する社用車・営業車に付す自動車保険契約や、社宅として借り上げているマンションに付す火災保険契約はこれに該当しない（更には、36条4号が明文で示しているように、従業員を被保険者として締結する〔実損てん補の〕団体傷害保険も該当しない）。

2　保険契約の成立と保険募集規制

1　保険契約の成立

⑴　諾成・不要式の契約　　保険契約は、法律上、諾成・不要式の契約であり、契約当事者である保険契約者と保険者との間に、契約の要素（⇒後述）に合意（申込みに対する承諾⇒後述）があれば成立する（民522条1項）。当然、前提

において、意思能力の存在が要求される（民３条の２）。通例、契約時に保険料の支払いを求められるが、それでも、保険料の払込み（交付）が、保険契約成立の要件となっているわけではない（諾成契約を変更するものではない）。もっとも、通例、保険者は、保険者の用意する保険契約申込書ないし電子端末を介してする所定の形式を備える申込みでなければ、その申込みを受け付けることをしないので、保険契約が不要式の契約である（民522条２項参照）といっても（書面による意思表示でなければ、その意思表示は無効である、という類の法令の定めはないとしても）、実態として、一定の要式に沿った意思表示が求められている事実は否定できない。

⑵ **保険契約の要素**　保険契約は、後述の通り、申込みと承諾の合致によって成立するが、その意思表示のやりとりの前提として、保険契約の要素（内容）が確定していなければならない。相手方が承諾するだけで契約が成立するということである以上（民522条１項）、その申入れは、その申入れで示された内容だけで契約を成立させるに足るだけの内容をもっているという前提が置かれているからである。保険契約の要素とは、保険契約者、保険の目的（損害保険契約上の被保険利益又は生命保険・傷害疾病定額保険上の被保険者）、保険事故、保険金額、保険期間、保険料額をいい、申込みと承諾の合致が（形式的に）あったとしても、上記の諸要素が確定できない場合には、契約は成立しない（不成立）。

⑶ **保険契約の申込みと承諾**　保険契約の申込みと承諾について、保険法は特に規定を置いていない。したがって、契約の申込みと承諾にかかる民商法の一般法・一般規定が、ここに適用される。なお、保険契約は、保険契約者が申込みをなし、保険者がその申込みに承諾を与える形で成立するのが通例である（もっとも、５条・39条・68条は、反対に、保険者が申込者になる可能性も排除していない）。これに先立つ保険者側の保険募集行為は、保障内容について変更可能な提案の形になされるもので、申込みにおける内容の確定性をなお備えていないので、単なる申込みの誘因である。

(i)　申込み　自動車保険、火災保険、傷害保険など、一般的な（専門性の高くない）損害保険契約の募集についていえば、通常、その保険募集人（損害保険代理店等）は、損害保険会社の代理人として当該保険契約を締結する権限を与えられている（損害保険代理店は、会社法16条にいう締約代理商に当たる）。

保険契約者になろうとする者は、保険契約申込書に必要事項を記入した上（なお、その中で、危険に関する重要事項の告知も同時に行われる仕組みがとられている。申込書記載事項のうち、告知事項に該当するものは、申込書上、★印などで示されている）、そのような保険募集人にこれを引き渡すが、その瞬間に申込みは効力を生じ（民97条1項。契約締結権限があるのに申込受領権限がないというのは矛盾になる）、他方、契約締結の代理権限をもつ保険募集人は、通例、その場で当該申込みを（黙示に）承諾し、直ちに保険契約が成立する（民99条1項、商504条）。

他方、生命保険の募集についていえば、その主要販売チャネルである保険募集人（いわゆる営業職員）には、当該保険契約を締結する権限は与えられておらず、そのような生命保険募集人は、保険契約者になろうとする者と、保険者になろうとする者との間に立って、その契約が成立するよう、事実行為（媒介行為としての橋渡し）をするにすぎない。保険契約者になろうとする者は、保険契約申込書に必要事項を記入し、それとは別に用意された告知書を記入して（最近では、申込みと告知の双方を電子端末に入力していく方式もみられる）、これを生命保険募集人に引き渡すことになるが、電子端末への入力でなく、少なくとも従来型である用紙の交付による場合、この段階では、いまだ保険者に申込みは届いていないという評価があり得る（民97条1項参照）。というのも、このような生命保険募集人は、保険会社を代理して、保険契約申込みの意思表示を受ける権限を有さないと推定されるからである（大判大5・10・21民録22・1959〔百選59〕）。通説は、これまで、このような理解を支持してきたが、しかし、契約申込みに果たす生命保険募集人の役割を考えれば疑問があり、生命保険募集人が保険者の担当部門に提出しなかったリスクは保険者が負担すべきといった理由において、生命保険募集人の申込受領権を肯定し、ここに書類が交付された時点で、申込みが効力を生じると解する学説が、近時は有力になっている。このように考えれば、例えば、生命保険募集人が申込書を担当部門に提出し忘れているうちに被保険者が死亡した場合でも、後述する承諾前死亡を論じる環境は整うのであり、不提出によるリスクを保険契約者（申込者）が負担することは避けられる。反面、申込みの効力を生じると、これ以降、申込者は、原則、これを撤回することができないという効果が生じ（民523条1項・525条1項）、例外的場合の1つとしての後述するクーリングオフの期間もその時点から起算される。また、それが、承諾期間を定めてした申込みであればその承諾期間が開始し（民523条1項参照）、これに関連して、遅延した承諾の効果（民524条：それを新たな申込みとみなす）が問題となる場合も生じる。同様に、商人である隔地者の間における承諾期間の定めのない保険契約の申込みがあり、その被申込者（通常、保険者）が相当の期間内に承諾の通知を発しなかったために申込みが効力を失った後（商508条1項、保険業21条参照。）、その被申込者が承諾をした場合にも、遅延した承諾の効果は問題となりうる（商508条2項、民524条）。これらの遅延した保険者からの承諾が、新たな申込みとみなされるときには、保険者が申込者の地位に立つ（39条等参照）。

(ii) 承　諾　　保険契約者になろうとする者から申込みを受けた場合、原則として、保険者には、承諾をするかどうかの自由がある（民521条1項）。もっとも、法律（民521条1項参照）が予定している例外として、法令に特別の定めがあるため、契約（承諾）するか否か自由が制約されている（＝締約強制がかかる）場合もある（自賠24条。保険会社は、政令で定める正当な理由がある場合を除き、自賠責保険〔契約〕の締結を拒絶してはならない＝承諾が強制されている）。

承諾の自由に対する例外として、法律そのものが予定しているわけではないが、解釈上、認められている保険者の承諾の自由に対する例外として、生命保険における承諾前死亡の問題がある（⇒84頁参照）。

また、保険料不払いにより失効した生命保険契約の復活請求につき、従来、これは特殊な契約の申込みであり、この申込みに対しても、保険者は広くまた完全な形の承諾の自由を有するとされてきたが（大阪地判平17・6・13生判17・450参照）、近時は、早期の復活請求の場合や失効前から被保険者の健康状態が悪化していた場合等、保険者による自由な承諾拒絶が保険金請求権者の利益を不当に害し得る局面を念頭に、信義則上、復活拒否（承諾）の自由が制約される場合もあるとの議論が有力に展開されはじめている。

承諾の意思表示は、これが相手方（申込者）に到達したときに効力を生じる（到達主義＝民97条1項。旧民法526条は削除）。したがって、保険契約の成立時期は、（通例）保険契約者になろうとする者に承諾の意思表示が到達した時点となる。

損害保険会社の実務では、保険代理店が契約締結の代理権を与えられていることが多いので、申込者（保険契約者になろうとする者）は、まさにその契約締結現場（例えば、カー・ディーラー、空港のカウンター、不動産会社の店舗等）で、直ちに承諾の通知（意思表示）を受けるのが通例である。

生命保険会社の実務では、代理店ないし募集人に契約締結権限は与えられていない（更に契約審査が必要である）ので、申込者が、生命保険募集人からその場で承諾の通知（意思表示）を受けることはない。実際、生命保険約款には、保険者が保険契約の申込みを承諾した場合、契約締結時の書面（いわゆる保険証券）の交付により、承諾の通知を行う旨が規定されている。このような約款規定の下では、保険証券が申込者に到達した時点で、保険契約が成立する、と解することになる。

⑷　**契約締結時の書面交付義務**　保険契約が成立したとき、保険者は、遅滞なく、保険者・保険契約者・被保険者・保険金受取人の氏名・名称、保険事故、保険金額、保険料及びその支払方法、保険契約を締結した年月日等々、一定の事項を記載した書面を交付しなければならない（6条・40条・69条）。この書面は、実務上、保険証券と呼ばれている。なお、これらの規定は、任意規定であるから、保険者は、保険証券を発行しないとすることもできる（なお、保険証券を発行しないことで、保険料を割引く実務もある）。

⑸　**クーリングオフ**　契約の成立について、無効原因（民93・94条）や取消事由（民95・96条）がない限り、その契約は効力をもち、当事者はこれに拘束されるのが原則であるが、例外的に、この場合にも、無条件で一方的に契約を解除できる制度が、特定商取引法その他の法律の上に認められている（クーリングオフ制度）。

保険業法309条（同・施行令45条、同・施行規則240条）は、このいわゆるクーリングオフ制度を定めるものであり、同条が定める諸要件（営業・事業用の契約でなく、保険期間が1年を超える契約である等）を満たす保険契約について、申込日（または重要事項説明書交付日のうち、いずれか遅い日）からその日を含めて8日以内の、その保険契約の申込みの撤回、又は（既に成立した）契約の解除が、損害賠償ないし違約金の負担なく、認められる（保険業309条1項・5項）。契約転換の場合も、転換契約の申込みから8日以内の撤回・契約解除が可能である。

もっとも、そのように、保険者は、クーリングオフに伴う損害賠償、違約金の請求はできないものの、解除の場合には、解除までの期間に相当する保険料を請求することはできる（保険業309条5項但書）。これを除いて、既に払い込まれた保険料が、速やかに返還される（保険業309条6項但書）。なお、当初契約申込内容の訂正が行われる場合に、クーリングオフ期間の起算点がいつになるのかが争われることがある。実務においては、この訂正にあたり、申込書訂正請求書といった書面が用いられる場合があり、その書面の裏面には保険契約の申込みの撤回等に関する事項（309条1項1号参照）も記載されている。この点、そのような訂正請求書の内容が、当初の申込内容の主要部分を変更するものでない限り、当初の申込書の提出時をクーリングオフの起算点とするとした裁判例がある（東京地判平26・4・14判タ1413・322）。この事案では、訂正請求書により、主契約の保険料が増額され、特約の削除、保険料払込期間の変更までされているが、当初の申込の主要部分は変更されていないとされた。しかし、学説は、この当てはめ判断を疑問とするものが有力であり、それらは、その批判の前提において、そもそも主要部分の変更に当たるかどうかの判断など容易に行えず、上記裁判例の定立する規範は、法的安定性を欠くと批判している。いずれにしても、学説においては、主要部分の変更がなければ起算点は当初の申込書の提出時になるとする上記裁判所の規範は不当であり、保険者が承諾の対象と扱うべき最終の意思表示がなされた時点が起算点とされるべきであって、誤記の訂正といった形式訂正にとどまらない、上記事案のような保障内容の変更を伴う内容の訂正が行われるときには、その訂正の申込みの時からクーリングオフ期間が計算（起算）されると解する説が有力な支持を得ている。

⑹ **成立する保険契約の内容に関する合意――定型約款の合意**　民法548条の2第1項は、定型取引を行うことの合意をした者は、①定型約款を契約の内容とする旨の合意をしたとき、又は②定型約款を準備した者があらかじめその定型約款を契約内容とする旨を相手方に表示していたとき（なお、定型約款を使用することの表示であり、契約内容〔定型約款内容〕そのものの表示＝事前開示は、不要である）、定型約款の個別の条項についても合意をしたものとみなす、と規定する。

ただし、例外として、その個別の条項のうち、相手方の権利を制限し、又は義務を加重する条項であって、その定型取引の態様及びその実情並びに取引上の社会通念に照らして、信義則に反して相手方の利益を一方的に害するもの（＝不当条項）については、合意しなかったものとみなされる（当該、民法548条の２第２項にいう不当条項〔これには、不意打ち条項と、内容が不当な狭義の不当条項の意味が含まれている〕は、契約には組み入れられない、という構成をとり、消費者契約法10条の不当条項規制のように、組み入れを前提とした無効構成をとるものではない。なお、消費者契約法10条は、情報力格差や取引力格差に鑑みて、消費者を保護するために不当条項を無効とする発想であるが、民法548条の２第２項には、そのような情報力格差や取引力格差に鑑みた不当性判断という発想はない。もっとも、両者の関係は微妙に交錯し、実際、消費者が不当条項を争う場合には、民法548条の２第２項と消費者契約法10条とを選択的〔組み入れ否定又は組み入れ肯定・無効〕に主張できるという見解が主張されている）。

なお、この例外規定の下、どのような条項がみなし合意から除外されるかについては、同規定の適用イメージとして法制審議会において示された判例の事案（最判昭62・２・20民集41・１・159〔百選14〕〔損害発生通知義務違反の効果〕、最判平５・３・30民集47・４・3262〔百選35〕〔対人賠償責任保険故意免責条項の効果〕、最判平15・２・28裁判集民209・43〔宿泊約款免責条項の効果〕、最判平17・12・16裁判集民218・1239〔賃貸借・通常損耗補修義務〕）が参考になるとされる。

また、みなし合意（契約への組み入れ）の効果は、定型約款準備者（保険者）が、定型取引合意前に相手方から約款内容の開示請求を受けたにもかかわらずそれを拒んだ場合にも、生じないものとされていることにも注意が必要である（548条の３第２項本文。前述の通り、定型約款の内容の事前開示は、みなし合意の要件として、一律に要求されているものではない。548条の３第２項の規律は、あくまで、定型取引合意前に定型約款の内容の開示を求めた相手方との関係において、定型約款準備者に約款内容の表示義務を課し、当該相手方からの内容表示請求に定型約款準備者が対応しなかった場合〔表示義務違反〕に、みなし合意の成立を否定するものである。なお、みなし合意が認められる定型取引合意後の表示義務違反〔548条の３第１項参照〕には、みなし合意否定の効果はないものの〔同２項〕、組み込みを前提にするとしても、合意後正当な理由のない表示拒絶がされた場合には、信義則上、それを契約内容として主張することが制限されるとの見解も有力に主張されている）。

さて、保険取引は、定型取引であり、そこに用いられる保険約款は、定型約款に該当する。企業保険分野において、普通保険約款・特約条項を修正する特約書・協定書（個別合意）の部分は定型約款ではないが、特約書で修正されない普通保険約款・特約条項部分は、なお定型約款とされる。そして、通例、契約は「当社所定の約款による」とか、「約款が契約内容となることを了承し、保険契約を申し込みます」などの約款承認文言が記載された保険契約申込書等により保険契約の申込み（同時に、定型約款を契約の内容とすることについての承諾）が行われるので、これにより、民法548条の２第１項１号にいう「定型約款を契約の内容とする旨の合意」があったと評価される（なお、このような表示がある以上、同時に、２号にいう約款使用の相手方への表示もあると評価されることになるが）。この結果、原則として（民法548条の２第２項の場合を除き）、保険契約者が主観的には認識していない条項も、契約内容となり（組み入れ）、当事者（とりわけ、保険契約者側）を拘束する。これまで、判例は、約款取引における当事者の約款によって契約する意思を推定し、その拘束力を肯定してきたが（意思推定理論。大判大４・12・24民録21・2182〔百選２〕）、保険取引にかかわる大半の約款をその射程におさめる定型約款についての民法規定ができたことで、それらの大半の約款についてそのような説明は不要となったばかりか（民法548条の２が、約款の個別条項が契約内容となる法的根拠になる）、そこでは、法文言の通り、従来よりも強力な拘束力（推定する、ではなく、みなす）が認められたことになる。

もっとも、前述の通り、不当条項については、契約内容への組み入れが否定される（民548条の２第２項。みなし合意の適用除外）。不当条項としては、相手方に対して過大な違約罰を定める条項、定型約款準備者の故意又は重過失による損害賠償責任を免責する旨の条項など、その条項の内容自体に強い不当性が認められるもの（この類型のものは、狭義の不当条項ともいわれる）のほか、売買契約において本来の目的となっていた商品に加えて想定外の別の商品の購入を義務付ける不当な抱き合わせ販売条項など、その条項の存在自体を相手方が想定し難く、その説明などもされていないために不当な不意打ち的要素があるもの（いわゆる不意打ち条項）などが想定されている。不当条項に該当するかどうか、すなわち、当該条項の契約内容への組み入れが否定されるかどうか（なお、仮に否定される場合には、ある契約条項中の条項の一部が無効となった場合と同様の法律関係になるという解釈が立案者から示されている）は、①その条項が相手方の権利を制限し、又は相手方の義務を加重する条項であり、なおかつ、②その定型取引の態様及びその実情並びに取引上の社会通念に照らして（民法）１条２項に規定する基本原則に反して相手方の利益を一方的に害すると認められるかどうかにより、判断される。②の信義則違反を判定するための法定の考慮事由に関する、個々の事案当てはめについての考え方について、立案者は、顧客にとって予測しがたい内容の条項が十分周知されずに置かれる場合には、顧客は約款の具体的内容を認識しないのが通常であるという“定型取引の特質ないし態様”の観点において、信義則に反する蓋然性が高くなり（不意打ち的信義則違反）、また、その条項が設けられた理由ないし当該不利益条項のほかにある条項も含めた取引全体の利益バランスから判断して、当該条項を設ける必要性や相当性が低く、一般にそのような条項を設ける例も多くないといった場合には、“その定型取引の実情”の観点において、信義則違反と判断される可能性があるとする。

保険事故ないし保険金支払事由、免責事由など、保険給付内容を定める条項（いわゆる中心条項）も、当該不当条項規制（契約内容への組み入れ否定）の対象になる。定型約款にかかる民法規定は、不当条項規制の対象たる定型約款の定義において、給付内容そのものにかかわるいわゆる中心条項なるものと、違約罰条項をはじめとするいわゆる付随条項なるものとの区別をしておらず、立案者においても、新法は、対価（代金）のような給付内容を定めた条項も定型約款に該当し得ることを前提としていると説明するからである。また、このような解釈（前提）の下、民法548条の４において、給付内容や対価といった中心条項にかかる不利益な変更も定型約款の変更として認められるとするのであれば、給付内容や対価といった中心条項も定型約款に当たるものとして民法548条の２第２項の不当条項規制が及ぶとする解釈が一貫するからである。さらには、審議会において、民法548条の２第２項の不当条項規制の適用のイメージとして示された、上記、平成５年最判は、まさに免責条項という給付内容にかかわる条項に対し、内容規制を施したものであったからである。

以上のような民法548条の２第２項の不当条項規制は、保険約款の不当条項規制の１つの選択肢（なお、このほかに、消費者契約法10条等がある）として「組み入れ否定」という形の解決策を用意するが、この解決策には、契約条項の一部無効の法理の適用がその後に予定される。したがって、一部無効となったところに任意法規が存在している場合には、当該任意法規により、契約内容の補充が行われることになるが、これがないところでは、更なる解釈を要することになる。そして、このような場面における解決（解釈）は、結局のところ、契約当事者の合理的意思解釈という名の下に約款の内容規制（不当条項規制）を行ってきた、従来の判例による解決（解釈）の仕方と実態において大きく異なるものにはならないものと解される。そのように考えれば、民法548条の２第２項は、（消費者契約法とは別にこれが適用されない定型取引についても）不当性を理由に個別条項の効力を争う余地があることの根拠を条文として明確化したこと（またその際の判断枠組みについても条文上明確化したこと）そのことに意義がある条文といえる。このような意味において、従来の判例（とりわけ上記、審議会において示された諸判例）が行ってきた事実上の「組み入れ否定」の判断、また、それに続く「契約の補充的解釈」の手法は、民法548条の２第２項の解釈論ないし適用判断にとって、引き続き重要な意味があると解される。

なお、定型約款準備者（保険者）は、定型約款の変更が相手方の一般の利益に適合するとき、又は、その変更が契約をした目的に反せず、かつ、変更の必要性、変更後の内容の相当性、この条の規定により定型約款の変更をすることがある旨の定めの有無及びその内容その他の変更にかかる事情に照らして合理的なものであるときは、不利益変更でも、相手方の個別同意を得ることなく、一方的に定型約款を事後に変更することができる（民548条の４）。なお、この変更要件は、組み入れ（みなし合意）が否定される上記不当条項規制（民548条の２第２項）より厳格であるため、その変更にあたって同規制の適用は回避されるものと整理されている（民548条の４第４項）。ここに、制度上は、不利益変更も可能とされているが、例えば、保険契約（保険約款）上、収支悪化等を理由に、保険金支払事由、免責事由や支払保険金の額を保険契約者側に不利益に変更するといった場合を考えると、そもそも契約をした目的に反せず、との要件を満たすことになるのかが疑問になる上、保険業法上の契約条件変更制度（保険業240条の２以下）等が別途あることも考慮すれば、変更の必要性等にかかる事情に照らした合理性の要件を認めることにも障害がある。

ところで、医療保険にかかる普通保険約款の規定の中に、予め、「保険期間中に当社の収支状況が悪化し、保険料の計算基礎に著しく影響を及ぼす事象が発生した場合は、当社の定めるところにより、保険期間中に保険料の増額または保険金額の減額を行うことがあります」といった規定を用意し、実際にもこのような規定に基づき、入院保険金の額を10分の1に減額した例がある（関東財務局・令和4年6月27日付け行政処分を参照）。

予め、保険金の減額が定型約款に予定（組み入れ）されているので、このような事後の変更は、民法548条の4にいう定型約款の変更には該当しないものの、入院保険における取引の実情においてこのような条項は一般的でなく、顧客にとっても予測しがたい内容の条項であって、不意打ち要素があることは否定できないため、少なくともこれについての顧客に対する十分な周知がなければ、民法548条の2第2項にいう不当条項規制（不意打ち条項）が及ぶ可能性がある。また、減額の基準も不透明であり、顧客が期待したもの（保護）を奪う内容になることも鑑みれば、条項（内容）そのものが不当であるという議論が起こる余地もあると解される。

2　保険募集規制

(1)　保険募集の制限

(i)　総　論　　上記にみた、保険契約の締結（申込みと承諾）行為は、伝統的には、様々な形態の仲介者がイニシアチブをとる保険募集の過程の中で実行されてきた。現在は、付保ニーズを自覚した保険契約者になろうとする者が、自らインターネットを利用し、直接、保険会社にアプローチ（申込み）して、契約を成立させる形態のものもある（直販・ダイレクト形式）が、今なお、保険代理店や保険会社の営業職員といった仲介者が中間に介在して、保険契約が成立する割合が、圧倒的に多い。

保険募集とは、具体的には、見込み客を発見し、これを勧誘して商品を説明し、保険契約の成立にこぎつけるまでの一連の行為をいうが、正確には、法律上、「保険契約の締結の代理又は媒介を行うことをいう」と定義されている（保険業2条26項）。

そして、この保険募集を行える者は、法律（保険業法）において、制限されており、それ以外の者は、何人も保険募集を行ってはならないとされている（保険業275条１項）。保険募集の過程で虚偽の説明が行われるなど不適切な行為が行われると、保険契約者に損害を及ぼすこととなるが、そのように潜在的な危険性をもつ保険募集行為を、国家が実効的な監督を及ぼせる範囲に限定して、許容しようという趣旨である（基本的・原則的な考え方として、内閣総理大臣への登録制がとられている。保険業276条・275条参照）。

(ii) 生命保険の募集とその制限　　生命保険の募集行為ができるのは、登録を受けた生命保険募集人（275条１項１号。なお、生命保険募集人とは、生命保険会社の役員・使用人〈いわゆる営業職員等〉、若しくはこれらの者の使用人〔いわゆる下請募集人〕、又は、生命保険会社の委託を受けた者〔いわゆる生命保険代理店〕若しくはその者の再委託を受けた者〔生命保険会社（委託保険会社）が、同一グループ内の親子関係のある保険会社（受託者／再委託者）に募集業務を委託し、その委託を受けた者（再委託者）が、自己が委託する保険代理店〈再受託者〉に再委託をする場合の、当該保険代理店。生命保険会社と同一グループにある保険会社の保険代理店〕、若しくはこれらの者の役員・使用人〔いわゆる生命保険代理店・同一グループ保険会社の代理店の役員・使用人〕で、その生命保険会社のために、保険契約の締結の代理又は媒介を行う者をいう。２条19項）、登録を受けた少額短期保険募集人（275条１項３号）、及び、登録を受けた保険仲立人又はその役員・使用人である（275条１項４号）。なお、実務において、このうち、生命保険会社の使用人（いわゆる営業職員）が主要な保険募集チャネルである。

生命保険募集人（少額短期保険募集人）は、その生命保険会社（所属保険会社：保険業２条24項）のために保険契約の締結の代理又は媒介（実務上、媒介に限られている）を行うが（なお、保険募集人が所属保険会社のために保険契約の締結の代理をするのか、媒介行為をするにとどまるのかは、顧客に対し、情報提供しなければならない。保険業294条３項２号）、保険仲立人は、特定の生命保険会社からは独立した立場に立つ者として、保険契約の締結の媒介のみを行う（２条25項）。

(iii) 損害保険の募集とその制限　　損害保険の募集行為ができるのは、損害保険会社の役員・使用人、登録を受けた損害保険代理店、登録を受けた損害保険代理店の役員・使用人（保険業275条１項２号）、特定少額短期保険募集人又は登録を受けた少額短期保険募集人（275条1項3号）、及び、登録を受けた保険仲立人又はその役員・使用人である（275条1項4号）。なお、実務において、このうち、損害保険代理店が主要な保険募集チャネルである。

保険仲立人は、生命保険の募集について述べたのと同様、特定の損害保険会社からは独立した立場に立つ者として、保険契約の締結の媒介のみを行う（2条25項）が、それ以外の損害保険の募集にかかわる者（損害保険会社の役員・使用人、登録を受けた損害保険代理店等。なお損害保険募集人の定義につき、保険業2条20項）は、その損害保険会社（所属保険会社）のために保険契約の締結の代理又は媒介（実務上、代理が多い。なお、情報提供規制につき、前述と同様）を行う。

(iv)　銀行による保険募集の制限　　なお、銀行が保険募集人又は保険仲立人として保険募集をすることは認められているが（保険業275条2項。銀行窓販）、銀行は、特に融資先顧客に対して強い影響力をもつがゆえに、その影響力を不適切に行使して保険募集を行うおそれもあることから、そうした事態を防止するため、銀行による保険募集には、一連の弊害防止措置が設けられている（保険業275条1項1号ないし4号の各括弧書、保険業規則212条ないし212条の5参照）。

(2)　保険募集時における情報提供義務（保険業294条）、意向把握義務（保険業294条の2）

(i)　保険契約の内容・参考情報にかかる情報提供　　保険業法294条1項は、保険会社、保険募集人、保険仲立人等は、保険契約の締結、保険募集等に関し、（内閣府令に従って）保険契約の内容その他保険契約者等に参考となるべき情報の提供を行わなければならない旨を定める。積極的な情報提供義務が、保険会社のみならず、保険募集人、保険仲立人にも直接の行為規制として課されている。なお、法律上、保険契約を締結する保険会社と募集を行う保険募集人等の双方に情報提供の義務が課されているが、保険募集から締結に至る一連の過程で同じ情報を何度も提供することまで求められているわけではなく、両者による効率的な協働が意図されている。

内閣府令（保険業法施行規則）は、情報提供の具体的な方法について定め（保険業規則227条の2第3項）、原則として、まずは、商品の仕組み、保険給付に関する事項（保険金等の主な支払事由及び保険金等が支払われない主な場合）、保険料に関する事項、保険契約の解約及び解約による返戻金に関する事項、保険契約者又は被保険者が行うべき告知に関する事項、保険料の払込猶予期間に関する事項、保険契約者保護機構の行う資金援助等の保険契約者等の保護のための特別の措置等に関する事項等々、要するに、保険契約者、被保険者が保険商品の内容を理解するために必要な情報（監督指針にいう、いわゆる契約概要）と、保険会社が保険契約者、被保険者に対し注意を喚起すべき事項（監督指針にいう、いわゆる注意喚起情報）に該当する事項を書面に記し（あるいは、電子計算機の映像面に映し出し）、その上で、当該書面（映像）を用いながら上記の事項の説明を行い、かつ、当該書面を交付しなければならない、としている（保険業規則227条の2第3項1号）。

なお、複数の所属保険会社から保険募集の委託を受けている乗合代理店は、異なる保険会社の同種商品について、比較推奨販売を行うことが多いが、あくまで、乗合代理店は、所属保険会社のために保険契約の締結の代理媒介を行う存在であって（なお、これは、商法27条、会社法16条にいう代理商となる）、この点、保険会社から独立して顧客のために誠実に保険契約の媒介を行う保険仲立人（商543条参照）とは異なっており、そのような乗合代理店が、特定の所属保険会社の保険商品を顧客に提示推奨する場合に、公正性や中立性が制度的に担保されているわけではない（顧客にとってはベストでない保険商品を、販売手数料が一番多く入るという動機のもとに乗合代理店が推奨し販売することはあり得る）。そこで、2以上の所属保険会社を有する保険募集人（乗合代理店等）が、2以上の比較可能な同種の保険契約の中から、ある契約を提案しようとする場合には、その提案契約を提案する理由等も、保険契約者・被保険者に説明しなければならない（保険業規則227条の2第3項4号ロハ）。

なお、病院、介護事業者等、提携事業者に、直接支払いサービスを行う場合には、それに係る事項の説明も求められている（規則227条の2第3項5号）。

上記、情報提供義務の違反がある場合、特別な場合を除き（保険契約者等に対して虚偽のことを告げ、又は契約条項のうち保険契約者等の判断に影響を及ぼすこととなる重要な事項を告げないという態様の悪質な情報提供義務違反に該当すれば、その限りで刑罰が科される⇒33頁参照）、罰則の適用はないものの、保険契約者等の利益を害する事実があると認められるときには、業務改善命令の対象となる（保険業306条）。

(ii) 保険募集人等の氏名、権限等にかかる情報提供　保険募集人、保険仲立人が保険募集を行おうとするとき、それぞれの商号・名称・氏名のほか、保険募集人にあっては、所属保険会社の商号、代理権限の有無等を説明しなければならず、保険仲立人にあっては、その権限、とりわけ、代理権限・告知受領権がない旨、保険募集にあたり保険契約者に加えた損害は保険仲立人が負い保険会社等は責任を負わない旨等を書面にて説明しなければならない（294条3項～5項）。

(iii)　顧客の意向把握義務　　保険業法294条の2第1項は、保険会社、保険募集人、保険仲立人等は、保険契約の締結、保険募集等に関し、顧客の意向を把握し、これに沿った保険契約の締結等の提案、当該保険契約の内容の説明及び保険契約の締結等に際しての顧客の意向と当該保険契約の内容が合致していることを顧客が確認する機会の提供を行わなければならない旨を定める。その意向把握や意向確認の具体的方法については、監督指針（保険会社向けの総合的な監督指針）が、取り扱われる商品や募集形態の違いに配慮しつつ、その方法を示している。なお、当該義務違反に罰則はないが、保険契約者等の利益を害する事実があると認められるときには、業務改善命令の対象となる（保険業306条）。

(iv)　保険募集人の体制整備義務（保険業294条の3）　　以上のように、保険業法は、保険契約を締結する保険会社だけでなく、保険募集人、保険仲立人に対しても、直接、情報提供義務や意向把握義務といった行為規制を課しているため、それらの保険募集人、保険仲立人は、自ら、健全かつ適切な業務運営（＝情報提供や意向把握の実施等）を確保するための体制整備をするよう義務付けられている（保険業294条の3第1項・2項）。同じく、当該義務違反に罰則はないが、保険契約者等の利益を害する事実があると認められるときには、業務改善命令の対象となる（保険業306条）。

(3)　保険募集にかかる禁止行為（保険業300条・301条・301条の2）　　保険契約者保護の観点から、保険会社、保険募集人等が、顧客に対してしてはならない行為（＝禁止行為）が定められている（保険業300条・301条・301条の2）。禁止の名宛人には、保険契約の締結又は保険募集を行う者すべてが含まれ、重要な禁止行為には、違反につき、刑事罰が用意されている。

まず、そのような刑事罰の対象となる禁止行為として、①保険契約者又は被保険者に対して、虚偽のことを告げ、又は保険契約の契約条項のうち保険契約者又は被保険者の判断に影響を及ぼすこととなる重要な事項を告げない行為（300条１項１号）、②保険契約者又は被保険者が保険会社等に対して重要な事項につき虚偽のことを告げることを勧める行為（同２号）、③保険契約者又は被保険者が保険会社等に対して重要な事実を告げるのを妨げ、又は告げないことを勧める行為（同３号）がある。これらの行為をした者は、１年以下の懲役もしくは100万円以下の罰金又はこれの併科に処せられる（保険業317条の２第７号）。

これ以外にも、保険契約者又被保険者に対し、不利益となる事実を告げず乗換募集をする行為（300条１項４号）、保険料の割引、割戻その他特別の利益の提供を約し、又は提供する行為（同５号）等の行為が禁止され（なお、親保険会社や保険持株会社等がその子保険会社の行う保険募集に関し、特別利益を提供することも禁止されている。保険業301条・301条の２）、それら（300条１項４号〜９号・301条・301条の２）の違反に刑事罰はないものの、違反があるときには業務改善命令（306条）や登録取消し（307条１項３号）といった行政処分が課される可能性はある（車両販売価格の値引といった特別利益の提供の他、不適切な保険募集を行っていた旧ビッグモーター社に対する代理店登録取消処分につき、関東財務局による令和５年11月24日行政処分参照）。

3　保険募集規制に違反する行為の私法上の効果

これまでみてきたように、保険募集に関しては、保険業法上、すなわち、金融監督という観点から、あるべき保険募集の姿が示されており、また、その違反に対しても、刑事罰や行政処分といった公法上の制裁が予定されていたところである。しかし、それは、あくまで、保険業法という公法による規則とその違反という問題にとどまるものであり、また、違反者に一定の制裁が科されているといっても、それは、保険業法上違法な保険募集を受けた被害者たる保険契約者の個別具体的な損害の回復を目的として科される制裁でもない。

すなわち、保険業法規制に違反する違法な保険募集をした結果成立した保険契約の私法上の効力（有効性）や、その違反行為をした保険会社、保険募集人が、その被害者たる保険契約者等に対してどのような民事責任を負うのかは、別途の問題と位置付けて議論される。

⑴　保険募集規制（禁止行為等）に違反して成立した保険契約の私法上の効力　保険業法300条1項各号は、保険募集にかかる禁止行為を定めているが、その禁止に違反して行われた保険募集により成立した保険契約も、私法上、無効にならないと解されている。例えば、保険業法300条1条1号～4号・6号・7号は、類型的にみて、いずれも情報提供に関する禁止行為を定めているが、そのうち、例えば、刑事罰まで用意された悪質な違反行為である重要事項についての虚偽告知・不告知による保険募集（保険業300条1項1号）が行われた場合でも、当該募集契約が私法上無効になるとは解されていない（なお、保険法28条2項2号・3号等は、保険業法300条1項2号ないし3号違反の保険契約も有効であることを前提とする規律であり、このような解釈を後押ししている）。また、保険業法300条1項5号・8号ないし301条・301条の2は、類型的にみて、特別利益の提供に関する禁止行為を定めているが、これに違反して特別利益が提供された保険契約の効力自体、原則、無効にならないと考えられている（ただし、特別利益の内容が保険制度に内在する保険契約者間の衡平を著しく害する不合理なものであるときは、保険契約そのものの効力とは別に、それとは区別できる特別利益の提供の約定のみ公序良俗違反により無効になる余地がある、とするのが学説の有力説である）。

ただし、以上のような理解は、保険業法違反ゆえに、当然（契約が）無効である、という論理を否定するものにすぎず、例えば、保険募集人による重要事項につき虚偽の告知がある状況において、あるいは、特別利益の提供約束がある状況において、そのことによって意思を歪められた保険契約者に詐欺、錯誤の要件（民96条・95条）が別途備わるなら、当該保険契約の取消しによる遡及的無効ないし当然の無効が問題となることは、なお、理論上あり得る。

いずれにしても、保険業法違反の行為がなされたことは、直ちに私法上の契約の効力の問題（契約の有効無効の判断）に結び付かないことは、一般論として承認されているところであり（最判昭45・12・24民集24・13・2187〔百選3〕は、船舶所有者を保険契約者とする船舶保険契約に関し、保険者の免責事由を二重線で抹消するという形の約款変更〔主務大臣の認可を受けない保険約款の変更＝保険業123条1項違反〕が行われた事案において、その変更契約の効力が一律に否定されるものではないと判示し、変更後の約款に従った契約の有効性を認めた）、上記形態の禁止行為違反の場合のみならず、例えば、保険募集人が必要な登録を受けないで（生命）

保険契約を成立させた場合（保険業275条１項違反）や（岡山地判平14・９・３生判14・548）、あるいは、保険募集人が積極的情報提供義務（保険業294条）ないし意向把握義務（294条の２）に違反して保険契約を成立された場合にも、その契約そのものが無効になることはないと解される（なお、このような態様の違反について、先の場合とは異なり、その性質上、詐欺、錯誤による意思表示の無効が成立する余地は、限りなく少ないと考えられる）。

(2) 保険募集にかかる情報提供と損害賠償責任

(i) 情報提供義務違反に基づく不法行為責任　　保険者（保険会社）、保険募集人は、保険業法上の保険募集にかかる禁止行為規制ないし積極的情報提供規制の中で、保険契約の内容（契約条項等）について、虚偽のことを述べてはならず、正しくこれを説明する監督法上の義務を負っている。また、保険者の側が保険契約の内容について多くの情報を有している反面、保険契約者の側は、通常、その知識ないし情報に精通していないことに鑑みれば（情報格差）、保険者は、保険業法（監督法）の枠組みにとどまらず、私法上も、保険契約の内容（とりわけ重要な内容）について保険契約者に説明をする信義則上の義務を負っているものと解される。保険者が、保険契約の重要な内容について、上記情報提供義務ないし説明義務に違反したとき、不法行為に基づく損害賠償責任を負うとするのが判例である（なお、最判平23・４・22判時2116・53は、契約を締結するか否かに関する判断に影響を及ぼすべき情報を相手方に提供しなかった場合には、その説明主体〔募集主体〕に、不法行為に基づく損害賠償義務が生じるとする。これは、締結された契約に基づく債務不履行〔契約〕責任ではない）。

これらの場合、その相手方が当該契約を締結したことにより被った損害について賠償しなければならないが（その賠償範囲の詳細については、後述する）、仮に保険者による情報提供や説明に不十分な点があり、その限りで、たとえ、必要な特約を付帯するか否かにかかわる保険契約者の意思決定の機会を奪うことになったとしても、保険契約を締結するかどうかの意思決定は生命身体等の人格的利益に関するものではなく、財産的利益に関するものであるから、特段の事情がない限り、精神的損害にかかる慰謝料請求権は発生しない（最判平15・12・９民集57・11・1887〔百選７〕）。

(ii) 不法行為に基づく損害賠償責任を負う主体（保険募集人、所属保険会社、保険仲立人）　保険契約を締結する保険者自身に、情報提供義務違反を理由とする不法行為責任が発生する場合（例えば、パンフレットや重要事項説明書に虚偽の記載をした場合など）、もちろんその保険者（保険会社）自身がその賠償責任を負うが、例えば、保険契約が成立すれば手に入る手数料の獲得を動機として、保険募集人（注意：保険仲立人は除かれる）が、契約締結の判断に影響を及ぼすべき事項について虚偽の説明をするなど「保険募集について」保険契約者に損害を加えた場合には、その所属保険会社（保険業2条24項）が（正確には、不法行為を行った保険募集人と連帯して。募集人本人には、民法709条責任が生じる）、当該損害を賠償する責任を負う（所属保険会社の不法行為責任。保険業283条1項。同条は、保険募集人のうちには、保険代理店のように、保険会社の従業員〔被用者〕とは位置付けられないがため、民法715条〔使用者責任〕が適用できない類型があることに配慮し設けられた、民法715条に類似する責任規定である。なお、保険募集人が保険会社の従業員である場合は、保険業法283条1項責任と民法715条責任とが競合的に発生する）。保険業法283条にいう「保険募集について」とは、保険契約の締結又は媒介という「募集」に当たる行為のみならず、募集と密接に関連する行為も含まれると解されている。民法の使用者責任における業務執行性要件の解釈と同様、外形理論が妥当し、保険募集人の行為が外形上所属保険会社の事業の範囲内に含まれるか否かにより、「保険募集について」の行為であったかどうかが判定され、真のところで保険募集人の行為が所属保険会社から付与された権限の範囲内の行為であったか否かは、原則として顧慮されない（すなわち、保険会社は、なされた行為が権限外の行為であったことのみを理由に免責されるわけでない。ただし、外形理論の修正・限界にかかる民法715条に関する判例〔最判昭32・7・16民集11・7・1254、最判昭42・11・2民集21・9・2278〕も、保険業法283条1項の解釈においても当てはまるものとされており〔東京高判平20・11・5判タ1309・257参照〕、その結果、仮に、募集人の権限外行為であることを相手方が知っており、又は重過失により知らなかった場合には、所属保険会社はその賠償責任を免れることになる）。

もっとも、所属保険会社には、免責の抗弁が認められているが（保険業283条2項）、民法の使用者責任同様、従来、実際には考えにくいものと解されてきた。また、保険業法283条1項に基づき保険契約者に損害賠償を行った所属保険会社には、保険募集人に対する求償権行使も認められ（保険業283条4項）、実務上も、一定の割合で求償は行われているが、民法の使用者責任の判例同様、信義則上、求償権行使が制限される場合もあるとされてきた。なお、以上のような所属保険会社の不法行為責任制度は、近年、大規模乗合代理店のごとく、同制度が前提としていた使用人等とは実態が異なる保険募集人（多数の所属保険会社があり、賠償資力も十分）が登場したことにより、例えば、所属保険会社の免責を広く認め、求償権行使も制限しないなど、従来の解釈論を修正する議論ひいては制度そのものの見直し（立法）を求める議論が起こっている。なお、海外に目を向ければ、保険販売にかかるEU指令（2016/97）を受け、ドイツ等の加盟国の国内法は、乗合代理店に専門家賠償責任保険の付保を命じ、乗合代理店それ自体に、賠償資力の確保を命じており、保険会社から距離のある募集人の責任の独立という観点において、我が国より先を行く。

他方、所属保険会社が存在しない保険仲立人（保険業２条24項参照）が保険募集に際して保険契約者に損害を加えた場合、その損害の賠償は、保証金供託制度（保険業291条）ないしその代替として機能する保険仲立人賠償責任保険契約制度（保険業292条）を通じて行うことが予定されている。

(iii)　情報提供義務違反の具体的類型とその違反の判定について　　この問題にかかるある学説の整理によれば、保険募集の過程において、情報提供が不十分であったとして損害賠償責任が追及されている事例には、保険契約の保障にかかわる側面、すなわち、１）保険商品に固有の機能にかかわる商品情報（内容）の提供が不十分である、として、訴訟が提起されるケース（例えば、自動車保険・26歳未満不担保特約の説明義務違反が争点となった、東京高判平３・６・６判時1443・146〔百選６〕、火災保険地震火災免責ないし地震保険に関する説明義務違反が争点となった、前掲・最判平15・12・９〔百選７〕等の事案）と、２）保険契約の投資にかかわる側面、すなわち、保険の金融商品的機能にかかわった商品情報（内容）の提供が不十分である、として、訴訟が提起されるケース（例えば、変額保険の仕組み、シミュレーションにかかる説明義務違反〔説明不十分〕が争点となった、東京高判平16・２・25金判1197・45〔百選60〕等の事案）とがあるとされる。前者が保険商品に固有の問題になる。そのように、保険商品に固有の機能にかかわる情報提供義務違反の類型は、更に、a) 不実表示の類型、b) 説明義務（顧客一般に対する説明義務）違反の類型、c) 助言義務（個別顧客の事情に即した説明義務）違反の類型に区分できるとする考え方の枠組みが提示されている。保険に限らず、どのような商品であれ、すべて説明しつくして販売することは不可能に近い。情報提供・説明が不十分であるとして不法行為責任を認める余地があるとしても、どの範囲の情報提供が規範的に要求されるのかも踏まえつつ、その権利侵害・違法性の程度を考慮せざるを得ない。そして、そのような悪質性、違法性の程度は、ある程度類型的に把握可能なものであり、上記区分は、その視点に立った分類であるといえる。以下、このような学説の整理に従い、各論を進める。

1）保険商品に固有の機能にかかわった情報提供義務とその違反について

a) 不実表示の類型、例えば、保険者・保険募集人が、とりわけ保険契約を締結するか否かの判断に影響する事項につき積極的に虚偽のことを告げるという形態の情報提供義務違反を犯した場合、その悪質性は高く、その違反があれば、直ちに、そこに不法行為が成立すると考えることに異論はないと考えられている。保険に加入すれば保険会社から保険金額相当分の融資が別途に受けられるという虚偽の情報を提供して保険契約に加入させる行為がこのようなものに当たる（神戸地判昭26・2・21下民2・2・245）。

b) 他方、説明義務違反の類型、例えば、保険者・保険募集人が、保険契約に関する重要な事項、例えば、その保険の機能や、担保範囲・免責事由（特約附帯による担保範囲の限定を含む）のように、その説明があったとすれば顧客が当該保険契約・特約を締結しなかったか又は別の保険契約・特約を締結したとみることができるような「重要性ある事項」について、十分な説明をしなかった、という形態の、いわば消極的な情報提供義務違反がある場合、確かに、理論的には不法行為が成立する余地があるといえるが、しかし、先のa) 場合ほどの違法性はない上、保険募集時の説明には時間的制約からも保険商品の全部を網羅的に説明できないという事情に鑑みても、その形態の違反が、直ちに、不法行為を成立させる、と考えることは慎重でなければならない。特に、この類型の紛争においては、保険募集人は、確かに、保険契約者が確実に理解できるよう口頭で説明することまではしていないものの、しかし、パンフレットや申込書・重要事項説明書等、募集文書上では、問題となっている事柄（免責事由等）を、一定程度、説明・記述していることが多い。そして、このような状況があれば、通常の（平均的・常識的な）保険契約者は、一般論として、その重要性を認識できるといえるし、また、その認識に基づいた意思決定ができるともいえる（もっとも、従来の保険実務になかったような新しい免責条項や担保範囲を導入・採用している〔が、文書だけの説明しかない〕といった特段の事情がある場合、別途の考慮が必要である）。したがって、a）の場合のような積極的な不実表示が伴わず、保険契約の内容について、募集文書において、通常の契約者が理解可能な程度で一応の説明がなされている場合には、仮にそれに加えた口頭の説明等ていねいな対応がなくても、基本的に（＝上記のような特段の事情のない限り）不法行為責任は発生しない、とする考え方が支持される（判例もその立場であると考えられる。前掲・最判平15・12・9〔百選7〕、東京高判平3・6・6〔百選6〕参照）。

c）助言義務違反の類型、例えば、保険契約者と保険代理店とが普段から人的に密接な関係にあったがため、保険代理店において保険契約者における保障ニーズやその変化についてある程度忖度することが可能な状況下、保険契約者がその保障ニーズには必ずしも適合しないような商品（契約）を選択しようとしていることが判明したという場合にあって、当該保険代理店が、保険契約者の当該商品選択に直面して、それに不適合との助言を与えなかった（保険需要に合致しないことの説明を怠った）という形態の情報提供義務違反を犯した場合、そこに不法行為が成立する余地はあるか。これは、b）の場合に問題とされた説明義務のレベルを超え、より能動的に顧客の利益を図るための説明義務があるかという問題とされ、少なくとも、我が国では法的義務と単なる営業上のサービス・配慮との限界にかかる問題であるが、例えば提案される保険の理解に難しさがあったり、あるいはその保険契約者の置かれた立場に照らしてきっかけがある限り、ていねいにその需要を聞き、助言を与える義務を課すという考え方はあり得る（ドイツ保険契約法61条1項・2項参照。契約法に定められた義務であり、民事損害賠償責任に直結している）。過去に裁判例としては、保険契約者の子（若年者）が免許を取得したことを知っていた代理店が、若年運転者不担保特約を付した自動車保険契約を成立させたという事案をめぐり、この意味での説明義務違反を認めた例（東京地八王子支判平2・5・25判時1358・138）と認めなかった例（前掲・東京高判平3・6・6〔百選6〕）とが存在するが、現在、この問題を考えるにあたっては、上述、顧客の意向把握義務を創設した平成26年改正保険業法の影響を考慮する必要があるとする見解がある。顧客の意向を知った保険募集人と保険契約者との間には特別の人的関係が生まれるが、今日では、保険業法により、その特別の接触関係をもつことが必須となった。その顧客が自身の誤解等を理由に明らかにその意向と異なる契約・特約を選択しようとしている局面に遭遇した保険募集人に、この間違いを指摘し訂正する助言義務を課すことは、顧客最善利益義務（改正金サ２条）の考え方とも整合するであろう。

２）保険の金融商品的機能にかかわった情報提供義務とその違反について
変額保険、外貨建て保険のように、投資性が高く金融商品としての側面が強い保険契約（特定保険契約。保険業規則234条の２）については、保険業法が、金融商品取引法を準用することで、金融商品取引法の規制も受けることとなっている（保険業300条の２）。変額保険、外貨建て保険の保険募集は、金融商品取引行為となるが（保険業法300条の２により、金商法40条１号の金融商品取引行為が「特定保険契約等の締結」と読み替えられる）、当該行為の勧誘（保険募集）にあたっては、狭義・広義の適合性原則が支配する。金融商品取引法は、一定の利用者に対してはいかに説明を尽くしても一定の商品の販売、勧誘を行ってはならない、という意味での狭義の適合性原則を定め（金商40条１号）、顧客の知識、経験、財産の状況等に照らして不適当と認められる勧誘を禁止する一方、他方で、顧客の知識、経験、財産力、投資目的等に照らして適合した商品の販売勧誘を行わなければならないという意味での広義の適合性原則の考え方を説明義務に取り込み、契約締結前の書面交付に際し、予め、顧客の属性（知識、経験、財産の状況及び金融商品取引契約を締結する目的）に照らして当該顧客が書面の記載事項の内容を理解できるような方法と程度により説明することを義務付けており（金融商品取引業に関する内閣府令117条１項１号）、これらの規定が、特定保険契約の募集にかかる規制として準用される（保険業300条の２による、40条１号・38条９号、内閣府令117条１項１号）。

狭義の適合性原則から著しく逸脱した勧誘（保険募集）を受けた場合には、それが私法上も不法行為を構成することになり（最判平17・７・14民集59・６・1323）、広義の適合性原則に反する説明義務違反も、不法行為を構成し得る。

ところで、これらの商品販売に対しては、金融サービスの提供及び利用環境の整備等に関する法律も適用される。同法は、金融商品販売業者に、一定の私法上の説明義務を課しており（金サ4条）、金融商品販売業者等・保険業者（金サ3条1項4号・同3条3項）は、金融商品の販売が行われるまでの間に、元本欠損が生じるおそれがある旨など、法定の説明事項を（金サ4条1項各号）、顧客の知識、経験、財産の状況、契約締結目的に照らして、当該顧客に理解されるために必要な方法及び程度において、説明しなければならないものとした上で（金サ4条2項）、その説明をしなかったとき、すなわち、説明義務違反の場合には、これによって生じた損害の賠償をしなければならないとする（金サ6条。当該損害賠償については、損害額の推定が働く。同7条）。

(iv) 情報提供義務違反による損害（損害賠償の範囲）　保険募集過程における情報提供義務（説明義務）の違反が不法行為を構成する場合、その義務違反がなければそのような契約は締結していなかったものと考えて支払保険料相当額の返還（賠償）を求める原状回復的損害賠償が、その一般的な（基本の）賠償のあり方になる。

もっとも、それにとどまらず、その賠償範囲を超え、説明義務が適切に履行されていればより有利な保険給付が得られる内容の保険契約を締結していたと仮定し、その保険給付額に相当する履行利益的損害賠償まで認めることも、理論上、可能である（説明義務違反が、契約締結上の過失の問題であるという枠組みではなく、不法行為責任をもたらすものであると考えれば、履行利益的損害賠償は、理論上も可能である）。ただし、情報提供義務違反を不法行為と捉えつつ履行利益的損害賠償を認める前提としては、当該情報提供義務違反がなければ保険契約者が保険給付を受けることができたであろうという関係（換言すれば、例えば、保険契約者は適切に別契約を締結しあるいは特約を付帯するなどして対応していたであろう、と仮定できる関係）が認められなければならない。これは、情報提供説明義務違反と損害との間の因果関係の問題である。そのように考えられるので、仮に、免責条項ないし補償範囲に関して募集主体に情報提供義務（説明義務）違反があったという場合でも、その保険募集人が扱う所属保険会社の商品において、説明が抜け落ちた免責（例えば、損害保険における地震免責）が存在しない保険商品は他社にも存在しておらず、保険契約者が保険給付を受けられる可能性がそもそも存在していないという場合には、履行利益的損害賠償は認められない（説明義務違反と損害〔＝保険給付を受けられなかった〕との間に因果関係がない）。

もっとも、特約（例えば、地震補償特約）を手配すれば免責を排除できる客観的可能性が残っていた場合には、この限りで、保険契約者において保険給付を受けられる可能性はあったといえることになるが、そのことに加えて、やはり、説明義務違反がなければ保険契約者はその特約を締結していたであろうという蓋然性がなければ、履行利益的損害賠償は認められない（説明義務違反と損害との間の因果関係が肯定されない）。一般論としては、地震補償を得るための特約のように、その追加保障にそれなりの額の保険料を必要とする場合、あるいは、その特約付加が、一般的でない場合は、その蓋然性を認めることに慎重でなければならないといえる。

なお、説明義務違反として損害賠償が認められる場合でも、裁判において、過失相殺がなされることは、めずらしくない。また、現状回復的損害賠償を求めている保険契約者の側が、一定の期間、保険保護を受けていた事実を損害算定にあたって考慮（その分を賠償額から控除）してよいか、裁判例は分かれているものの、そのような利益を損益相殺する可能性はあると解される。

3　告知義務制度

1　告知義務の概要とその根拠

保険契約者又は被保険者になる者は、保険契約の締結に際し、危険（損害ないし保険事故の発生の可能性）に関する重要な事項のうち、保険者が告知を求めたもの（告知事項）について、事実の告知をしなければならない（4条・37条・66条。なお、当該保険契約者側の行為規範にかかる要件は、片面的強行規定であり、契約者側に不利に変更しても当該変更合意は無効とされる。7条・41条・70条）。これを、告知義務という。後述するように、保険契約者等がこの義務に違反した場合は、一定の要件の下に保険契約が解除され、また、一定の要件の下に、発生した保険事故について保険給付が行われない（保険者免責となる）。保険契約者等は、保険契約成立後に、そのような不利益を受けないがためにも、告知義務を適切に履行しなければならない（そのように、告知義務は、履行しなければ自己が不利益を受けるがゆえに履行がなされる特殊な自己義務の一種〔商法526条と同様〕であり、これ以上に、その不履行に対して、履行強制が求められたり、損害賠償が求められたりすることはない)。

なぜ、このような義務が保険契約者の側に課されるのか。その理由は、主として、保険制度の技術的構造にかかる特殊性（危険測定上の要請）及びその効率的実現の観点に求められ、また、保険制度の射倖契約性・善意契約性にかかる特性（当事者間の衡平・公正維持の要請）の観点からも補充的に説明される。

まず、合理的な私保険制度の運営にあたり、大数の法則を応用した確率計算のもと、全体において保険料と保険金との収支が少なくとも相等になるよう運営していくことは必然であるが（収支相等原則)、それ以上に、個々の保険契約との関係においては、離脱自由な私保険関係（危険団体）における良質危険の退出（悪質リスクのみの残留）を避けるがためにも、保険料負担の頭割り平等を排し、各々の契約ごとにその危険率に応じた保険料を徴収しながら運営していくこと（給付反対給付均等原則）が求められている。すなわち、ある危険の補償に関し、保険契約が申し込まれるとき、保険者の側としては、そもそも、当該危険を引き受けることが、自身（当該保険者）が想定している収支相等を崩すことにならないか、また、仮にそれが引受可能な範囲にあるとしても、当該契約の被保険者ないし保険金受取人が保険金を受け取れる確率との関係（＝給付反対給付均等）で具体的にどの程度の対価（保険料）を設定するかについて、その判断を迫られる関係になるが、それゆえに、保険者は、当該判断のために必要とされる引受け交渉中の当該「危険」に関する情報を得る必要がある（保険制度の技術的構造にかかる特殊性・危険測定上の要請)。

次に、このような危険測定上の要請があるとして、それに効率的に対応しようとするときには、保険契約者の側に偏在し、その情報をもたない保険者が無理にこれを調査するより、これをもっている保険契約者が開示するほうが経済コストが安く、また、そのコスト削減は保険料の低廉化にもつながり、保険契約者側の利益にもなるという関係性から、保険契約者の側に開示の義務（告知義務）を課すという方法が選択される。このように、告知義務は、危険測定上の要請に基づき、なおかつ、これに効率的に対応するため存在している、と理解することができる（技術説)。しかし、以上の説明と矛盾することなく、危険測定に必要な情報が保険契約者から開示されるという法理の存在根拠を、射倖契約性・善意契約性にかかる特性（当事者間の衡平・公正維持の要請）という観点から、補充的に説明することも可能である（射倖契約説）。すなわち、保険契約は、偶然の事実の経過（契約締結時に不確定である事故の発生、不発生、また、その態様）によって給付義務が影響を受ける関係にある射倖契約という特性をもち、その特性ゆえに、相互に相手方に対し公正な態度をとるべきこと、相手方に対する自己の有利な地位を不当に利用すべきでないことが要請される。偶然の事実の発生に影響する危険情報については、保険契約者に偏在している（保険契約者の事情である）ので、これを相手方に告げないでよいとされるなら、保険契約者は、相手方に対する自己の有利な地位（給付義務の有無ないし程度にかかわる情報優位）を不当に利用することになり、衡平・公正ではない。このように、（経済合理性の観点とは別に）保険制度の射倖契約性・善意契約性にかかる特性（当事者間の衡平・公正維持の要請）からも、とりわけ、「保険契約者が情報を開示する」という形態の告知義務制度は説明され得るし、また、正当化され得る。もっとも、以上のような補充的説明をあえてする必要はないとする見解も有力である。ただ、告知義務制度にかかる法律上の諸制度は、告知義務の存在根拠が危険測定のみにあるとする立場からは説明しきれないものも多く、かえって、射倖契約説がいうような当事者間の衡平・公正維持という視点を入れて観察すれば、理解が容易となる制度もある（例えば、そのように危険測定の必要性という事情のみから告知義務制度が存在しているとすると、危険測定を妨害する行為はすべて許されないものとして対処する制度を整備することが一貫するであろう。しかし、後述するように、そもそも軽過失にとどまる告知義務違反は問題とされないし、また、故意重過失の告知義務違反があっても例えば告知妨害があれば結果的にその告知義務違反は許される）。確かに、射倖契約であるから告知義務が存在する、という説明は正しくないにしても（技術説がいうところが告知義務が存在する理由になる）、射倖契約説が強調する法的価値が告知義務制度の実際の法則の中に取り込まれている面を否定することもできないから、その存在根拠の説明において、あえて、そのような方面からの説明・観察は不要である、といいきる必要もないように思われる。

2　告知義務者

告知義務を負うのは、保険契約者、又は、被保険者になる者である（4条・37条・66条）。

保険契約者と被保険者とが同一となる自己のためにする損害保険契約や自己の生命・身体の保険契約では、その同一人物が告知義務を負う。これが別人となる他人のためにする損害保険契約や他人の生命・身体の保険契約では、保険契約者か被保険者かのいずれか一方が告知義務を負うことになる。

告知義務は、義務者の代理人によっても履行することができる。この場合の告知義務違反を判定する際の故意、重過失は、代理人の認識に即して判断される（民101条1項）。それでは、生命保険の被保険者（夫）の代理人（妻）が、被保険者・本人（夫）を代理して、被保険者（本人）の健康告知をした場合に、本人の健康診断結果（異常）を知らなかったがゆえに異常は指摘されていないと告知した場合、告知義務違反の関係はどうなるか。代理人（妻）は、告知すべき事実の存在（健康診断で異常を指摘されたこと）すら知らないから、その（妻・代理人の）認識に即して判断すれば、そこには、およそ告知義務違反を問う前提から欠けているともいい得る（後述するように、告知する者が知らない事実に告知義務違反は成立し得ないという見解が有力である）。

しかし、そう解されるなら、告知すべき事実の存在（健康診断の異常）を知っている本人（本来の告知義務の履行者）は、あえて代理人を使うことで、告知義務違反の規律の潜脱を企てるであろう。

この問題解決のアイデアは、民法101条3項に求められる。もっとも、このルールにそのまま従い、本人が自ら知っていた事情（同項前段）だけでなく、本人が過失によって知らなかった事情（同項後段）についても本人が自ら知っていた事情と同視し（いわばみなして）、代理人がその事情を知らなかったとの主張を許さないものとして告知義務違反の成立を認めることは、本人の知らない事実について告知義務違反を認めることになり、そのことは後述の通り妥当でない為、民法101条3項前段のみが適用可能であると解することが適切であろう。換言すれば、本人が告知事項について知っていた場合に限り、民法101条3項を介して代理人の不知の下にも告知義務違反が成立すると解するべきである。

3　告知の時期

告知義務者は、「契約の締結に際し」、告知義務を履行しなければならない（4条等参照）。この法文言のもとにおける告知の時期（告知すべき時期）の解釈論が問題となるが、いずれにしても、告知義務というものは、申し込まれた保険契約を締結（承諾）するか否か、締結（承諾）するとして保険料をいくらにするかの判断のために課される義務であるため、契約締結（成立）の前に履行することが予定された義務であり、したがって、告知の時期が契約締結の前の時点になることについては疑いがない。

そのことを前提に、より、具体的な告知時期（告知すべき時期）の解釈としては、「際し」という幅のある法文言通り、「申込みから承諾までの間」と解するか、それとも、告知義務が質問に応答する義務であること（しかも、その法理は、片面的強行規定である）を考慮して、「質問された時」と解するのかで、争いがある。

いずれの考え方を採用するかによって、告知から承諾（保険契約の成立）までに時間的間隔があり、かつ、その時間的間隔のうちに、一旦質問され、告知していた事情に事後的な変化が生じたが、それを追加告知しなかった場合の告知義務違反の成否の判断が異なり得る。

前者の考え方に立つと、承諾までは、なお、告知すべき時期の期間内に当たるから、その事情変化について追加告知は必要になる、それをしなければ、告知義務違反になる、と解することになる（もっとも、質問の内容を契約者が後日まで事細かに覚えておくことは困難なこともあり、期待すべきでもないので、仮に、このような態様の告知義務違反が成立し得ると立論しても、他方で故意・重過失の要件は、別途考察する必要がある）。

しかし、後者の考え方に立つと、質問されたときが告知すべき時期であり、その時期・時点で告知義務は履行済として確定すると考えることになるので、（承諾前に、改めて保険者からの追加質問がなされない限り）仮に自主的に追加告知をしなくても、告知義務違反になると解することはできない。

後者の考え方が有力である。質問後に生じた変化についてこれを追加告知させることについては片面的強行規定をもって禁止している自発的申告義務の要素を入れることになるので、やはり、後者の考え方が支持される。なお、仮に前者の考え方が保険法4条・37条・66条の解釈として成り立ち得るとしても、上記の問題が実際に起こり得る生命保険の実務（約款）では（損害保険では、申込・告知と同時に承諾がなされるのが通例で、時間的間隔はない）、それらの条項（ないしその下で前者の解釈）を保険契約者に有利に変更することで、結局、そのような考え方を否定していると解される。すなわち、生命保険約款では、「告知書で質問した事項についてはその告知書で告知することを要し、会社の指定する医師が口頭で質問した事項については、その医師に口頭により告知することを要する」などと規定していることから、質問した時点を告知すべき時期と考えていると解される（後日の時点では、告知書は既に手元になく、医師も面前にいない。それゆえ、仮に追加告知をしようとしても、約款に定める告知というものは、行いようがない。ということは、そのような追加告知はそもそも不要と考えている、と解さざるを得ない）。また、そこには責任遡及の定めが置かれるのが通例であり、保険者が承諾したときは、告知書による告知（又は医師への告知）がなされた時（＝要するに質問の時）以降、保険契約上の責任を負うとしているので、質問時（告知書による告知）以降の変化は、仮にそれがあってもそれも含めて保障する意思が示されている。このこととの関係からも、追加告知が必要である、との解釈は、結局、採用できないものとなる。

なお、損害保険約款（例えば、自動車保険約款）においては、契約成立後の告知訂正の制度が、約款上、用意されている場合がある。これによれば、契約成立後、保険事故が発生する前に、保険契約者又は被保険者が、告知事項について書面等によって訂正を申し出て、保険者がこれを承認した場合には、保険者は、契約締結時に存在した告知義務違反を理由に、保険契約を解除しないものと約束している（なお、訂正申出に対する承認は、その訂正事実を告知していたとしても契約を締結したと認められるときに限り、与えるものとしている）。

4　告知事項

告知義務者が告知しなければならないのは（告知事項は）、「危険に関する重要な事項のうち保険者になる者が告知を求めた」事項に限られる。なお、法律上、ここに「危険」とは、損害保険においては、「損害保険契約によりてん補することとされる損害の発生の可能性」を意味するものと定義され（4条）、また、生命保険においては、「保険事故（被保険者の死亡又は一定の時点における生存）の発生の可能性」を（37条）、傷害疾病保険では、「給付事由（傷害疾病による治療、死亡その他の保険給付を行う要件として契約で定める事由）の発生の可能性」をそれぞれ意味するものと定義される（66条）。

⑴　**危険に関する重要事項**　　告知事項には、大きく２つのしばりがある（なお、その規律は片面的強行規定に指定されていることに注意）。第１に、告知事項（告知すべき事項）は、「危険に関する重要事項」に限られる。そもそも危険に関しない事項、また、何らか危険に関係するとしても重要でない事項は、（たとえ保険者から質問されても）告知すべき事項にはならない（結局、告知しなくても義務違反は問われない）。ここにいう、危険に関する「重要な事項」となるかどうかは、その事実（事項）が、保険者の危険選択（保険契約の締結の諾否、保険料額、特別危険保険料・保険金額削減・部位別不担保等の特別条件の付加等）に影響を与えるかどうかで判断される。敷衍すれば、当該事実（＝事項）を知っていれば、保険者は当該保険契約を引き受けなかったといえるか、又はより高い保険料によるか、又は特別条件等を付けてしか引き受けなかったといえる状況がある場合に、その事実は、（危険に関する）「重要な事項」であったと判断される。このような観点から、判例は、生命保険における被保険者が、真実の職業である小学校教員を隠し、貿易商であると不実告知した事案（その不実告知の背景には、その契約前に他社に小学校教員と真実を告知して申込みをしたところ、１万円ないし３万円の保険金額が身分不相応であるとして拒絶されていたという事情があった）において、小学校教師と貿易商との間において生命の危険測定上の区別はない（危険は、両者の間で少しも違わない）ものと判断して告知義務違反（＝「重要ナル事項〔改正前商678条〈当時、同429条〉参照〕」について不実告知があったこと）の成立を認めない一方（大判明40・10・４民録13・939）、生命保険契約の締結（復活）前における肝臓病又は気管支カタル等の併発した肋膜炎及び胆石症病歴とその治療のための１か月の入院の事実は、当該被保険者の生命の危険測定に影響のある素質を有する事実（＝重要事実）として、その不告知について告知義務違反を認める（大判大11・８・28大民集１・501〔百選62〕）。過去３か月以内に、医師の診察、検査、治療、投薬を受けたことがあるかという事実も、生命保険契約を締結するか否か等を判断する上で危険測定のために重要な事項で

ある（東京地判平30・9・3生判27·679）。

なお、これに関し、およそ保険者一般の危険選択において影響を及ぼすという関係性が必要か（客観的基準説）、それとも、当該引受けをなす特定保険者の危険選択において影響を及ぼす関係性があることで足りるか（主観的基準説）という問題がある。告知事項を保険者の質問する事項に限定した保険法の下では、後者の考え方をとっても問題はないとされている（自発的申告義務が課され、個々の会社の引受け基準を知らない保険契約者に起こり得る不利益〔＝自社基準で告知義務違反を主張される〕を避けるためにも、改正前商法の下では客観的基準説をとることが要請されたが、状況は変わっている〔下記、(2)参照〕。なお、大判大4・6・26民録21・1044も、改正前商法の下、客観的基準説をとっていた）。

不告知、不実告知とされた事実が、重要なる事実であったこと（＝重要性）は、告知義務違反を主張する保険者において、主張・立証する責任を負う。これに関し、生命保険実務に利用される質問票、損害保険契約の申込書に★印等を付して告知事項とされ質問されている事項についても、質問されているからといって当然に重要な事項になるわけでなく、保険者の側が、積極的に、その事実の重要事項性を立証しなければならない。

(2) **質問応答義務**　第2に、告知事項は、「保険者が告知を求めた事項」に限られる。たとえ、上記、第1の要件（しばり）、すなわち、「危険に関する重要な事項」であるという要件を満たしても、保険者が告知を求めていない事項は、そもそも告知事項になり得ない。その意味で、保険法における告知義務は、保険者の質問に答える義務である、といわれる（質問応答義務）。

なお、これまでの商法において、告知義務は、保険者の質問に答える義務ではなく、保険者から質問されたかどうかに関係なく、保険契約者の側の責任で、危険に関する重要な事実・事項を探し出し、自ら自発的に申告する義務であると位置付けられてきた（自発的申告義務）。したがって、保険者から質問された事項以外にも危険に関する重要な事実・事項があれば、保険契約者は、主体的にそれを申告しなければ義務違反を問われる状況にあった。しかし、保険ないし危険選択にかかわる知識をもたない、しかも、危険判断を行う主体ですらない契約者に、主体的に危険に関する重要事実を探し出しそれを告知することを求めることは負担が大きく、問題が大きいとして規律が変更された。これは片面的強行規定であるから、その適用除外を受けられる契約（PL保険、海上保険〔平成30年改正商820条参照〕など）を除いて、約款において旧法下の自発的申告義務を課すことは、もはやできなくなっている。約款で自発的申告義務としても片面的強行規定に反し無効となる（保険4条・7条・37条・41条・66条・70条）。

ところで、告知すべき重要なる事項は、告知義務者が知っている事実に限定されるか（知らない事実・事項は、そもそも告知事項となり得ないか）という問題がある。これは、保険法が解決していない解釈問題である。例えば、進行癌であるとの真の病名告知が医師から被保険者本人にはされておらず、本人には、単なる胃潰瘍などと伝えられ、家族のみがその真相を知っているような状況の下、本人が（胃潰瘍〔治療中〕は告知するも）癌にかかったことはない旨告知した上、生命保険や傷害疾病保険に加入申込みをしていたとして、ここに告知義務違反を問うことはできるか。また、自動車保険でも、保険契約者が知らない（もともと広範囲に設定される）被保険者たちの情報は、あり得るものと考えられる。

この問題については、告知義務者にその知らない事実の探知義務を課すことは告知義務の存在理由を逸脱するとして、知っている事実のみを告知すれば足りる（知らない事実は告知事項にならない）とする見解と、知らない事実も知らないことにつき重過失があれば、重過失による告知義務違反が成立し得る（知り得べき事項も告知事項になる）とする見解が対立する。学説では、前者を支持する見解が有力であるが、判例は、後者を支持するといわれてきた（大判大6・10・26民録23・1612参照。鹿児島地名護支判平8・5・7生判8・482、福岡高宮崎支判平9・10・7生判9・147は、結論として重過失を否定したが、後者の判断枠組みを採用する）。比較法として、ドイツ保険契約法19条1項1文は、保険契約者に知られた事実が告知事項になるとする明文規定を置いて、この問題を立法解決している。

そのほか、保険法が明確には解決していない解釈問題として、「他保険契約が存在する事実」といった、いわゆる道徳危険事実（保険契約者側の関係者が故意の事故招致等によって不正な保険給付を受ける意図を有している事実をいい、生命保険の被保険者の年齢や既往症のように、保険事故の発生率の測定に関する保険危険事実と区別される）が、告知事項となり得るか（告知事項は、保険危険事実に限られるか）という問題もある。

改正前商法の下では、生命保険の事案について、これを明確に否定した判例があった（前掲・大判明40・10・4は、法にいう重要事項とは、もっぱら被保険者の生命につき危険を測定するがために必要なる事実又は事項を指し、したがって、他の会社に契約の申込みを為した事実や保険契約者の保険料支払能力にかかる事実に及ばないとした。もっとも、同判決がそのように結論した論拠は、保険契約以外の他の多くの契約においても、他の会社に契約を申し込んでいる等の上記事柄が同じく問題となるにもかかわらず、そのような多くの契約では、その当事者の一方から他方へ上記のような事柄に関して告知義務が課されている事実はないから、保険契約のみ特別に扱うべき理由もない、との形式論にあり、保険契約に特有のモラル・リスクに対する観点が一切考慮されていなかった点に注意を要する）。このため、生命保険会社では、他保険契約の存在について告知させることは行ってこなかった。これに対して、損害保険会社では、傷害保険の引受けや自動車保険の引受け等において、他保険契約の存在について告知させる実務がとられてきた。

さて、保険法の下での解釈であるが、保険法改正の際の議論では、他保険契約の存在ないしその分量如何が当該契約を引き受けようとしている保険者の危険選択上の引受判断に意味をもっていた（例えば、合計7000万円以上となる傷害死亡は引き受けないとの基準があったなど）という前提の下、それも告知事項とすること（告知義務の対象とすること）ができる、と整理されている。学説では、そのような整理が解釈上も可能であるとする見解がある一方、保険法にいう「保険事故の発生の可能性に関する」事項とは、保険危険事実を意味するものとしか解せないとして、他保険契約の存在といった道徳危険事実は、保険法のもとでは、告知事項とすることができない、とする見解もある。

他保険契約は、死亡という保険事故（37条参照）や火災による損害（4条参照）そのものを独力で引き起こすことはできない（物理的に不可能である）が（それゆえに、具体的事故の下では因果関係不存在特則が常に働くことになるが）、他保険契約がとりわけ多数重複して存在する場合には、それ（他保険契約）が呼び水となって、死亡という保険事故や火災による損害という「結果」が生じ得ることは、経験則上、認められている（他保険契約の存在、とりわけその過度の重複は、自殺促進、故意の事故招致誘発といった、保険事故の発生の可能性を少なくとも統計的な意味においては高めるものといえよう）。そのように、保険事故（死亡）ないし損害の発生に、他保険契約が経験則上のつながり・関連性をもっている（もち得る）ものとすれば、「他保険契約が存在する」という事実についても、法文にいう「保険事故ないし損害の発生の可能性に“関する＝それを高め得る”」事項と位置付けることもできるように思われるし、因果関係不存在特則とは異なり、告知義務違反に基づく契約解除という手段の下では、不告知事情が事故と具体的つながり（因果関係）をもっていること（統計的意味における相関関係では足りないこと）まで求められていないと解されるので、他保険契約の不告知がある場合に、契約の解除そのものは認められてよい。

ただし、後述する因果関係不存在の特則（31条2項1号等参照）があるため、その義務違反がある場合に保険契約の解除はできても、免責とすることまではできない（他の保険契約には、物理的に火災そのものや被保険者の死亡そのものを引き起こす力はないので、他の保険契約が存在するという事実に基づいて保険事故〔死亡、火災〕ないしそれによる損害が起こるわけではない。もっとも、信頼関係を破壊する程度に著しい重複の事実があれば、重大事由解除の問題になり、その場合に全く別の法理の適用をもって免責の結果を得られる場合もある）。

5　告知の相手方

告知は、保険者に対してされることにより効力を生じる。保険者の代表権を有する者又は告知を受領する代理権（告知受領権）を保険者から付与された者に対して告知がなされて、はじめて有効な告知になると解されている。

保険者の使用人や代理店といった募集主体に告知受領権が付与されているかは各保険者が決定する事項であるが、問題となる募集主体に対して、保険者が、保険契約の（代理）締結権限までを与えているのであれば（損害保険代理店に典型である）、その募集主体には、告知受領権が当然にあるものと解される（契約締結の判断まで行えるのであるから、締結するか否かの判断の前提資料として開示を求めることになる告知を受領する権限がそこにないという解釈は、成り立ち得ない）。

他方、募集主体に契約締結権限が与えられていないところでは、告知受領権は当然にあるものと解せないので、その有無について、議論が生じ得る。

もっとも、保険者の判断次第による問題であるので、本来、一律の議論にはなじまない面もあるが、一般的な実務として、そのように、募集主体に契約締結権限を与えていない生命保険会社は、その募集に関与する、生命保険募集人(前述)、生命保険面接士(告知書における告知の確認及び外観観察をすることを任務とする生命保険協会の認定資格士)に告知受領権を与えていない、という立場にあり、重要事項説明書等でその通りの説明が保険契約者に対してなされている。

これに対して、生命保険会社は、生命保険診査を行う医師(診査医。生命保険会社と雇用関係にある社医、開業医等民法上の準委任関係のもと生命保険会社から診査を委嘱される嘱託医があり、告知聴取と視診・体況一般診察のほか、必要に応じた心電図検査、血液検査等も実施し、診査の結果を診査報状に記載して生命保険会社に報告し、査定のための資料を提供する)には、告知受領権を与えている(なお、生命保険約款は、そのように診査医に告知受領があることを前提として、保険契約者等に、診査医に口頭より告知することを要求している。判例も診査医の告知受領権を認めている。前掲・大判大5・10・21)。

6　告知義務違反の成立要件

告知義務者が、告知事項につき、故意又は重大な過失により事実の告知をせず、又は不実の告知をした場合に、告知義務違反が成立する(28条1項・55条1項・84条1項)。告知事項についての不告知ないし不実告知という客観的状況が、告知義務者の故意・重過失という主観的要因のもとに導かれたことが必要となる。告知義務者が知っている事実について(知らない事実は告知事項たり得ないとの考え方による)、それが保険者から質問されていることも、また、それが重要なる事実になることも知りながら、あえて、不告知・不実告知を行った場合、故意(の告知義務違反)が認められる。故意とは単純に「知りながら」の意味であり、それ以上の害意や欺罔の意図は必要ない。また、同様に、告知義務者が知っている事実について保険者から質問されているという状況があるものの、告知義務者の著しい不注意によりそれが質問されていることを知らず、又は、質問されていること自体は知っていたが、やはり告知義務者の著しい不注意により重要性の判断を誤り、それは質問されているものの重要なる事項ではないとの勝手な思い込みがあったため、結果として、不告知・不実告知が生じてしまったという場合に、重過失（の告知義務違反）が認められる。なお、この重過失の意義につき、立法過程で導入が検討されたプロ・ラタ（⇒**コラム2-2**参照）主義が採用されず、全部免責の規律となったこととの関係で重過失とはほとんど故意に近いものという意味に解すべきとする説が唱えられている。

なお、告知義務違反の成立の要件を定めた条項（28条1項・55条1項・84条1項）も、片面的強行規定に指定されているので（33条・65条・94条）、例えば、“（軽）過失”によっても告知義務違反が成立する、というような保険契約者の側に不利益な変更はできない。

7　告知義務違反の効果（原則論）（28条1項及び31条2項1号本文ほか）

告知義務違反がある場合、保険者は、一次的に、その保険契約を解除することができ（28条1項・55条1項・84条1項）、また、保険者が当該解除をした場合には、二次的に、たとえ解除がされた時（その意思表示が到達した時）までに保険事故ないし傷害疾病が発生していたとしても、当該保険事故・傷害疾病に関し、保険給付を行う責任を負わない（＝保険者は、過去に遡って免責される）。これが、告知義務違反がある場合に原則的に生じる法的効果である（31条2項1号本文・59条2項1号本文・88条2項1号本文）。

まず、契約解除の問題につき、保険者が当該解除権を行使すると、保険契約は、解除が効力を生じたときから将来に向かって無効になり（31条1項・59条1項・88条1項）、そのとき以降、契約関係が解消される。そのように、（告知義務違反の場合を含む）保険契約の解除の効力は将来効であり、解除権が行使されても、その契約関係が契約成立時に遡って無効になるわけではない。解除がなされるまで契約は有効であり、したがって、それに対応する解除のときまでの保険料を、保険者は取得できることになる。

解除の意思表示は、保険契約の相手方である保険契約者に対してすることを要する。もし、生命保険・傷害疾病定額保険の保険契約者が同時に被保険者であり、この者が死亡した後（保険事故の後）に告知義務違反解除をする場合には、この者（保険契約者）の相続人に対して告知義務違反解除の意思表示をしなければならず、この者とは別に定められていた保険金受取人に対し解除の意思表示をしても、解除の効力は生じないとする判例がある（生命保険について、大判大５・２・７民録22・83）。また、当該保険契約者の相続人が複数いる場合は、民法544条１項の適用があり、保険契約者の相続人の全員に対して解除の意思表示をしなければならないとする裁判例がある（傷害疾病定額保険及び傷害疾病損害保険〔海外旅行傷害保険〕について、大阪地判昭63・１・29判タ687・230、最判平５・７・20損保企画536・８〔百選107〕）。

しかし、このようなことが告知義務違反の解除の意思表示（通知）に際し求められることは、解除原因を知ってから１か月という短い期間（28条・55条・84条の各４項前段）のうちにこれをしなければ解除権を失う保険者にとって不便であり、他方、このような通知（解除の意思表示）の仕方（誰を相手方とするかの問題を含む）については、保険法が、とりわけ、片面的強行規定という形において規律するところではないので、上記の判例から逸脱する約款上の合意は可能と解され（前掲・大阪地判昭63・１・29参照）、実際、現在の保険実務では、そのような合意がされている。

生命保険の実務において、丁寧にこの問題に対処している約款によれば、告知義務違反による解除の通知は、保険契約者に行うものとする原則を置きながら、ここにいう保険契約者が死亡した場合（告知義務違反が問題になっている被保険者の地位を兼ねていた場合が考えられる）については保険契約者の相続人を保険契約者とし、この場合に保険契約者が２人以上いるときは、当該保険契約者の中から代表者を１名定めるものとし、代表者が定まらないか、その所在が不明である場合には、会社が保険契約者に対してした行為は他の者に対しても効力を生じるとする一方、更に、このような保険契約者の所在不明の場合、その他正当な理由により保険契約者に通知できない場合には、被保険者、保険金受取人に解除の通知をするとしている。このような約款の下では、保険契約者兼被保険者が死亡した場合にあって、保険契約者の相続人の全員に告知義務違反解除の意思表示を行う必要はなく、相続人の所在不明その他正当な理由があれば、保険契約者の地位を承継していない保険金受取人に対してする解除の意思表示も有効となる。

次に、解除に伴って生じる保険者免責の問題につき、法は、解除の効力・効果（将来効）とは別の枠組みにおいて、告知義務違反解除がなされた場合における遡及的な免責効果を付与している（解除に伴う法定免責効。31条2項1号本文・59条2項1号本文・88条2項1号本文）。

以上が、告知義務違反がある場合に“原則的に”生じる法的効果である。しかし、以下、8(1)〜(3)に分説する通り、この原則に対して例外をなす法的効果が発生する場合が、法律上、多数、（しかも片面的強行規定の形で）用意されている。

8　告知義務違反の効果（例外的処理）

告知義務違反が成立しても、解除と免責という原則的効果が発生しないという、法が定める例外的処理は、(1)解除権が発生しない（結果、免責効も生じない）場合（解除権阻却）、(2)解除権が一旦発生するが消滅して行使できなくなる（結果、免責効も消滅してしまう）場合（解除権消滅）、(3)解除権は発生し行使できるが、しかし、免責効については認められない場合（因果関係不存在）に分類できる。いずれの場合も、告知義務違反は成立しているが、他の事情のもとで、契約者に不利益（原則的な違反の法的効果）を生じさせないとする処理が衡平・公正と考えられる場合であり、そのような観点から法が例外を認めているものと考えることができる。

(1)　解除権の阻却事由（28条2項ほか）　まず、告知義務違反が成立するが、解除権が発生しない場合として、保険法は、①保険者の側に知・過失不知がある場合と、②保険者の側に告知妨害、不告知教唆がある場合とを定める。解除ができないので、それに伴うとされる法定免責効も当然発生しない関係になる。

①　保険者の知又は過失不知

保険者が、保険契約締結の時において、事実（告知義務違反が問われた事実、要するに真実）を知り、又は過失によって知らなかったとき、告知義務違反解除はできない（28条2項1号・55条2項1号・84条2項1号）。片面的強行規定である（33条1項・65条1号・94条1号）。

告知事項につき、たとえ保険契約者が告知せず、また不実告知をしていたとしても、保険者がその事実（真実）を知っている場合（真実について悪意の場合）には、保険者はその知っている事実に基づき危険選択をすることができるの

コラム２－２　告知義務違反のプロ・ラタによる解決

保険法も、旧商法も、告知義務違反解除の際の免責効果については、故意の告知義務違反であれ、重過失の告知義務違反であれ、区別なく保険金額の全額について保険者が免責されることを定める。これに対して、ヨーロッパ諸国の保険法には、過失の枠組みにとどまる告知義務違反があり、事故が生じてから告知義務違反が発覚した場合について、全額の免責という制裁は与えずに、正しく告知した場合に課される保険料（例えば200）と現在の保険料（例えば100）とを対比し、その割合（50％）を基準とする減額した保険金を支払うものとするなど、割合的な免責（一部の保険金の支払い）を定めるものがある（フランス保険法典 L.113－９条３項。悪意〔la mauvaise foi〕が証明されない告知義務違反は、契約の無効〔L.113－８条参照〕をきたさず、その際のてん補は、もし、リスクが完全にかつ正確に申告されたならば支払われるべき保険料のパーセンテージに比べ、支払われた保険料のパーセンテージに比例して、減額される。なお、イギリス Consumer Insurance Act 2012及び Insurance Act 2015も故意ではない不注意〔careless〕かつ引受範囲内の義務違反は、故意の場合のような免責とはせず、支払われるべき保険料と支払われた保険料の割合における比例減額した保険金を給付するとする）。これをプロ・ラタ主義という。保険法制定の過程では、保険契約者にかかる制裁緩和（保険契約者の保護）の観点から、我が国もこのプロ・ラタ主義の導入が検討され、具体的には、正しく告知された場合でも保険者は保険料を引き上げて引き受けたという条件（前提）が満たされる重過失の告知義務違反ケースについて（のみ）、正しい告知の場合の保険料と現在の保険料との対比割合で削減した保険金支払いを行うという案が提示・検討された。

しかし、重過失の保険契約者まで保護すると、全体として保険金の支払額や支払いのためのコストが増加し、反射的に正しく告知をした大多数の保険契約者の保険料まで上昇し、かえって契約者の不利益になること、故意の告知義務違反、重過失の告知義務違反を峻別することが困難であるなど、制度運用上の困難が伴うことなどを理由に、その導入は見送られた。なお、プロ・ラタ主義は、法律が定める全額免責主義より保険契約者側に有利な制度であるので、約款において、プロ・ラタ主義を採用することは可能である（その変更は、保険法31条２項１号本文等の片面的強行規定性に反しない）。なお、ドイツはプロ・ラタ主義をとらないが故意と引受範囲外となる重過失の違反は、遡及解除とその結果としての給付免責を肯定する一方、引受範囲内となる重過失の違反は、遡及解除と免責を否定し契約をあるべき姿に適合して継続させる。このように欧州の今日の保険法は故意でない告知義務違反の制裁を緩和しようという傾向がある。

で、ここに解除権（保険者の保護）を与える必要は全くない。

また、確かに、保険者は、告知義務違反から保護されるべきであるが、保険者が必要としている情報の開示が契約相手方から行われようとしている場面において、自身は全くの受け身をとればよくそこに何の注意も払わなくてよく、その場合でも違反があれば相手方に全面的に帰責し、自身は全面的な保護が受けられる、というのは、衡平ではない。告知義務制度の根底に流れていると考えられる当事者間の衡平の思想からすれば、保険者の側も、情報収集において相当の注意を払うべきである。そのため、法は、保険者として通常の注意を尽くせば事実（真実）を知り得た場合（真実について過失不知の場合）についても、解除権は発生しないものとした。

保険者の過失（不知）の存否の判断基準としては、保険者が危険選択のために必要であるとして社内で定めている手続きを着実に実践しており、また、その手続き（告知書、申込書の確認作業、身体検診の過程等）の中で追加の質問を保険者においてしなければならないような疑義がなかったというのであれば、それ以上に調査をする必要はなく、仮にそれ以上の調査をしていれば真実にたどりつけたという関係にある場合でも過失はないとすべきである（東京地判平25・5・21生判25・216参照）。もっとも、前提において、当該社内で定めている手続きが、他の保険者のもとで採用されている手続き（業界標準）と対比して、保険取引上一定の合理性がある（特段、不合理、杜撰なものではない）と評価されることが必要である。

近時の裁判例として、無免許であった者が免許証の色を青と偽って告知し、自動車保険（インターネット販売）に加入していた事案において、告知義務違反を主張した保険者に、免許証の現物確認をしなかったことについての過失不知があるかが争われた事案がある（仙台地判平23・12・22判タ1390・323は、過失不知を肯定、同控訴審である、仙台高判平24・11・22判タ1390・319、判時2179・141〔百選15〕は、過失不知を否定）。また、新規の契約の申込みにつき、当該被保険者には同じ保険者のもとでの別の既存保険契約があり、その保険金支払歴があるような場合に、社内データベースの名寄せ作業をすれば告知義務違反に気付けたとして保険者の過失不知が争われる事案も多い（過失不知を認めなかった例として、東京地判平19・9・28生判19・462、東京高判平20・3・13生判20・157。団体信用生命保険と個人保険間の事案)。

保険者の知又は過失不知は、告知受領権を有する者に即して判断される。例えば、生命保険契約において告知受領権を有している診査医の知・過失不知は、保険者のそれと同視され(大判明45・5・15民録18・492〔百選65〕。なお、通常の医師、すなわち、専門医でなく普通開業医を標準とする注意をなすことが要求される)、例えば、通常であれば、衣服を脱がすなどして検診・診査するところ、診療時間外であったという事情からこれを省略したため疾病治療のための上腕部の注射痕を発見できずに当該事実の不告知に気付けなかったというときには(診査医の過失不知。広島地尾道支判平9・3・28生判9・198)、解除権が阻却される。

② 保険媒介者の告知妨害、不告知・不実告知教唆

保険媒介者(保険者のために保険契約の締結の媒介を行うことができる者〔契約締結代理権をもつ者を除く〕)が、告知義務者が告知事項たる事実の告知をすることを妨げたとき(28条2項2号・55条2項2号・84条2項2号)、又は当該保険媒介者が、告知義務者に対し、告知事項たる事実の告知をせず、又は不実の告知をすることを勧めたとき(28条2項3号・55条2項3号・84条2項3号)、告知義務違反解除はできない。これも、片面的強行規定である(33条1項、65条1号、94条1号)。

告知義務違反が成立しているが、それが、保険者側(保険者が指揮監督すべき地位にある者を含む)に帰責性のある行為に起因して生じたという事情がある場合に、保険契約者の側にだけ不利益が生じるとするのは、衡平ではない。そのとき、保険者の側にもその不利益を課すべきと考えられるが、その方法としては告知義務違反がなかったものと扱うほかなく、それゆえ、解除権阻却という処理がここに要請される(なお、改正前商法の下では、民法715条の法理を斟酌して、このような問題の解決が図られてきた)。

例えば、損害保険代理店のように、契約締結代理権を持つ(したがって、告知受領権も持つ)保険媒介者が上記のような行為(告知妨害、不告知教唆)を行った場合、保険者の知(不告知・不実告知教唆の場合)又は過失不知(告知妨害の場合)が成立し(28条2項1号、民101条2項参照)、解除権が阻却されるので、それ以上に特別の法制は必要ない。

しかしながら、生命保険募集人のように、契約締結代理権・告知受領権を持たない者（本規律の対象者）が、一方で真実を知りながら（あるいは通常の注意を尽くして知り得べきでありながら）も、他方で上記のような不適切な行為（不告知・不実告知教唆、告知妨害）を行ったとしても、告知受領権がない以上、募集人の知（過失不知）をもって保険者の知（過失不知）と解することはできないし（＝解除権阻却が起こらない）、また、確かに、保険者における、そのような不適切な行為をした募集人（多くは従業員）の監督上の過失が認定できる場合にはその過失を足掛かりに保険者の過失不知による解除権阻却の道が理論上開かれ得るといっても、保険者の過失を立証する証明責任負担の問題等を考えると、実際にその結論を得るのは、必ずしも容易なことではない。

そこで、保険法は、そのように募集主体の知、過失不知をもって保険者のそれと処理すること（その理による解除権阻却）ができない者、すなわち、保険媒介者（なお、契約締結権限をもたない損害保険募集人、生命保険募集人がこれに含まれるが、他方、保険仲立人は、保険媒介者の定義にいう“保険者のために”保険契約の締結の媒介を行うことができる者ではないので〔保険業２条25項参照〕これに含まれず、その告知妨害、不告知教唆に解除権阻却は生じない）が、告知義務違反を誘発し（＝告知妨害、不告知・不実告知教唆し）、当該帰責性のある行為に起因して告知義務違反が生じたという場合には解除権が阻却される、との規律を用意する。

告知妨害（２号行為）と不告知教唆（３号行為）とを厳密に区別する実益はない（法的効果は同じであり、どちらに当たるかで法的な差異が生じることはない）。具体的には、告知義務者が告知書に既往症を記載して保険媒介者に提出したが、保険媒介者がこれを無断で改ざんして既往症のない告知書とし、保険者に提出した場合、保険媒介者が告知書の記載を代筆し、記載内容を告知義務者に確認しないまま保険者に提出した場合（例えば、東京地判平27・９・10生判26・295〔百選64〕は、募集人が被保険者と知人関係にあり、被保険者における癌罹患事実を明確に知っていた状況下、告知部分は書かなくてよい旨指示し、結果として告知義務違反〔復活〕となった事案について、いわゆる不告知教唆の成立を認める）、告知義務者がある既往症を告知すべく告知書に記入しようとしたところ、保険媒介者がその告知をしてはいけないといって告知させなかった場合、保険媒介者が募集にあたり２年経てば告知義務違反の効果は問われないから（生命保険約款参照。後述

⇒63頁参照)、何かあっても告知しないほうがよいとアドバイスしたため告知がされなかった場合などに、解除権が阻却される。告知すべきかどうかを尋ねられた保険媒介者が無過失で告知不要とのアドバイスをしたが、それは告知されるべき事項であったという場合、それでも法は、告知妨害の成立に（解除権阻却が生じるための要件事実として）保険媒介者の故意・過失を要件としていないとして、不告知教唆に該当すると解するのか、また、募集人と告知義務者（被保険者）の個人的な関係性から被保険者の下にある告知すべき既往症（例えば、過去の入院の事実）を保険媒介者が知っている状況があったが、にもかかわらず告知義務者がそれを不告知とした告知書を提出した場合にあって、保険媒介者が訂正すべきことを指示せずにそれをそのまま処理した場合（少なくとも、保険媒介者に積極的な不当な働きかけはない）に、いわば消極的な不告知教唆が成立するか（消極的に不告知を勧めたものと評価できるか）は、争いがあり得る。

ところで、告知妨害、不告知教唆という不当な働きかけがあったこと自体疑いがないものの、他方で、そのように働きかけられた保険契約者等（告知義務者）の側の事情として、当該告知妨害等の行為があろうがなかろうが、告知義務違反は行われたという事情がある場合、その不利益は一方的に保険契約者の側に課してよい。そのとき、実際には存在した保険者側の不当な働きかけは、結果（告知義務違反）に結び付かなかったと法的に評価され、したがって、このときは、再度、原則に立ち返り、解除権が発生する（解除権は阻却されない。28条３項・55条３項・84条３項)。

以上、解除権阻却とその例外につき、告知妨害、不告知教唆があった事実（28条２項２号・３号等に該当する事実）の主張立証責任は、保険金請求者が負い、他方、告知妨害・不告知教唆と告知義務違反との間の因果関係の不存在の事実（28条３項等に該当する事実）の主張立証責任は、保険者の側が負う。

⑵　解除権の消滅（28条４項ほか）　告知義務違反に基づく解除権（28条１項等参照）は、保険者が、解除の原因があることを知った時から１か月間行使しないとき、または、契約締結から５年を経過したとき、消滅する（28条４項・55条４項・84条４項。当然、それに伴う免責効も、以後、生じない)。いずれも、除斥期間である。また、この規律は、強行規定と解される。

解除原因を知ってから１か月すれば解除権が消滅するという規範（各項前段）

につき、保険者が解除原因を知りながらも解除しないでその契約関係を放置する行動が制限なく認められるとすれば、契約者側としては、その先、仮に保険事故が起こっても免責を主張され保険金はもらえない立場に置かれるにもかかわらず、保険者が解除しなければ解除されるまでは契約は有効であるとして保険料は払い続けなければならない。そのように、保険契約者にとって意味のない契約の不当な効力の引き延ばしは問題であり、契約者のためにも早期に法律関係を確定させる必要性があるから、知ってから1か月という主張期間制限が設けられている。なお、保険者が解除の原因を知ったかどうかは、保険者の内部組織において、解除権限のある者が、解除権行使のために必要と認められる諸要件（告知義務違反の客観的成立要件及び主観的成立要件）を知ったかどうかで判断される（保険者がその100％子会社に調査を依頼しているときでも、保険者とその子会社は法人格が異なり独立した存在であるので、その両者は同一視できないから、当該調査会社が知った時をもって、保険者が知った時とすることはできない。東京地判昭61・1・28判時1229・147〔百選68〕）。

次に、契約締結から5年が経過すれば解除権が消滅するという規範（各項後段）は、時の経過による瑕疵の治癒を定めたものであり、少々粗い考え方ではあるが、契約当初に告知義務違反があったといっても、5年も保険事故がないというのであれば、それをもって、もはや危険選択に影響があった告知義務違反と評価する必要はない（保険者の利益は、結果的に害されなかった、と考えるべき）との考え方により、解除権の消滅を定めたものである。

なお、生命保険の約款では、契約から一定期間経過による解除権の消滅について、特別の規定を設け、事実上、法律よりも早期に解除権の消滅を認める扱いをしている。約款規定では、例えば、「保険契約が、責任開始の日からその日を含めて2年を超えて有効に継続したとき（ただし、責任開始の日からその日を含めて2年以内に解除の原因となる事実により保険金等の支払事由等が生じているときを除きます）」、保険者は解除をすることができない旨が規定されている。このように、責任開始後2年以内の保険事故の不発生をもって解除権の消滅事由とする約款は、解除権の放棄、不行使を約束するものであり、強行規定に反するものではない。学説は、その合意の有効性を認めている。なお、2年以内に保険事故が発生する限り、約定による解除権消滅は生じないが、それでも、55

条４項が定める契約から５年の経過があれば、同規定（強行規定）の適用により、解除権は消滅する。

⑶　免責効の消滅＝因果関係不存在の特則（31条２項１号但書ほか）　告知義務違反が成立し、保険者が解除権を行使した場合、その時までに発生した保険事故等があってもこれについて保険者が免責されるのが原則であるが（31条２項１号本文等）、その保険事故等が保険契約者側の告知義務違反があった事実（保険者が告知を求めた事実）とは関係ない原因から生じている場合、保険者は免責されず、保険金支払義務を免れない（31条２項１号但書・59条２項１号但書・88条２項１号但書）。この規律も、片面的強行規定である（33条１項・65条２号・94条２号）。

これを、因果関係不存在特則という。例えば、火災保険において、建物の用途の告知につき、中華料理屋などの飲食店として当該建物を使用しているのに一般住宅と告知していた場合に、これが連続放火魔の放火によって焼失したり、落雷により焼失したという場合、また、生命保険において、入院歴ないし既往症について告知義務違反を犯していた被保険者が飛行機墜落事故で死亡したという場合、（仮に保険者が保険契約を解除したとしても）生じた保険事故（火災、死亡）について、保険金は支払わなければならない。

また、損害保険会社の販売する傷害保険などでは、契約時に「他保険契約の存在」を告知させているが（前述）、他保険契約の存在についての不告知、不実告知があるとしても、告知義務違反の事実たる「他保険契約の存在」が原因となって保険事故が起こること（真には存在していた他の契約が傷害を引き起こすこと）はないと考えられるので、ここにも因果関係不存在特則が適用される（なお、ドイツの通説も、これと同じく、道徳危険事実は、保険事故発生の客観的可能性を高めないとして、因果関係不存在を認める。したがって、告知義務違反の効果として、保険者は、当該保険契約を解除できるとして、生じた保険事故〔による損害〕については保険金を支払わなければならないという結果になる。ただし、そのように、告知義務違反解除に伴う法定免責効は否定されるものの、他保険の重複の程度が甚だしく、それらを秘匿して保険契約を締結しているといった別の事情が認められるときには、別の問題として、重大事由解除とそれに伴う法定免責効〔ここには、因果関係不存在特則はない。30条・31条２項３号参照〕が生じる可能性はある）。

どのような場合に因果関係不存在となるのか。このようなルールは、平成20年改正前商法の時代から存在するものであるが、改正前商法の下で、判例通説は、正直に告知すれば保険加入を断られた契約者との公平性を確保し、契約時に適切な告知をさせるインセンティブを働かせるという目的において、因果関係不存在となる場合はできる限り狭く解するべきとの価値判断をとり、因果関係があるかどうかの判断基準については、告知義務違反のあった事実と保険事故との間に“全然”因果関係がないことが同特則の発動のためには必要である、と考えてきた（大判昭4・12・11新聞3090・14〔百選69〕）。反対にいえば、両者の間にわずかにでも関係性があれば、この例外は発動しないと解されてきた（なお、因果関係が“全然”ないことの立証責任は、保険金を請求する側にある）。例えば、高血圧症の事実について不告知があった被保険者が脳梗塞により死亡した、というような場合にあっても、因果関係はあると判断されてきた。

さらには、高血圧と敗血性ショックによる死亡との間にも因果関係がないとはいえないとした例（山形地判平12・10・4・生判12・489）もある。そのように、過去の裁判例には、因果関係不存在を否定することが正当とみれる事案がある一方、医学的にみたほとんど相関関係レベルの関係性がしかもわずかに疑われるにすぎない事案のもとにも、当該不告知事情と当該結果（死亡等）との間の具体的な関係可能性が全面的には否定されていない（すなわち、全然因果関係がないとの立証が保険金請求者において失敗している）とのロジックにおいて、因果関係不存在を容易に認めないものとしてきたともいうことができる。

このような極めて厳格な従来の運用（解釈）に対して、近時、保険法の下では、我が国の保険法が明治時代より範としてきた欧州地域の法のトレンドであり告知義務違反の制裁緩和という目的のために我が国にも導入が予定されていたプロ・ラタ主義が実現しなかったこと、このような状況の中で、立法段階に制度廃止も検討された問題の因果関係不存在特則が新法に残すべきとされたことに着眼し、保険法の下での因果関係不存在特則には、新しく、全部免責という告知義務違反の制裁的効果を緩和する具体策としての積極的役割が与えられており、そのことに鑑みれば、全然因果関係がない場合にしかこの特則が発動しないとしてその法理が発動する場面を極めて限定して解していくこと（極めて限定する場面でしか、告知義務違反の全部免責という制裁的効果を緩和しないこと）

コラム2-3　因果関係不存在特則のルーツ　ドイツ保険契約法の議論

因果関係不存在特則のルーツはドイツ保険法にあり、ドイツ法は、故意と、引受範囲外となる重過失の告知義務違反には、保険者による遡及効ある解除が可能とされ、この結果、保険給付免責が生じるが、その場合の例外として、告知義務違反（不告知・不実告知となった事情）が、保険事故の発生にも、保険者の給付義務の範囲にも因果関係をもたない事情に関連する場合は、例外として、保険者の給付免責が生じないとする制度を有するところ、ドイツの判例通説は、ここにいう因果関係の内容として、相当因果関係という概念を使用している。そして、その具体的解釈として、違反にかかる事実（不告知事情）が、保険事故の発生の客観的可能性を軽微でない方法で高めた場合には、不告知事実と事故との間の因果関係が肯定され、反対に、そのようにいえない場合には、因果関係不存在となる、という。このようなドイツ法の解釈は、発生した具体的な事故のもとに、その事故の原因としてわずかでも不告知事実が関与していれば（わずかでも何らかの原因性があった場合は）、因果関係不存在特則は働かないという解釈ではなく、不告知事実が相当程度の起結力（軽微でない起結力）をもっている場合にはじめて因果関係不存在特則が働かないという解釈である。要するに、不告知事実が何らか原因として事故に関与していたことが決定的ではなく、不告知事実が原因として事故に関与していたと評価することが適当かどうか（不告知事実が適当条件たり得るかどうか）が、原則処理（解除・免責）となるかそれとも因果関係不存在特則が適用されるのかの判断にとって決定的になるとする。ドイツにおけるリーディングケース等、その議論の詳細は、法律文化社 WEB 上にある、本書の補論コーナーを参照されたい。

は不当であると説く学説も有力になっている。

自動車保険の引受実務には、記名被保険者の運転免許証の種類（色）（ゴールド・ブルー・グリーン）を告知すること、もし記名被保険者が運転免許証を所持していない場合あるいは国際運転免許証のみ所持している場合は「その他」と告知することを求めるものとし、ゴールド免許はゴールド免許以外に比べ、保険料を割安にするという実務がみられる。

この前提において、免許証の色について不実告知がされた場合、告知義務違反が問われることになるが、保険者は、契約解除のほか、そのもとに事故が発生している場合にはその事故についての免責まで主張できるかが、因果関係不存在特則の文脈に議論される。

しかし、因果関係不存在特則（31条2項1号）の規律において、「原因」をなす部分、すなわち、「事実に基づかずに発生した保険事故」という場合の「事実（28条1項の「事実」）」とは、保険者になる者が告知を求めたものについての「事実」のことであり（4条参照）、免許証の種類（色）が質問されたのであれば「免許証の種類（色）」についての「事実（いわゆる真実）」がこれ（原因部分）に該当する。したがって、「記名被保険者の免許証の種類（色）は、ブルーであったこと（真実）」（原因）に基づいて、問題とする「保険事故（運行に起因する事故、車両盗難事故等）」（結果）が発生したかどうかが審査される。免許証の色はいなかる意味においても起結力（色は事故を起こせない）がないため、事実と保険事故との間には、因果関係がない（不存在）。このように解するのが多数説の立場である。

ところで、いわゆる免許証の色の不実告知の問題には、ブルーをゴールドと不実告知するタイプの単純な色の不実告知問題のほか、運転免許非保有者が、これを保有していることを前提に色を不実告知する（何らかの色を指定して告知する）類型の問題がある（前掲・仙台高判平24・11・22）。

確かに、ここでも、形式的に解せば、運転免許証がゴールド・ブルー・グリーン以外の「その他」であるという事実（引受にあたり、記名被保険者が運転免許証を所持していない場合は「その他」と告知することを求められている）には、いかなる意味においても起結力（その事実も事故を起こせない）がないため、事実と保険事故との間には、因果関係がない（不存在）ということになるが、このような類型の不実告知は、単純な色の不実告知の類型より、一層、悪質であり、結論を修正すべしという圧力（コラム2-4参照）が、一層、働くことになる。

現在、学説においては、これらの問題について、保険保護を与えるべきかどうかの実質判断を重視するものとし、免許証の色による保険料細分化には、他の危険要因（例えば、自動車の使用時間を基準にした被保険自動車の使用目的。日常・レジャー目的、通勤通学目的、業務目的の区分）による細分化と比較しても誤差が入り込みやすく、契約締結の諾否ではなく保険料の細分化にのみ影響を与える免許証の色の区別の不実告知（単純な色問題）に対して全部免責という過

コラム2－4　免許証の色の不実告知と因果関係不存在特則

免許証の色の不実告知には因果関係不存在特則が働き、免責にすることはできないという多数説の解釈では、正しい告知が期待できなくなることを問題視し、免許証の色そのものが質問されている（原因部分となる）のではなく、色が徴表する危険事情が質問されている（これが原因部分を構成する）ものとみなして、とりわけ、走行中の過失ある事故のもとには、事実（ブルーであったことが徴表する危険事情）と事故との間の因果関係が問える場合があるとする少数説もある。

しかし、免許証がブルーであったことが徴表する危険事情（そこに原因とみるもの）とは、要するに、過去にスピード違反を犯したとか、人身事故を起こしたという危険事情になるところ、仮に、過去（2024年４月１日）にスピード違反を犯した者が、免許更新後、またスピード違反を伴う事故を今（2024年６月１日）起こしたという場合でも、その事故の「原因」は、通常、もっぱら「その事故の瞬間の時点（2024年６月１日の事故の時点）における運転者（記名被保険者）のスピード違反を伴う故意・過失の運転行為」であると解されるのであり、それが今回の事故（結果）を引き起こしている（その原因になっている）のであって、「過去（2024年４月）のスピード違反の事実」と「今回の事故」の事実との間には、事実としてのつながり（条件関係）すら見出すことができない（因果関係不存在）。

近時、ブルー免許者の事故化傾向にかかるより精緻な統計データが将来的にとれれば、それを原因とみたてながらにする因果関係肯定の道が開かれるとする議論もあるが、ブルー免許所持者の事故率がゴールド免許所持者の事故率より高いという統計上の事実があるとしても、因果関係不存在特則の適用可否にかかる当該法律問題は、先にした検討のように、個々の事案における個別具体的原因とそこに生じた結果（事故）との間の具体的つながり（その有無）について判定していくものであり、ブルー免許所持者は一般的に事故につながりやすい（交通違反する傾向にある）という一般論（統計）があるとしても、それを原因とみたてて、個別の結果につなげる議論が展開できるものではない。

酷な制裁を突き付けることが妥当ではない一方、運転免許非保有の事実を隠して不実告知をする場合は、契約締結の諾否に影響を与える事実（保険者はこれを知れば謝絶する）に対する不告知であり、制裁が妥当であることから、前者には因果関係不存在特則が働く〈有責〉一方、後者にはこれが働かない〈免責〉とする考え方も有力に示されている。

このような見解が説く因果関係不存在の否定を導くためには、運転免許非保有が徴表する危険事情が質問されている（これが原因部分を構成する）ものとみなして（コラム2-4参照）、それと結果（事故）との間の因果関係を肯定する、という構成をとる必要があるが、仮に、そのような理論構成が失敗するとしても、当該運転免許非保有者の色の不実告知の類型には、詐欺取消しの法理が活用できる（前掲・仙台高判平24・11・22）。

9　告知義務違反と詐欺・錯誤の関係

告知義務違反が実際に問題となっている保険契約に関し、その承諾の意思表示をなした保険者は、別途、契約締結時における自己の承諾の意思表示にかかる錯誤、詐欺（意思の欠缺・瑕疵）を主張し、その保険契約を取消すことができるか（民95・96条参照。なお、生命保険約款、損害保険約款は、ともに、詐欺取消にかかる規定は整備しており、詐欺により契約が取り消された場合、保険料は返還しないものとしている）。もし、これを肯定する場合、既に告知義務違反は主張できなくなっている事案（例えば、契約締結の時から５年が経過した後、告知義務違反が判明したり、あるいは、５年以内に告知義務違反は判明していたものの、保険者の対応に問題があり、解除の原因を知った時から１か月以内に解除の意思表示をしなかった場合など）についても、契約そのものを取消すことで（意思表示の欠缺・瑕疵等に基づく民法上の取消権の行使期間制限については、民126条・124条参照。行為の時から20年又は、錯誤を知った時若しくは詐欺に気づいた時から５年が経過するまでは依然、行使が可能である。）、結果的に保険金は払わなくてよい、という結論を導くことができる。

判例（大判大６・12・14民録23・2112〔百選70〕）は、告知義務にかかる規定は、民法の詐欺・錯誤にかかる規定との対比において、それが置かれている制度根拠も異なり（告知義務規定は、保険事業経営上必要な危険測定を行わせるためのもので、この観点から保険者を保護することが主眼にあるもので、他方、詐欺・錯誤規定は、意思表示に欠缺・瑕疵があることを理由に置かれたものである）、また、その予定する要件・効果も異なる（例えば、効果として、告知義務違反の効果は解除権の発生であり、他方、詐欺錯誤は、契約の成立を害する効果の発生である）という理由で、両者は相いれないものではないとし、錯誤無効（当時）の要件が満たされる限り、重畳適用は可能である旨判示している。もっとも、同判決は、危険にかかる事情というものは、通常、契約を締結する動機（縁由。民95条１項２号・同２項参照）にとどまるものとしているので（当然に、いわゆる法律行為の「要素」になるものではない。前掲・最判平５・７・20も同じく理解する）、告知義務違反が当然に錯誤取消しを導くものではなく、その効果を得るためには、当該（危険）事情が法律行為の基礎とされていることが表示されていることが必要になるなど（民95条２項）、依然、高いハードルがある（判例は、たとえ、重大な疾患の有無であっても、そのことに関する保険者の認識が意思表示の内容・要素をなすことを容易に認めてこなかった点について、〔百選69〕解説参照）。この点を捉えて、実質的には、錯誤取消しの重畳適用を否定しているものと評価する見解もある。

学説には、上記判例の考え方をベースに、告知義務に関する規定とは別に、詐欺取消し、錯誤取消し（かつては錯誤無効）がそれぞれ主張（重畳適用）可能であるとする見解と、反対に、それらの主張を認めるなら様々なバランス論の下、保険契約者を保護している法の趣旨が没却されるとの考慮から、詐欺、錯誤いずれの主張（重畳適用）も否定する見解、更には、上記２つの説を折衷して、告知義務制度は意思表示の錯誤規定の特別規定であり、重畳適用は否定されるが、詐欺規定については、そのように一般法特別法の関係になく、その行為の悪質性を考慮しても、重畳適用は可能である、とする見解がある。現在は、折衷説が多数説である。判例も、古くから、告知義務違反と問題領域が交錯する事案において、詐欺取消しを認め、とりわけ、重症の被保険者が替え玉をして医師の診察を受けさせたといった場合など（東京控判大４・５・４新聞1025・21）、悪質な場合に詐欺取消しを認めている（前掲・仙台高判平24・11・22も参照）。

なお、詐欺取消しが成立する場合、それを理由に取り消された保険契約の（既収）保険料は返還しなくてよい（32条１号・64条１号・93条１号。民121条の２第１項の特則）。

10　遺伝子検査と危険選択

人の体を作ったり、人の体の機能を支えるためのタンパク質を作るための情報（設計図）が遺伝子である。特定の遺伝子が変化している場合、高い確率で発病する病気の存在が確認されており、そのような病気の診断を確定するために遺伝子検査（原因遺伝子の検査）が病院において行われている。原因遺伝子から病気を診断できるという内容の検査である。また、癌や心筋梗塞、脳卒中、糖尿病、アルツハイマー病へのなりやすさにつながる疾患感受性変異の研究も進められており、これは、単一遺伝子病の原因遺伝子のように遺伝子に変異があると必ず発症するというものではなく、変異があると発症しやすくなったり、逆に発症しにくくなったりする遺伝子（感受性遺伝子）にかかわるものであるが、近年では、2020年国立循環器病研究センターが、脳梗塞につながりやすい特定遺伝子型を確認するなど、遺伝子の観察が病気の予測につながる世界が広がってきた。

そのことを踏まえて、生命保険、傷害疾病定額保険（医療保険）の引受けにあたり、保険者が、その被保険者になろうとする者に、その者の遺伝情報を告知させるということ（＝遺伝子検査結果をアンダーライティングに利用すること）について、どのように考えるべきであろうか。このように問いかけるのは、まだ我が国では、当該問題について、保険者に禁止を命じるといったような直接の法規制は存在していないからである。後述するように、欧米諸国は、既に、この問題について法規制等がある。

およそ疾患は、職業、食生活、生活習慣、喫煙、飲酒などの環境要因と遺伝要因との相関関係により生じるが、遺伝要因の関与が圧倒的に大きなものが遺伝性疾患（遺伝病）といわれる。そのうち、単一の遺伝子の変異が原因で起こる単一遺伝子病（血友病、筋ジストロフィー、ハンチントン病等）のように、遺伝子異常と疾患との因果関係が比較的はっきりとしている疾病群が存在する。また、乳癌や子宮癌などいくつかのタイプの癌は、癌抑制遺伝子（BRCA1, BRCA2）に変異がある場合にそのリスクが高くなることもわかっており、先の通り、国立循環器病研究センターは、我が国の人口の２～３％が保有する遺伝子（RNF213 p.R4810K 多型）が、アテローム血栓性脳梗塞の強力な感受性遺伝子であることを突き止めた。少なくとも、このように遺伝要因と疾患との因果関係が明らかなものに関して、その遺伝情報は、危険（疾患）に関する重要な事項となるから、もし、これを告知事項とするならば、保険者は、正確なアンダーライティング（引受け）ないしリスク評価が可能になる、というメリット

コラム2－5　遺伝子検査情報の利用制限にかかる諸外国の法制

なお、各国の法規制の概要を示すと、フランスでは、遺伝子検査情報の利用を全面的に禁止している。ドイツでは、2009年「ヒト遺伝学的診断に関する法律」に基づき、保険者が遺伝子検査の実施を要求したり、既に行われた検査結果を要求することを禁止するが、保険金額が30万ユーロを超える又は年金額が３万ユーロを超える場合、その禁止法令は適用されないとし、高額契約に関しては、遺伝子情報を保険引受に利用してよいとする。同様の手法は、イギリスでも採用されており、業界団体（英国保険協会）の実務（自主的モラトリアム）では、2001年より順次利用を制限して、現在、50万ポンド以上の生命保険、30万ポンド以上の重大疾病・所得補償保険を例外とし、遺伝子検査結果を利用しない、という実務が行われている（2019年11月までの状況）。アメリカでは、1991年以降、47州において、医療保険のアンダーライティングに遺伝子検査情報の利用を禁止する法律が相次いで制定され、また、2008年連邦法（遺伝子情報差別禁止法）において、医療保険の加入において、遺伝子検査で得られた情報を使用することは禁止されているが、これは、アメリカには高齢者及び低所得者以外に公的医療保険制度がないこと（それ以外の者は、雇用企業を通じた民間の医療保険でまかなう）を背景としたもので、一般の生命保険については、禁止のルールはない。

を受けることとなる。

もっとも、生命保険協会は、2022年５月27日に「生命保険の引受・支払実務における遺伝情報の取扱について」と題する周知文書を公表し、会員生命保険会社が、同時点において、生命保険の引受・支払実務に、遺伝学的検査結果の収集・利用を行っていないことを調査の上、確認し、そのことの周知を社会に対して行っており、少なくとも、2024年３月時点においてもこの取扱いは継続している（厚生労働省・ゲノム医療推進法に基づく基本計画の検討に係るワーキンググループ第３回会議・資料５参照）。

このような周知は、遺伝学的検査を受ける際、その患者や家族が、民間保険の取扱い（その結果による不利益取扱いの可能性）との関係において不安を感じるといった医療現場での課題があったことから出されたものであるが、遺伝学的検査結果を健康告知（引受審査）に利用しないというのは、あくまで現時点での扱いであり、当該周知文書にもある通り、今後、これを利用しないという現状に対し課題が認識された場合には、見直しがされることも予定されている。遺伝学的検査が一般化した場合には、ゲノム情報を利活用していない現状が契約者間の公平性を害する可能性もある。すなわち、今後ますます遺伝子検査が普及し、遺伝学的情報を加入者が容易に得られる状況が予想されるところ、この遺伝学的情報に基づき疾病になりやすい者が（保険者がその遺伝子検査情報の告知を求めないことをいいことに）好んで保険に加入する（逆選択）という危険性がある。

2023年に成立・施行されたゲノム医療推進法（良質かつ適切なゲノム医療を国民が安心して受けられるようにするための施策の総合的かつ計画的な推進に関する法律）は、その基本理念に、ゲノム情報による不当な差別が行われることのないようにすること（3条3号）を定めるが、ゲノム情報によるリスク評価は、正確な危険測定という観点において本来的には「合理的な区別」と評価されるものであり、この理念に当然に反するものではない。少なくとも他国のように遺伝学的情報に基づく保険引受を禁止する法がない我が国においては、遺伝学的情報による危険選択は当然に違法なものではないと解される。

4　保険料支払義務

1　保険料支払義務と義務者

保険契約者は、保険者が行う危険負担の対価として、保険料を支払う義務を負う（2条1号・3号）。他人のためにする保険であり、保険契約者が保険契約上の利益（保険金の支払い）を受けないという場合でも、同様にその保険契約者に保険料支払義務がある。保険料支払義務は、保険契約の一方当事者である保険契約者の主たる義務である。

2　保険料の支払場所、支払時期、払込方法（一時払・分割払）・払込方式

保険料の支払場所・支払時期について、保険法に規律はなく、基本的には、後述するよう、約款その他の契約当事者間の合意により決定されるところとなる（民484条・商516条・民412条1項参照）。なお、実務的には考えにくいものの、仮にその合意がないとすれば、支払場所は、債権者＝保険者の営業所又は主た

る事務所となり（持参債務：商516条・保険業21条2項・19条）、また、支払時期については、債務者＝保険契約者が保険者から履行の請求を受けた時に履行期が到来するため（民412条3項）、その時点が支払時期となる。保険料の支払い実務に関し、実際の約款ないし保険料に関する特約には、保険契約者において選択可能な保険料の払込方式（経路）として、代理店等による直接集金方式のほか、保険者における領収管理上のメリットと契約者における利便性というメリットを兼ね備え、近年ますますその重要性を増しているキャッシュレス方式があり、これらのものとして、口座振替方式、クレジットカード払い方式、金融機関・コンビニ等払い方式が用意されており、保険契約者が選択したそれぞれの方式ごとに、支払場所・支払時期が、実際、異なっている。

なお、保険料を全額一時に支払うか（一時払い）、これを分割して支払う（分割払い）かの払込方法についても保険法に規律はなく、やはり、約款その他の契約当事者間の合意により決定される。なお、当事者間に分割払い等の特約がない限り、一時払いの方法により支払いをなさなければならず、約款には、そのことを確認するものもある。保険契約者は、一時払い、分割払いの特約に従った額の保険料を、上記の通り選択した払込方式（経路）により支払うことを要する。

3　領収前免責条項・領収前責任不開始条項

ところで、保険料は保険金支払いの原資となるもので、その支払い・領収を確実なものとしておく要請があることから、これまでから、保険料の支払いに関し、保険料前払主義と領収前免責という考え方がとられており、初回保険料は保険期間開始前までに支払うことを求めるとともに、また、保険期間開始後も保険料の支払いがあるまでは保険事故が生じても保険金を支払わないという処理（約款実務）が、“基本として”行われてきた。

損害保険約款では、初回保険料は保険契約の締結と同時に全額払い込まなければならない旨、保険期間が開始しても領収前事故には保険金を支払わない旨が約款における基本原理（原則）として定められている（領収前免責条項）。もっとも、近年、ますますその利用が広がっている口座振替やクレジットカード払い等のキャッシュレスの払込方式では、保険者における保険料の現実の領収が保険期間開始より後の時点になることもあり得るところ、もしここで厳格な形で保険料前払主義、領収前免責という考え方をとるものとすれば、その払込方式を選択した保険契約者に免責という思わぬ不利益を課すことにもなりかねない。そこで、実際の約款では例外を設け、あるいは原則である領収前免責を修正する特約約款（初回保険料口座振替特約等）を用いるという工夫のもと、例えば、保険料の払込方式が口座振替方式となる場合には、その初回保険料の払込期日を「保険始期の日の属する月の翌月振替日」と設定した上、その期日（正確には、保険始期の日の属する月の翌月末）までに初回保険料の払込があるときには、「領収前免責のルールを適用しない」とする規定を設けるなど、修正された緩やかなルールとして、領収前免責（基本原理）を運用している。また、クレジットカード払い方式となる場合でも、保険者がクレジットカード会社に対して払込みに使用されるカードが有効であることの確認（オーソリゼーション）を行ったこと（現実の領収・決済はまだの状態）をもって、初回保険料が払い込まれたものと“みなし”、領収前免責条項を適用するものとし、現実の領収が後になるとしても領収前免責は生じないよう、工夫がされている。なお、領収前免責のルールは、損害保険約款上、保険料が分割払いとなる場合の第２回目以降の保険料（継続保険料）の払込みの懈怠にも応用（準用）されており、具体的には、第２回以降の保険料について保険契約者がその保険料を払い込むべき払込期日の属する月の翌月末までにその払込みを怠った場合には、その払込期日の翌日以後に生じた事故による損害・傷害に対して保険金を支払わない旨が定められている（翌月末までは支払いを猶予し、それでも支払われない場合には、本来の払込期日に遡って、そこから領収前免責＝保険保護の休止を実施する定めである）。

これに対し、生命保険約款における第１回保険料の領収前の保険責任の負い方については、その対応が会社によって分かれている。すなわち、保険者は、第１回保険料（ないし第１回保険料充当金）を受け取った時からはじめて保険契約上の責任を負うとする規定を設けることで（第１回保険料領収前責任不開始条項。ただし、クレジットカードによる第１回目保険料払込には、損保約款同様の、みなし払込条項を用意し、対応している）、保険料前払主義を徹底し、責任不開始（領収前免責に対応）を採用する会社がある一方、第１回保険料領収前責任不開始条項ないし損害保険約款にある形式の領収前免責条項は置かないものとし、第

１回保険料が払い込まれないまま、契約日（＝責任開始日）以後第１回保険料の払込期月（これは、責任開始日から、その日を含めて、責任開始の日の属する月の翌月末日までとされる）の末日までに保険金支払い事由が生じたときには、未払込保険料を差し引いた額の保険金を支払うものとしている会社もある（なお、同約款では、不払込の場合、払込期月の経過後３か月目の月における契約応当日の到来をもって保険契約の解除の通知が行われるが、その３か月目の月の応当日の前日までに保険金支払い事由が生じた場合にも、未払込保険料を差し引いた保険金を支払うものとしている）。このような約定は、領収前責任不開始条項と相反するものであり、また、ここには責任不開始ないし領収前免責の場合とは異なり、保険責任の負担があるので、解除がされる場合でも、解除までの保険料は何の問題なく請求することができ、実際、同約款もそのような将来効解除を予定している。

なお、判例は、改正前商法のもと、損害保険・火災保険における一時払い保険料不払いの事案において、領収前免責条項は、保険料の支払いを受けるまで保険者の責任が開始しない趣旨を定めたものであり（最判昭37・６・12民集16・７・1322〔百選11〕）、また、損害保険・自動車保険における第２回以降分割払い保険料の不払い事案について、第２回以降保険料が支払われないままその支払期日から１か月が経過した場合には支払期日後に生じた事故について保険金を支払わないとする約款条項は、第２回以降保険料が支払われるまで保険休止状態を導く趣旨を定めたもの（保険休止状態が生じた後においても、履行期が到来した未払分割保険料の元本の全額に相当する金額が当該保険契約が終了する前に保険会社に支払われたときには、保険会社は、その支払い後に発生した保険事故については保険金支払義務を負うことをも定めている）と解している（最判平９・10・17民集51・９・3905〔百選13〕。同判例は、この場合、保険休止状態の解消による保険金支払義務の再発生を主張する者は保険休止状態の解消時期＝滞納保険料の支払時期及びそれ以後に保険事故が発生したことを主張立証する責任を負い、これが立証できない場合には、保険給付は認められないとする）。なお、領収前免責条項等が約款に置かれていても、保険者が明示的に保険料の支払いを一定期間猶予したときには、その限りで領収前免責条項を適用しないとの合意が成立したものと扱われ、未収状態であっても保険事故が発生すれば、保険者は責任を負わなければならない。

4　保険料支払債務の不履行と契約解除・契約の自動失効

保険料支払義務が履行期に履行されない場合、債務不履行を構成する。この場合の法律関係、とりわけ、保険者がとり得る手段について、保険法は、特段、規定を置いていない。したがって、債務不履行の一般原則（一般法）にしたがい、相当の期間を定めて履行を催告したのち契約を解除し（民541条）、あるいは民事執行法等に基づき履行の強制を裁判所に請求し（民414条１項）、また、それらとともに損害賠償を請求すること（民415条・545条４項・414条２項）が可能ということになる。

しかし、そのような救済メニューが法的に保険者に認められているとしても、保険者の側から積極的に保険契約を解除する（＝顧客を失う）ことに強いインセンティブは働かないのが実態であり、履行の強制についてもその費用を考慮し、あるいは、保険契約者が任意解除権（27条・54条・83条）を行使してこれに対抗しうることを考慮すれば、それらの手段は、現実的に保険者（債権者）を救済する機能をもたない面がある。このため、保険者としては、できるだけ保険契約者が任意に履行してくれることを望むのであるが、そのように誘導するための１つの方策として、保険者は、約款に前述した領収前免責条項ないし責任不開始条項（保険に加入している意味を失わせる条項）を約款に定め、これらの条項を通じて間接的に保険料の支払いを強制することとしている。

もっとも、それにもかかわらず、不払いが継続されるときには、保険者としても不本意ながら契約関係の解消（整理）を模索していかざるを得ない。約款には、そのような場合に備えた、契約解除条項、契約失効条項が用意されている場合がある。例えば、損害保険のうち、自動車保険約款においては、①初回保険料払込期日の属する月の翌月末までに払い込みがない場合、及び、②分割払いの場合についても、第２回以降保険料の払込期日の属する月の翌月末までに払込みがない場合、保険契約者に対する書面による通知をもって、保険契約を解除できる旨を定め、その解除の効力について、①の場合は、保険期間の初日から将来に向かって解除の効力が生じるものとし（したがって、実態は、遡及効がある解除と同じとなる）、②の場合は、第２回以降保険料の払込期日から将来に向かって解除の効力が生じるとしている（なお、保険料の不払いを理由とする契約解除には、保険法31条１項等の将来効解除の片面的強行法規性〔33条〕は及ばないとする説が有力である）。

他方、生命保険約款では、保険料（特に第２回以降保険料）の不払いに対し、伝統的に、契約解除で対処するのではなく、自動失効条項を用意し、例えば、払込期月の翌月末日までを保険料払い込みの猶予期間とし、この猶予期間内に保険料が払い込まれない場合には、保険契約は猶予期間満了日の翌日から効力を失うと定めることで（月払契約）、（実務上、はがき等を送付する形で行ってはいるものの、しかし、約款上保険者が義務として行わなければならないものとして制度化まではされていないところの）催告なくして（民541条参照）、保険契約の効力を失効させるものとして、不払いに対処している（⇒236頁参照）。

失効条項の有効性は最高裁に確認されたが（最判平24・３・16民集66・５・2216〔百選82〕。消費者契約法10条に反しないとする）、この失効により、長年、多くの消費者トラブルが続いたことも事実である。近年、契約が失効した場合でも、一定期間内に、未払保険料を払い込めば、失効日に遡って失効を取り消すことができるとする会社も現れている。保険契約者からの一方的失効の取消しであり、復帰にあたり危険選択は行われない。

5　保険契約の保険期間中の解除と保険料可分原則

保険契約が、当初予定されていた補償期間を残して、当該期間の途中で終了した場合（保険契約者からの任意解除権〔27条等〕の行使により、また、保険者からの告知義務違反、危険増加、重大事由に基づく解除権行使〔28〜30条〕などにより、そのようなことが起こる）、そのことは保険料支払義務にどのように影響するのか。残りの期間についての保険料は、返還されるのか。

改正前商法の下では、同法653条ないし655条の規定の反対解釈から、保険料期間（保険料算定の基礎になっている一単位期間。純保険料は、一定の期間を一単位としてその単位期間内の危険率を基礎に算出される）に対する保険料は、一体（１単位）として取り扱われる必要があり、これは細分化できず、保険者が保険料期間の一部分について危険負担をなした以上、その後に何らかの事由によって保険者が危険負担をしないことになったとしても、保険者は当該保険料期間に対する保険料の全部を取得し得る、と解されてきた（保険料不可分の原則）。したがって、例えば、保険料期間が１年とされる契約では、仮に、契約日の翌日に任意解除したとしても、1年分の保険料を支払わなければならず、補償がない残り364日の間の保険料がその割合で返還されることもない、という処理になる。契約日の翌日に事故が起こるかもしれず、その場合には満額の保険金が支払われたのであり、その補償の対価として、満額の保険料を保険者に得させしめるのは当然である、という考え方である。

しかし、上の例（364日分の保険料が返ってこない例）は、明らかにバランスが悪い。そもそも、契約者の任意解除により終了するのは、いまだ保険事故が起こっていない状態においてしか考え難く、満額の保険金が払われた可能性があるといってもその利益を現に契約者は受けてはいない。その上で、残りの期間も補償は受けられない状態に移行する。反対に、保険者の側はというと、保険金支払リスクが、以後、減少するのであるが、保険料不可分の原則が適用されると、ここに満額の保険料が与えられることになる。このため、世界的にみれば、古くから、不可分原則は批判の的とされ、欧州では、今日、多くの国が保険料可分主義を採用している（2009年ヨーロッパ保険契約法原則〔PEICL〕も可分主義を採用している）。

我が国でも、立法論として、あるいは解釈論として、不可分原則に批判的な評価を加える学説も少なくなかったところ、保険法は、（1年よりも）短い保険料期間を設定することが不可能ではなく、また、危険負担の長短にかかわらず一律に保険料期間全部の保険料を保険者が取得することは合理性がないことを理由に、保険料不可分の原則の解釈根拠となってきた改正前商法653条ないし655条を新法から削除する（引き継がない）という消極的対応（＝保険料不可分原則は採用しない）をして、保険料可分主義を原則とするものとした。

保険法の下では、保険料可分主義の考え方の下、保険料期間の途中で保険契約が終了した場合でも、保険者は既払い保険料のうち、未経過期間に相当する保険料を返還しなければならない（なお、日割りレベルの不可分まで必要になるわけではない、とするのが立案者の理解であった。また、保険法施行前の旧契約については、旧法主義がとられ、保険料不可分原則がなおルールとなるため、これを採用した約款規定がある場合、その限りで未経過保険料の返還義務はなく、不当利得返還請求も認められない。名古屋高金沢支判平25・6・12生判25・258）。

損害保険実務では、法改正より前から、保険料期間を1年とするも、商法

（保険料不可分の原則）の特則を約款に設け、例えば、保険契約者又は被保険者の故意・重過失によらず保険契約が失効した場合、また、責めに帰すべからざる危険増加解除の場合は日割りで未経過期間の保険料を返還し、責めに帰すべき危険増加解除、契約者の任意解除等の場合には短期料率（時季偏差を調整し、最も危険が高い時期だけを契約してもそれに見合う保険料が取得できるよう割高に調整された短期率。7日まで、15日まで、1か月まで〔後は1か月単位〕の区分がある）に応じて、残期間の保険料を返還してきた（日割り又は月割りレベルの可分主義）。現在、コンビニで加入できる1日単位の自動車保険（1 DAY 保険）が販売されていることからも明らかなように、既に損害保険会社には、日割り単位の超短期料率（保険料期間は1日）において、保険料可分主義に対応できる商品種類がある。もっとも、日割りによる可分主義までは求めるというのが立案者の理解であるから、そのような損害保険会社も、月割り又は修正された月割りベースの短期率で解約・失効した契約の未経過保険料を返還するとし、極めて例外的な事象に対してのみ、日割り返還を行っている。他方、生命保険実務では、法改正前には、保険料の払込方式の差異に応じて、年払契約は、保険料期間を1年、半年払いは保険料期間を半年、月払契約は保険料期間を1か月とし、それぞれのレベルで保険料不可分の実務を行ってきたが、保険法による改正を受けて、新法適用となる新契約は、すべて、保険料期間を1か月とする商品と再構成し、いわゆる年払い（従来の商品と区別するため、これに「年1回払い」などと新名称を与える会社もある）は、月払契約の12回一括払いと構成することで（要するに、これは、もはや保険料期間を1年とする商品ではない）、保険期間途中の終了に際して、前払い分の月単位返還を可能としている（月割りレベルの可分主義の実現）。

ところで、保険料期間の保険料は不可分とされる、というのが仮に保険料不可分の原則の定義であるとすれば、現在、損保、生保の実務では、1日単位又は1か月単位に短縮された保険料不可分の原則が、なお実施されている（保険料期間の保険料は分割できないというのは、レベルを変えて、なお存在している）とみることもできる（日割り商品の中で時間割での保険料返還の（制度的）予定はない。月割り商品の中で日割りでの保険料返還はない）。このように考えると、保険法は、単に1年という長期の保険料期間にかかる保険料不可分の考え方を否定した（これを1か月に短縮した）にすぎないとみるべきなのかもしれない。

5　遡及保険

1　遡及保険の意義

遡及保険とは、保険期間の開始（保険者の責任の開始）を、保険契約の締結（成立）時より前の時点に遡らせる保険契約を意味する。

そのような責任遡及の定めによる遡及保険は、契約が成立した時よりも前に発生した保険事故を補償する機能がある。ところで、損害保険の保険事故は、偶然な事故でなければならず（2条6号参照）、偶然な事故とは、契約成立時において事故の発生不発生が不確定な状態であることをいうが、ここに客観的に確定している過去の事故を補償する遡及保険が法律上認められていることに鑑みれば、保険法2条6号にいう偶然性、すなわち、契約成立（締結）時の保険事故の不確定性とは、客観的な不確定性を意味するのではなく、保険契約の当事者が保険事故の発生不発生を知らないという主観的な不確定性で足りると解することになる。そのように、保険契約当事者の主観的な事故の不確定性の下、遡及保険が利用・締結される。

損害保険の実務として、典型的には貨物保険契約の締結にあたり、保険の目的物を積載した船が既に積出港を出港した後で、積出・出港後のリスクを担保する保険契約を締結する形態があるといわれている（FOB条件での輸入貨物の買主が、売主からの船積通知後に自国で貨物保険を手配する場合など）。例えば、てん補責任について英国法（MIA）を準拠とする条項が入る英文海上保険証券により引き受けられる外航貨物海上保険には遡及保険の実務があり、約款に責任遡及条項が用意されている（2009年ロンドン国際保険引受協会Institute Cargo Clauses（ICC）（A）1／1／09第11条 11.2）。もっとも、損害保険会社が販売する消費者向け保険商品では、遡及保険はあまり広く利用されていない。

これに対して、生命保険の実務においては、遡及保険が広く利用されている。生命保険約款では、保険者が保険契約の申込を承諾した場合には、保険者は、①保険契約の申込、又は②告知（義務の履行）のいずれか遅い時点から保険契約上の責任を負うと定めたり、あるいは、①第1回保険料充当金を受け取ったとき、又は②告知のいずれか遅い時点から、保険契約上の責任を負うと定められているが、これは、保険契約が成立する（＝保険契約者による申込みに対する、保険者の承諾行為がある）前の時点に保険者の責任を遡及させる（保険契約成立前に生じた保険事故を補償する）責任遡及条項（遡及保険）である。

2　責任遡及条項の効力（遡及保険の制限）

遡及保険は、保険契約者の保障ニーズに柔軟に対応できるというメリットをもつ反面、悪用される危険（具体的には、遡及保険を用いて、保険契約当事者が不当な利得を得る危険性）も伴う。なお、その悪用は、保険契約の当事者双方の立場から可能であり、保険契約者の側がこれを悪用する場合と、保険者の側がこれを悪用する場合とがある。そこで、法は、遡及保険が悪用された場合には、その責任遡及条項の定めを無効にするものとし、その弊害の除去に努めるものとしている（5条・39条・68条）。なお、以下にみるように、保険法5条等において法的効力を否定されるのは、責任遡及条項のみであり、その部分を含む契約の全体が無効とされるわけではない。

⑴　保険契約者の側による悪用——保険給付を受けることが不当な利得となる場合の制限（5条1項・39条1項・68条1項）　保険法5条1項等は、保険契約を締結する前に発生した保険事故による損害をてん補する〔39条・68条の場合＝保険給付を行う〕旨の定めは、保険契約者が当該保険契約の申込み又はその承諾をした時において、"当該保険契約者又は被保険者が〔39条の場合＝当該保険契約者又は保険金受取人が、68条の場合、当該保険契約者、被保険者又は保険金受取人が〕既に保険事故が発生していることを知っていたとき"は無効とする、と規定する。

仮に、保険契約者の側が事故の既発生を知って申込みをした場合にも責任遡及条項の効力が否定されないとすれば、その事故の発生を知らない保険者の不知に乗じ（なお、保険者が発生の事実を知っていれば、そもそも不承諾となるから、問題は顕在化しない）、保険契約者の側は、必ず保険給付がなされる自己に有利な契約を結ぶことができるが、そのような契約（による保険契約者側の利得）を許容しない趣旨である。なお、保険法5条1項等は、公序に関する規定として、解釈上、強行規定とされている。また、そのような悪用を行った保険契約者に対する制裁として、原則として、無効となった契約部分の保険料を返還しなくてよい（32条2号本文等。同条は、不当利得としての保険料返還請求を阻むための特別法である。ただし、例外として、保険者もそのことを知っていたときは、保険料は返還される。32条2号但書等)。

⑵　**保険者の側による悪用――保険者が保険料を受けることが不当な利得となる場合の制限（5条2項・39条2項・68条2項）**　保険法5条2項等は、保険契約の申込みの時より前に発生した保険事故による損害をてん補する〔39条・68条の場合＝保険給付を行う〕旨の定めは、保険者又は保険契約者が当該契約の申込みをした時において、“当該保険者が保険事故が発生していないことを知っていたとき”は無効とする、と規定する。

仮に、契約が申込まれた時点において保険者が事故の不発生を知っていた場合に申込みの時より前に遡及する責任遡及条項の効力が否定されないとすれば、申込時より前の時点における事故の不発生の事実を知らない保険契約者の不知に乗じ（なお、保険契約者が申込時より前における事故の不発生の事実を知っていれば、そもそも申込時より前に遡及する責任遡及の契約を結ばないので問題は顕在化しない)、保険者の側は、申込時より前の責任遡及部分については、保険責任がないことが確定している（＝保険料だけ丸どりできる）自己に有利な契約を結ぶことができるが、そのような契約（による保険者側の利得）を許容しない趣旨である（なお、法文上は、保険契約者の申込時に保険者が事故の不発生を知らなければ、その後承諾までの間に仮に不発生を知ることになっても、責任遡及の定めは無効にならないと読めるものの、保険料をタダ取りできることを知って保険者が承諾することは許されないという5条2項の趣旨に鑑みて、この場合にも同項を適用して、申込みの時より前に発生した保険事故等について補償する旨の責任遡及の定めは無効になると解する説がある)。申込時より前の責任遡及条項部分が無効とされるので、その無効部分に該当する保険料は、原状回復として、保険契約者に返還される（民121条の2)。なお、そのように、申込時より前の責任遡及条項（契約）の効力が否定されるだけであり、申込後契約成立前までの責任遡及部分はなお有効のままであり、ここに保険事故が起これば、保険者は保険責任を負う。保険法5条2項等は、片面的強行規定であり（7条等)、保険者が事故の不発生を知っていても契約は有効とする（保険料返還不要となる）約定は、保険契約者側に不利な特約として無効になる。

3　承諾前死亡

遡及保険の効果（責任遡及条項に従い、契約成立よりも前の時点から保険者の責任を開始させ、保険保護を提供する）は、あくまで、契約の成立（通常は、保険者の承諾により成立となる）を前提としたものである。そもそも、契約が成立しなければ（＝保険者が承諾しなければ）、たとえ申込中の契約に責任遡及条項があってもそれが機能することはなく、結局、保険保護が提供されることもない。

それでは、契約者になろうとする者からの申込後、保険者がいまだ承諾はしていない契約審査中（例えば、生命保険の場合、通例、2週間程度の審査期間を要するともされる）の段階において、保険者が保険事故の発生（例えば、生命保険の被保険者の死亡）を知ってしまった場合に、契約審査中のものについて不承諾を決定し、もって、責任遡及条項（前述の通り、生命保険約款では、契約が成立したときは、会社により異なるが、申込時若しくは第1回保険料充当金の受領時又は告知時のいずれか遅い時に遡って、保険責任を負うと定める）を機能させない状態に導くことで、その（形成中の）契約関係から離脱することができるかが問題になる。これが、承諾前死亡という論点である。

なお、この論点に関連し、民法526条は、「申込者が申込みの通知を発した後に死亡……した場合において、……その相手方が承諾の通知を発するまでにその事実が生じたことを知ったときは、その申込みは、その効力を有しない」と規律するところ、もし、この通りであれば、申込者〈保険契約者〉が死亡保険の被保険者でもある場合に、承諾までに保険者がその申込者（被保険者）の死亡の事実を知る場合という、承諾前死亡を議論する場面では、申込みが効力を失う結果、契約はおよそ成立し得ないこととなる。生命保険会社の約款には、この規律を意識的に変更する（改正前民法の規律を維持する）ものがみられる。このような約款においては、保険者が申込みを承諾する前に契約者が死亡した場合でも、会社（保険者）が申込みの意思表示の到達前にその事実を知らなかったときは申込みは効力を生じると定めており（すなわち、仮に承諾前に保険者が死亡を知ってもそのことゆえに申込みの効力が失われないものとすることにより）、承諾前死亡の下に契約が成立する余地と責任遡及条項が機能する余地を担保している。

保険契約も契約である以上、契約自由の原則が支配し、保険者には、承諾しない自由がある（民521条1項）。しかし、承諾前に（例えば交通事故で）死亡した被保険者は、生命保険における危険選択（医的診査）上、特段問題がないがゆえに、保険者がその者の死を知ることがなければ、その後まもなく承諾を得られていたことが明らかな場合にまで、保険者には契約の自由（承諾しない自由）がある、という主張を許すことは、申込みないし第1回保険料充当金の支払を条件に発動する内容の責任遡及条項を設けて“申込時から”生命の危険を引き受けると約束している（契約者に期待をさせている）行動と矛盾する面がある。このような条項を設けていない中で契約自由を主張するならともかく、責任遡及条項を設けた以上、そこに寄せられる契約者側の期待を裏切らない行動が、信義則上、保険者に要請されると考えるのが妥当である。

そこで、この問題については、被保険者が保険適格体（その契約の被保険者となり得るのに適当な性質・状態）であった場合（すなわち、保険者が死亡を知らなければ、問題なく承諾をしていたと考えられる場合）には、信義則上、保険者に承諾義務がある、と解するのが、通説の立場となっている（なお、学説には、信義則という理由づけでなく、端的に、保険者は、責任遡及条項により保険適格体の際の承諾の自由を放棄していると解し、承諾義務を基礎付けるものもある）。下級審裁判例においても、一般論ないし傍論としてではあるが（承諾義務が肯定された事例はいまだにない。東京地判昭54・9・26判タ403・133〔百選57〕参照）、承諾の自由が制限される場合があり得ることを肯定する立場が圧倒的多数であり、通説と同様、保険適格体であったことを要件に信義則上承諾義務を認める考え方に立つものも多い（東京高判平3・4・22生判6・345、名古屋地判平9・1・23生判9・24ほか）。なお、保険者における危険選択の機会・自由を保障する観点から、保険適格体であるかどうか（したがって、承諾を拒否できるか否か）は、各保険者の基準（個々の引受け・審査基準）により判断される（前掲・東京高判平3・4・22。なお、東京地判平2・6・18金判875・26など、下級審裁判例は、保険適格体の存否判断には、道徳危険事実による判断・審査も含めてよいとする）。

この判断に際し、承諾前死亡の法理は保険者の承諾の自由を信義則上特に制約するものである、という理由により、保険適格体であったことの立証責任は保険契約者の側（契約の成立を主張する者）が負うと解する裁判例と（前掲・名古屋地判平9・1・23）、保険者内部の引受基準が開示されていないことを理由に、保険契約者が一般的に当該契約が引受けられる範囲内にあることを立証すれば、保険者において内部の引受基準を満たしていないことを立証しない限り、保険者は承諾を拒否できないとするものとがある（東京高判平22・6・30生判22・224）。学説では、保険適格体でなかったことの証明責任を保険者が負うとするもの（後者の考え方）が有力である。

この点、一律ではない各々の（当該）保険者の引受け・審査基準により保険適格体かどうかが判断されること（証拠との距離）に鑑みれば、保険者が「保険適格体でなかったこと」の証明責任を負うと解するほうが適切であろう。

ところで、申込みをした被保険者がいわゆる標準体としての保険適格体になく、保険者が、その申込みをそのままの形では承諾しない状況にあった場合（その状況の中、承諾前に被保険者が死亡したとき）に、この問題をどう考えるか。

被保険者が、標準体としての保険適格体にない場合、考えられる保険者の対応としては、謝絶とする（確定的にその危険を引き受けないものとする）、あるいは、特別保険料の徴収、保険金額の減額、部位別不担保など、特別条件を付加し、そのような条件が付された新たな保険契約内容を再提案する、という対応があり得るが、謝絶ではなく、なお特別条件を付せば引受可能な範囲にあり、その保険者の下にとられている引受実務の下でそのように条件変更した再提案をしたと認められるような場合にあっては、原則的に、当該契約申込みに対し、保険者は、条件付の新たな申込み（いわゆる変更承諾といわれているものに相当する）をする信義則上の義務があると解されるのであり、この場合には、信義則の適用の下、民法528条にいう新たな申込みがなされている状態にあるものと解して、新条件にかかる保険契約者（ないしそれが被保険者でもある場合にはその相続人）の承諾を条件に（通常、承諾を与えることになろう）、保険者は、承諾前の保険事故について保険責任を負わなければならないものと解される（なお、この承諾のとき、仮に保険契約者が事故の既発生を知っていたとしても、39条1項が防止しようとする保険契約者側の不当な利得は生じずその立法趣旨に抵触しないと解されるので、責任遡及の合意は同条によっても無効にされないものと解される）。ただし、信義則から変更承諾義務まで負わせることは、保険者の契約自由の不当な制限になるとして、反対する説もある。変更契約にかかる保険料の増額分の支払をしていないから、変更契約による保険の利益を受けることについての保険契約者の期待を保護すべき信義則上の義務を負ういわれはないとする判決もある（前掲・東京高判平22・6・30）。しかし、保険者が既に内部決定において特別条件を付して再提案することを決めているようなケース（前掲・東京高判平22・6・30〈保険料増額と契約から3年間は保険金を減額するとの特別条件〉、青森地判平25・11・26生判25·466〈保険料3倍にする特別条件〉）では、なおのこと、死を知ったことを奇貨とした不承諾は、信義則に反するため、許容されないというべきであろう。また、告知義務に関連してのプロ・ラタ主義のような考え方もあるのであって、先立っての割増保険料の支払いがないからといって保険保護が否定される必然性もない。なお、謝絶としたという場合には、契約の成立を擬制することはできない。しかし、先の場合と平仄をとり、条件変更をした提案（新たな申込み）をしなかったであろう事実（謝絶としたであろう事実）の立証責任は、保険者の側にあると解される。

もっとも、どのような場合にも上記のように解し、保険による保護を与えてよいかは検討の余地がある。というのも、契約が成立する状況の下、はじめて保険契約者は責任遡及による利益を受けられるという構造に照らすと、例えば、新たな申込み（提案）はあったと仮定できるも、保険契約者側の事情により契約が成立しなかった可能性が高いケースにまで保険者の給付責任を認めることは、反対に保険契約者の期待を過度に保護し、保険者にとって酷な結果となるからである。そのため、解釈論として、例えば、条件変更をした提案をしなかったであろうこと（謝絶としたであろうこと）を立証できなかった保険者といえども、意向確認書面（保険業294条の2参照）その他の契約交渉にかかる証拠から、確かに保険者としては（例えばかなり高額な保険料提示をしながら）新たな提案を（一応）するであろうものの、しかし保険契約者としてはその新たな申込みを（例えば、保険料が高額過ぎるがゆえ受け入れられず）拒絶した蓋然性が高いことを保険者において立証できた場合には、そこに契約を成立させなかったとしても信義則違反を問われるいわれはないものとして、解釈上、例外的に保険者を免責にする余地もあるように思われる。

6　保険事故発生の通知・説明義務

1　保険事故発生の通知義務

(1)　通知義務の意義・趣旨と法的性質　損害保険契約では、保険契約者又は被保険者（傷害疾病損害保険契約のうち被保険者の死亡により生ずる損害をてん補するものにあっては被保険者の相続人）が保険事故による損害の発生を知ったときは、遅滞なく保険者に対しその旨の通知を発することを要する（14条・35条）。また、生命保険契約のうち死亡保険契約では、保険契約者又は保険金受取人が被保険者の死亡を知ったとき、傷害疾病定額保険契約では、保険契約者、被保険者又は保険金受取人は、給付事由の発生を知ったときは、それぞれ遅滞なく保険者に対しその旨を通知しなければならない（50条・79条）。

いずれの場合も、保険者には、保険事故による損害の発生（損害保険）、被保険者の死亡（生命保険）又は給付事由の発生（傷害疾病定額保険）を知る手段がないのが通常であるため、保険契約者等の上記通知義務が法定されている。この義務が履行されることで、保険者としては、例えば損害保険の場合は、保険契約者・被保険者に対し損害の発生を最小限度にとどめるため所要の指示を与える等の善後措置を講じるほか、早期の段階で事故の状況・原因の調査、損害範囲の画定等の必要な対応を行うことが可能になる。また、生命保険契約のうち死亡保険契約については、保険者は被保険者死亡の通知を受けた後、免責事由該当性の有無の判断等に必要な調査を、証拠が滅失・散逸等する前に行う機会を確保し得る。傷害疾病定額保険についても、保険契約者等が上記の通知義務を履行すれば、保険者に同様の機会を確保することができる。さらに、通知義務には保険金の不正請求対策の意味も含まれている。

保険契約者等の保険者に対する保険事故による損害発生等の通知義務の法的性質については、学説上、当該義務が契約当事者でない被保険者（損害保険・傷害疾病定額保険）や保険金受取人（生命保険・傷害疾病定額保険）にも課されているため、これを保険契約に基づく真正の債務ではなく、保険者に対する保険給付の請求権を完全に確保するための前提要件と解する説もあるが、通説は、この通知義務を保険契約上の真正の債務と解している。

⑵　通知義務の履行とその懈怠の効果

（i）　通知義務の履行　　通知義務は、保険契約者その他法定の者が、保険事故による損害発生等を知ったときに、これを遅滞なく履行することを要するものとされている。そのため、第1に、保険契約者等が保険事故による損害発生等の通知事項の発生を知らない場合は、過失の有無を問わず、通知義務を負わないと解されている。また、損害保険の場合は、保険契約者・被保険者が、保険事故による損害が生じたことを知ったときに、その旨を通知すべきものと規定されている。そのため、保険法上は、保険事故は生じていても、それによる損害が発生していない限り、通知義務は生じないが、実務上、保険約款で保険事故の発生を知ったときに保険契約者等にその旨の保険者に対する通知義務を課す例がみられる。第2に、保険契約者等は、通知事項の発生事実を知ったときは、「直ちに」ではなく、「遅滞なく」これを保険者に通知しなければならないとされている（14条・35条・50条・79条）ため、合理的な範囲内であれば、「知った時」と通知時期との間に時間的間隔が空いても許容される。第3に、保険契約者等が保険事故による損害発生等を知ったときに遅滞なくその旨の通知を保険者に対し「発する」ことを要するとされ、発信主義が採用されている。それゆえ、遅滞なく当該通知の発出が行われている限り、保険者に到達しなくても、通知義務が履行されたものとされる。到達するか否かの危険を通知義務者に負わせるのは酷であるという趣旨からである。

（ii）　通知義務懈怠の私法上の効果　　保険契約者等による通知義務の懈怠がいかなる法効果を生じさせるかについて、保険法は明文の規定を置いておらず、解釈に委ねられている。通説によれば、通知義務は保険契約に基づく真正の債務と解されているため、保険契約者等が当該義務の履行を懈怠した場合は、債務不履行となり、これにより保険者が損害を被っているときは、保険者は保険契約上支払うべき保険金の額からその損害額を控除した残額を支払えばよいと解されてきた。

この点に関し、第1に、従来、損害保険約款では、保険契約者等が正当な理由なく通知義務の履行を懈怠した場合は、保険者が保険金支払義務を免れる旨の免責規定が置かれていたところ、その法効果が保険者免責という強力なものであったため、当該約款の効力が問題とされた。最判昭62・2・20民集41・

1・159〔百選14〕は、対人事故の場合において、保険契約者又は被保険者が事故発生の通知をせずに事故発生の日から60日を経過したときは、保険契約者等が過失なくして事故の発生を知らなかったとき、又はやむを得ない理由により当該期間内に事故発生の通知を行えなかったときを除き、保険者は損害をてん補しない旨が自動車保険普通保険約款で定められていたところ、事故発生から1年8か月経過後に事故通知が行われた事案について、この問題を扱った。前掲・最判昭62・2・20は、当該約款規定が上記の例外に該当しない限り保険者を常に免責することを定めたものと解するのは相当でなく、保険契約者又は被保険者が保険金詐取や保険者の事故発生事情等の調査等の妨害を目的とする等、保険契約における信義誠実の原則上許されない目的のもとに所定の通知をしなかった場合には、保険者を免責し得るものというべきであるが、そのような事情が認められない場合は、保険者が所定の期間内に事故通知を受けなかったことにより損害のてん補責任を免れるのは、事故通知を受けなかったことにより保険者が損害を被ったときにおいて、これにより取得する損害賠償請求権の限度においてである旨を判示した。

そこで、実務では、同判決に則して約款規定の改訂が行われ、通知義務懈怠の効果として、保険契約者等による保険金詐取等の目的が認められない通知義務懈怠の場合については、債務不履行の一般原則に従い、保険者の被った損害額相当分を保険者が支払うべき保険金から減額する旨（控除払い）が規定されるに至っている。

第2に、被保険者等が保険事故発生の状況等の通知を行ったものの、当該通知に係る書類に故意に不実の記載をした場合の取扱いとして、保険法制定前の約款では、保険者は保険金支払義務を負わない旨を定める旨の不実申告免責条項を置いていた。この条項について、大阪地判平19・12・20交民40・6・1694〔百選16〕は、当該条項の有効性を前提に、問題となった事案において被保険者が保険事故に関し行った申告が、その重要部分に不実の内容を含むものであることを認定した上で、「不実の内容が事故申告の一部にとどまるとはいえ、全体として保険者による保険事故の実態把握を困難にし、損害算定に誤認を生じさせる可能性が高い……ことから、……本件事故による全損害について保険者の免責を認めるのが相当である」と判示した。不実申告免責条項については、保険者の全部免責という効果を勘案してか、裁判例の多くは、前掲・大阪地判平19・12・20と同様、被保険者又は保険契約者が悪質な損害額の過大見積もりを行っているため、保険金の不正取得目的があったと評価できる事案であるとされている。学説上も、被保険者等の故意による保険事故の不実申告だけで全部免責を認めるべきでなく、信義則の観点から、保険金詐取目的等の被保険者等の対応の悪質性が認められる場合に限り、不実申告免責条項の適用を認める制限的解釈が行われてきた。しかも、保険法の下では、保険事故発生後の事故申告の不実さを理由に保険者に全部免責を認める不実申告免責条項は、そのままでは、重大事由発生時から契約解除時までに発生した保険事故による被保険者の損害について保険者免責を認める片面的強行規定の保険法31条２項３号（33条１項）に違反し、無効であるとの指摘がなされた。そこで、保険法下で当該条項を維持するためには、上記の判例・学説が課してきた信義則上の不正請求要件を明記することが必要とされた。しかし、その種の要件を保険約款に盛り込むことの技術的困難性から、全部免責を定める不実申告免責条項は保険法の下での約款では削除され、通知義務懈怠の場合と同様、保険者が保険給付を行うこととした上で、支払額から不実申告により保険者が被った損害額を控除する控除払方式に変更されている。

なお、通知義務を定める保険法14条等は任意規定であるため、損害保険契約に係る約款において、保険契約者等が保険事故の発生を知ったときに直ちに保険者に通知をすることを要する旨の定めは、基本的に許容されると指摘されている。これに対し、通知義務懈怠の効果として当然に保険者を免責させる旨の定めを約款に置いた場合、当該約款規定の効力は、保険法の下では有効と解されるか。この点、重大事由による保険契約解除の制度が保険法において導入され（30条・31条２項３号・57条・59条２項３号・86条・88条２項３号）、それが片面的強行規定とされていることから（33条１項・65条２号・94条２号）、その趣旨に鑑み、当該約款規定の効力を無効と解する説が提唱されているが、保険法下でも有効性を維持するとされている前掲・最判昭62・２・20の法理に即した約款規定については、その効力の有効性が認められてよい。

2　保険契約者等の説明義務

⑴　保険契約者等の説明義務（協力義務）の趣旨と法定見送りの経緯　保険法には定めが置かれていないが、実務上は、約款に、保険契約者等に、保険者に対する損害・事故の状況についての説明義務や、保険者の求める書類等の提出義務、保険者が実施する調査への協力義務が課されることが少なくない。この種の義務については、保険法の制定にあたり、これを保険法に明記すべきとする意見が提出された。しかし、保険契約者等に過度の負担をかけかねないこと、当該義務の懈怠の効果として保険者免責を認めると、本来は保険者が証明責任を負うべき免責事由の有無等に関する事項の立証責任が実質的に保険契約者等に転嫁されることになること等の批判に加え、求められる保険契約者等の説明や協力の態様が事案に応じて多種多様であるため、これを法律上の義務として一義的かつ明確に規定することの困難性があることから、保険法での規定創設は見送られた。もっとも、保険法は、保険者が保険給付を行うために確認することが保険契約上必要とされる事項の確認のために必要な調査を行うにあたり、保険契約者等が正当な理由なく調査を妨げ、又は調査に応じなかった場合は、保険者が保険給付の遅延につき遅滞責任を負わない旨を規定しており（21条3項・52条3項・81条3項）、この規律は、間接的ながら、保険契約者等に保険者の調査要請に応じる義務の存在を前提とするものといえるであろう。

⑵　約款上の説明義務等の懈怠の効果　約款に定める説明義務等を保険契約者等が正当な理由なく履行しない場合の効果について、従来の約款では、保険者の全部免責を定める例が一般的であった。しかし、この場合にも、保険契約者等の通知義務懈怠のケースを扱った前掲・最判昭62・2・20の法理が妥当すると解されており、保険契約者が説明義務等を懈怠した場合でも、保険契約者等に保険金詐取等の信義則上許容されない目的（以下「不正目的」という。）が認められないときは、当該義務の懈怠により保険者が被った損害額を保険者の支払うべき保険金の額から控除することになる一方、不正目的が認められるときは、保険者の全部免責が認められるとされている。現に下級審裁判例には、その種の解釈を判示するものが散見されるが（大阪地判平11・3・5判時1709・116、東京高判平11・6・30判時1688・166、東京高判平16・3・11金判1194・15、大阪地判平17・9・21交民38・5・1291等）、保険契約者等の故意による不実申告の

ケースの扱いをめぐっては、そのことのみで不正目的を認定し、保険者の全部免責を認めるケースもある一方、故意による不実告知のみでは直ちに不正目的を認定せず保険者の全部免責を認めないケースもあり、後者が裁判例の傾向であるとの有力な指摘がある。

また、約款上の説明義務等の懈怠の効果について、近時は、上記裁判例の傾向を受けてか、そのことにより保険者が被った損害の分を保険金の支払額から控除する旨を定める約款規定が主流になりつつある。そのため、その種の約款規定を前提とした場合、通知義務等の懈怠にかかる不正目的の有無で法効果を区別する前掲・最判昭62・2・20の法理が依然、通用性を有しているといえるかにつき疑義も呈されているが、同判決の示した利害調整バランスは約款上の説明義務等の懈怠の場合も維持されるべきとの指摘は、傾聴に値する。

7　保険給付の履行期、消滅時効

1　保険給付の履行期

(1)　履行期に関する保険法の規律の趣旨　　保険給付の履行期については、保険法制定前は、履行遅滞となる時期につき特に約款で定めた場合を除き、保険金支払義務が期限の定めのない債務であるため、保険者は被保険者等の保険給付請求権者から適法な履行請求を受けたときから、履行遅滞に陥るとされてきた(民412条3項)。これに対し、実務上は、保険者が保険給付義務の履行前に保険事故の発生の有無、損害保険ではてん補すべき損害額、免責事由の該当性の有無等の一定の事項を調査する必要があり、被保険者等による請求の後短期間でこれに応じ保険給付を行うことが困難であることが少なくない。そのため、約款で、被保険者等の所定の手続きを経た請求をした日から一定の期間（損害保険では30日、生命保険では5営業日）以内に保険金を支払うことを原則としつつ、この期間中に必要な調査を終えることができなかったときは当該調査の終了後に保険給付を行う旨を定めることが一般的であり、その効力は有効と解されてきた。

しかし、最判平9・3・25民集51・3・1565は、損害保険における約款上の上記取扱いにつき、請求日から30日間の猶予期間を定めた部分については、保険給付の履行時期にかかる特約として有効としつつ、当該期間経過後も調査が終了していないときは調査終了後まで保険給付の履行を猶予する旨を定めた部分は、履行期に関する定めとは解せないとし、30日の猶予期間の経過により保険者が履行遅滞に陥るとの判断を示した。これを受け、生命保険における約款の上記取扱いについても、下級審裁判例ながら、同種の判断が示されたため（福岡高判平16・7・13判タ1166・216）、保険者の保険給付の履行期ないし履行遅滞の時期に関する規律の在り方が模索されていた。そこで、保険法では、従来の実務の取扱いに加え、保険者が保険給付を行うにあたり予め保険事故の発生等の一定の事項に関する調査を要するという保険契約上の要請と、他方、保険給付は可及的速やかに行われることが望ましいとの要請とを考慮し、保険給付の履行期について規律を設けるに至った。

(2) 期限の定めがある場合

(i) 保険法の規律　保険法は、保険給付を行う期限が定められた場合と、その種の期限が定められなかった場合とを区別する。第1に、保険契約において保険給付の期限が定められた場合については、当該期限が、保険事故、てん補損害額（損害保険）、給付事由（傷害疾病定額保険）、免責事由その他の保険給付を行うために確認することが保険契約上必要とされる事項の確認をするために合理的なものかどうかを問題とし、約定の履行期限が当該調査のため相当とされる期間を経過する日より前の日であるときは、約定の履行期限を有効とする反面、約定の履行期限が当該相当の期間を経過する日後の日であるときは、約定の履行期限の有効性を認めず、相当の期間を経過する日をもって保険給付の履行期限とする（21条1項・52条1項・81条1項）。

したがって、約定の保険給付の履行期限が、相当の期間を超えて設定されているときは、保険者は約定期限の到来前に履行遅滞に陥ることになる。そのため、保険契約において保険給付の期限を定めた場合、保険給付にかかる調査のための「相当の期間」の意義とその解釈が重要な意味を有することになるが、保険契約の種類、保険事故・給付事由の内容・態様、免責事由の内容等を勘案し、相当の期間がどの程度のものであるかを判断するものと解されている。

保険法21条1項等に基づき保険給付に関する約定期限が上記調査のための相当の期間を超えることを理由に被保険者等が約定期限の到来前に保険給付の履

行や相当の期間の満了日以後の遅延利息の支払いを保険者に対し請求する場合は、相当の時期を超えることの証明責任は、被保険者・保険金受取人がこれを負うと解されている。ただ、調査期間の合理性の有無を判定する判断材料が保険者に偏在するのが一般的であることから、事実上、保険者が約款所定の履行期限が相当の期間内であることを立証する必要があるとの指摘もある。

これに対し、約款所定の保険給付の履行期限が、保険者が保険給付を行うための調査に必要な相当の期間の満了日より前の日である場合であっても、保険者は、調査期間を経過する日まで履行を延期することは認められない。

いずれにせよ、調査のための相当の期間の起算点について、保険法には明文の規定がないが、保険者が保険約款又は契約締結時の交付書面で定めた一定の書類・証拠のうち被保険者等に対し提出を求めたものであって、当該調査に関係するものが保険者に提出されない限り、当該期間は起算されない。このこととの関係で、保険約款によって、保険金請求権は事故発生の時に発生しこれを行使することができるが、保険金の支払請求は所定の書類のうち保険者が求めるものを提出して行うことを要する旨、被保険者等がその提出手続を完了した日の翌日以後30日以内に保険者が保険金を支払うために必要な確認を終え、保険金を支払う旨が定められていた場合に、被保険者等が保険者に対し保険事故発生の事実を通知し保険金の支払いを請求したものの、保険者が保険事故の偶然性を争っていたため、保険金請求に必要な書類を交付しその提出を求めなかったときは、調査に必要な相当の期間は何時から起算されるのか、換言すれば保険金支払義務の履行期は何時であるのかが問題となる。この問題を遅延損害金の起算点との関係で扱った神戸地判令５・１・12金判1669・46は、被保険者が行った事故通知のみでは必要な支払請求手続を完了したとは認められないとした上で、上記の約款規定の趣旨が、保険者が保険金を支払うために必要な調査期間として30日を確保させることにあると解されるので、保険者が調査会社に調査を委託し、調査会社が具体的に調査を開始していたと認められる日から調査期間が起算され、同日から30日を経過した日に保険金の支払期限が到来していたというべきである旨を判示する。結論の当否はともかく、同判決は、下級審裁判例ながら注目に値する。

ちなみに、約款では、被保険者等が約款所定の書類等のうち保険者の求めた

コラム2-6　相当の期間に関する保険約款の定めと実務対応

保険給付の履行期の定めがある場合に関する保険法の規律を踏まえ、保険約款では、保険給付を行うための確認対象事項を列挙して、当該事項の確認のための原則期間を明示し、被保険者等が保険金請求に必要な書類の提出等の所要の手続きを完了した日から、その日を含めて当該期間（例えば、30日）内に保険者として必要な調査を終え、保険給付を行う旨を定めた上で、その例外として、確認対象事項の確認をする上で特別な照会・調査等が不可欠となる場合を具体的に列挙して、保険者が当該照会を行う場合の確認期間の延長日数を規定し、その場合には、調査期間を延長することがある旨、保険者は特別な照会等が必要な事項及び当該照会等を終える時期を被保険者等に通知する旨を規定する。また、保険約款で保険給付の履行期を明確化することに伴い、「相当の期間」の起算点となる「保険金請求手続の完了日」（請求完了日）を明記する必要があることから、保険約款において、被保険者等が保険給付の請求に際し保険者に対し提出すべき書類・証拠を具体的に列挙し、請求手続の内容の明確化も図っている。その上で、保険者は、所定の期間内に保険給付義務を履行し、履行遅滞を回避するため、保険事故の受付後の被保険者・保険金受取人への迅速な案内（保険請求手続の明確な説明と請求書類の迅速な交付等の初動対応）、保険給付請求手続の受付後の履行期の管理と所定の期間内における必要調査の完了、及び、支払期限内の保険給付義務の履行が滞りなく行われるようにする態勢整備が求められる。

ものの提出を行った日をもって、当該期間の起算点と定めることが一般的であるが、上記の趣旨から、保険者の求めた書類等が保険者として行う調査に関係のないものであるときは、被保険者等がこれを提出しないとしても、上記期間の起算が妨げられることはないと解されている。

このほか、約定の履行期限が調査のための相当の期間の満了日と同じである場合に、実際に保険給付にかかる必要な調査が当該期間の経過前に終了したときは、保険者はいつから履行遅滞となるか。例えば、約款等で相当な期間を30日と定めていた場合、20日目に調査を終えて遅くとも25日目には支払手続をとることができるときは、当該約款の定めが、当該相当の期間の経過の時点を履行遅滞の時期とする趣旨の規定であるとの解釈によれば、26日目から保険者は履行遅滞に陥るのではなく、相当な期間が30日であれば、31日目から履行遅滞に陥ると解すべきことになる。保険法21条・52条・81条の各規定では、それぞれ１項で「相当な期間」、２項で「必要な期間」と書き分けている意味も踏まえて解釈する必要がある。

(ii) 片面的強行規定　　保険給付の履行期を定めた場合に関する上記の保険法の規律は片面的強行規定とされている（26条・53条・82条）。そのため、保険給付の履行期を具体的日数として定めつつ、保険者がこの期間内に必要な調査を終えることができなかったときは、調査終了後に遅滞なく保険給付を行う旨のみを定める約款規定（この種の約款規定を旧法下で無効と判示したものとして前掲・最判平９・３・25参照）や、事実確認のため特に時日を要する場合は履行期の定めを適用せず調査終了後まで履行遅滞とならない旨の約款規定は、無効となると解されている。

(3) 期限の定めがない場合　　これに対し、第２に、保険給付の履行期限の定めがない場合は、保険法は保険給付の特質を勘案して、債務の履行期に関する民法の規律（民412条３項）の特則を設け、保険者は、被保険者等からの保険給付請求を受けた後、所要の確認を行うために必要な期間を経過するまでは、履行が猶予され、その時点までは履行遅滞の責任を負わないものとする（21条２項・52条２項・81条２項）。なお、期限の定めがない場合に係る「必要な期間」は、期限の定めがある場合と異なり、免責事由の有無の確認のための期間が含まれず、また、当該期間の立証責任は保険者が負うと解されている。

(4) 保険契約者等による調査妨害・調査協力拒絶　　保険給付に係る履行期限の定めの有無を問わず、保険契約者等が、正当な理由なく、保険者による所要の調査を妨害した場合、または、当該調査に対する協力を拒絶した場合は、このことによる保険給付の遅延につき保険者は履行遅滞の責任を免除される（21条３項・52条３項・81条３項）。これは、保険法制定前より解釈で認められていた取扱い（前掲・最判平９・３・25）を明文化したものであるところ、保険法下では片面的強行規定とされている（26条・53条・82条）。そのため、保険契約者等による正当理由のない調査妨害・調査協力拒絶以外の事由を遅行遅延免除理由として追加する約款規定は、無効となり、保険法21条３項等の定める範囲で有効なものへと修正される。

2　消滅時効

⑴　**短期消滅時効**　保険契約に基づく被保険者等の保険給付請求権、保険契約者の保険料返還請求権及び保険法63条又は92条に定める保険料積立金払戻請求権、並びに、保険者の保険契約者に対する保険料請求権のそれぞれの時効消滅期間について、保険法は、民法の規律（民166条１項）に対する特則を設ける。保険法によれば、被保険者等の保険給付請求権、保険契約者の保険料返還請求権及び保険料積立金払戻請求権は３年、保険者の保険料請求権は１年でそれぞれ時効により消滅するとされている（95条１項・２項）。このうち、被保険者・保険契約者の保険給付請求権等は、旧法（平成20年改正前商法）では消滅時効期間が２年と定められていたが（同法663条・682条・683条１項）、保険法はこれを被保険者等の利益保護の観点から１年伸長して３年とする。これに合わせ、相互会社の退社員の払戻請求権も保険業法の改正により３年の消滅時効に服する旨が規定されている（保険業36条）。保険者の保険料請求権の消滅時効期間は旧法下と同様である。

⑵　**保険法95条の射程**　保険法95条１項は、３年の消滅時効に服する対保険者請求権として、被保険者等の保険給付請求権並びに保険契約者の保険料返還請求権及び保険料積立金払戻請求権を掲げる。しかし、保険契約者等が保険者に対し有する請求権はこれだけに限られず、例えば、生命保険契約等における解約返戻金請求権や配当付保険における配当請求権等の保険契約上の各種請求権が存在する。

問題は、これらの請求権にも保険法95条１項の規律が及ぶのかどうかである。これを消極に解すると、当該請求権は、民法166条１項の適用を受けるため、同じ保険契約に由来する請求権でありながら、保険法95条１項所定の請求権とそれら以外の請求権との間で消滅時効期間に違いが生じる。そこで、当該請求権について保険法95条１項の規律が及ぶと解する説が有力であり、解約返戻金請求権等についても、保険料返還請求権や保険料積立金払戻請求権との近接性に鑑み、保険法95条１項の類推適用を認める説が有力である。

また、年金型の保険給付請求権については、従来、定期的な年金給付を目的とする包括的な債権（基本権）とそれに基づき定期的に発生する個々の具体的な年金給付請求権（支分権）とに区別して消滅時効に関する規律を適用するのが一般的であったことから、保険法の下でも、具体化した支分権には保険法95条1項が適用される一方、基本権については民法168条1項が適用されると解される。

これに対し、免責事由の存在を理由とする保険者の支払保険金に係る不当利得返還請求権については、旧法下の判例ながら、不当利得返還請求権の消滅時効期間を商事債権にかかる5年（平成29年改正前商522条）ではなく、一般民事債権に係る規律により10年と判示した裁判例がある（最判平3・4・26判タ761・149〔損保百選32〕）。これによれば、免責事由の存在を理由とする保険者の支払済保険金の返還請求権は、保険法95条1項ではなく、民法166条1項の適用を受けると解されることになる。

(3)　起算点

(i)　保険給付請求権等の消滅時効の起算点　　保険給付請求権等の消滅時効期間の起算点は、従来、平成29年改正前民法166条1項により、権利を行使することができる時と解されてきた。しかし、民法166条1項は、債権の消滅時効の起算点を、債権者が権利を行使することができることを知った時（主観的起算点）から5年間、又は、権利を行使することができる時（客観的起算点）から10年間と定め、主観的起算点を基準とする場合と客観的起算点を基準とする場合とで規律を区分する。そのため、保険給付請求権等の消滅時効がいずれの起算点を基準とするかが問題となるところ、平成29年民法改正を受けた保険法95条1項・2項は、被保険者等の保険給付請求権及び保険者の保険料請求権について、各請求権を行使することができる時を消滅時効の起算点と定めるため（施行日は2020年4月1日）、この点の法的取扱いは変わらない。

もっとも、第1に、権利を行使することができる時の意義をめぐって議論がある。これを権利行使に対する法律上の障害がなくなった時と解する法的可能性説と、権利を行使することが現実に期待できた時と捉える現実的期待可能性説の対立があるが、前者が判例・通説の立場とされている。

その上で、第2に、実務上、保険約款では、保険給付請求権者が所定の手続きを経て保険者に対し保険給付を請求した後、一定の日数（損害保険会社の保険は30日、生命保険会社の保険では5営業日）以内に保険金を支払うことを原則とする旨の猶予期間の定めを置くことが一般的であることから、保険給付請求権者が当該請求権を行使できることとなる時と、保険給付を受けることができる時点との間に乖離が生じる。そのため、保険給付請求権を行使することができる時とされる消滅時効の起算点を、どの時点と解するかをめぐり、見解の対立がある。この点をめぐる学説の状況をみると、保険事故（による損害発生）の時から消滅時効が進行すると解する保険事故発生時説、保険給付請求権者が保険事故・給付事由の発生を知った時又はこれを知ることができた時が消滅時効の起算点となると解する保険事故発生了知説、保険給付請求権者による保険給付請求の後、約款に定める猶予期間が経過した時から消滅時効が進行すると解する猶予期間経過時説等に大別される。

このうち、第1に、保険事故発生了知説は現実的期待可能性説と親和的であるが、判例・通説とされる法的可能性説と必ずしも整合しない上に、平成29年改正後の保険法95条1項・2項の文言と合致しない憾みがある。したがって、同条の下でとり得る解釈は、基本的には、保険事故発生時説または猶予期間経過時説のいずれかであろう。ただ、猶予期間経過時説には、保険給付請求権者等が保険給付等の請求をしない場合は、猶予期間それ自体の進行もないため、消滅時効の起算点を観念できなくなるという問題があるとの批判が寄せられている。この問題に対し、同説では、その場合は保険事故の発生時が起算点となると解すること、保険給付の請求可能な時点から猶予期間が経過した時をもって消滅時効の起算点と解すること、あるいは、請求の有無を問わず保険事故発生時を起点として猶予期間が経過した時を消滅時効の起算点と解することで、上記の問題を克服しようとする解釈努力が行われている。

第2に、保険事故発生時説は、保険法21条1項・52条1項・81条1項の規律との関係で、保険契約において確認をすることが必要とされる事項の確認をするための相当の期間のとり方次第では、保険事故・給付事由発生時から保険給付請求権者が保険給付を受けられるようになる時点の間が長期間に及ぶ可能性を孕む。そのため、この説の下で、保険事故発生時から消滅時効の進行を認めると、保険給付請求権の消滅時効期間よりも給付受領可能期間が短くなるため、保険給付請求権者の保護に欠ける憾みが残る。

これに対し、第3に、判例は、下級審レベルでは保険事故発生時説に立脚するもの（東京地判昭61・3・17判タ509・67）と猶予期間経過時説を採用するもの（東京地判昭42・9・27下民18・9＝10・956〔百選（初版）21〕、岡山地判平10・7・

27判タ1038・256、東京地判平11・9・30判タ1025・268）とに分かれていた。しかし、近時、最判平20・2・28裁時1454・13、判タ1265・151〔百選22〕は、大判大14・2・19新聞2376・19が猶予期間経過時説に立つことを受けてか、また、問題となった事案で約款に保険給付請求権の消滅時効の起算点を所定の猶予期間経過日の翌日と定めていたこともあり、後者の猶予期間経過時説と親和的な立場を採用した。もっとも、前掲・最判平20・2・28の保険法下での先例としての通用性の有無をめぐり学説において見解の対立があり、約款所定の猶予期間が保険給付の履行期の定めとして有効である以上、その時点を保険給付請求権の行使可能時と捉え、これが消滅時効の起算点となると解する説も有力であるが、これを消極に解する立場もある。そのためか、損害保険約款では、保険事故発生時説の立場から、賠償責任保険に関しては被保険者の損害賠償責任額について被保険者と損害賠償請求権者との間で判決が確定した時または裁判上の和解・調停もしくは書面による合意が成立した時、人身傷害保険に関しては被保険者が死亡した時や被保険者に後遺障害が生じた時、車両保険に関しては被保険者の損害が発生した時等を保険給付請求権の発生時と定めた上で、その翌日を消滅時効の起算点と定めることが一般的である。また、普通傷害保険約款でも、被保険者の死亡時、後遺障害発生時等を保険給付請求権の発生時点と定め、その翌日を保険給付請求権の消滅時効の起算点と定める。一方、生命保険約款では、保険給付請求権の消滅時効について確認的に規定するものの、損害保険・傷害保険の約款と異なり、起算点を明記していない。

(ii)　権利行使が困難な事情がある場合の取扱い　　保険給付請求権の消滅時効の起算点に関する法的可能性説を前提とすると、保険給付請求権は発生し行使できる状況にあるものの、保険給付請求権者が当該請求権発生の事実を知らない、又は、確認できないまま、時間が経過したため、実際に保険給付請求権を行使した時には、消滅時効が完成してしまっているというケースが生じ得る。問題は、この種のケースで保険者による消滅時効の援用を認めるべきかどうか、である。

この点を生命保険について扱った最判平15・12・11民集57・11・2196〔百選91〕は、生命保険約款で、保険給付請求権（死亡保険金請求権）の消滅時効の起算点を保険事故発生の翌日とする旨を定めていたところ、死亡保険の被保険者

コラム２－７　約款による消滅時効期間の延長又は短縮の可否

保険給付請求権の消滅時効を定める保険法95条が片面的強行規定である旨の定めがないことから、保険法所定の保険給付請求権の消滅時効期間の保険約款による延長または短縮の可否は、消滅時効に関する民法等の規定の解釈に委ねられると解されている。民法解釈では、消滅時効期間を短縮する等、時効完成を容易にする旨の特約は有効と解されてきたが（大判昭２・８・３大民集６・484)、これによれば、保険給付請求権の消滅時効期間を保険法の定めるところより短縮する保険約款規定も有効と解されそうである。しかし、保険契約者が消費者である場合には、この種の保険約款規定は民法90条及び消費者契約法10条により効力を否定されることになるであろう。

これに対し、保険給付請求権の消滅時効期間を法定のものよりも伸長する約款規定については、保険法制定時の議論でも、その有効性をめぐり議論があった。時効利益の事前放棄を認めない民法146条との関係では、当該約款規定の効力は無効と解することになりそうである。しかし、同条の趣旨に鑑みると、保険者が自ら保険給付請求権の消滅時効期間を伸長する旨を約定することは、一般的に保険契約者よりも強い立場にあり約款の作成者側である保険者があえて不利益を甘受する旨を定めるものであり、時効利益の放棄による弊害が観念できないともいえること、あるいは、当該約款規定が保険者による消滅時効の援用を一定期間延長する旨を定めるものと捉え、時効利益の放棄とは趣旨を異にするものとも解せることから、いずれにせよ、当該約款規定の効力はこれを有効と解することもできるであろう。

が行方不明となり、生死不明の状態で３年以上経過した時点で、遺体で発見されたが、この間、誰も被保険者の死亡を知り得なかったという事案において、被保険者の遺体発見時までの間は現実に権利行使を期待できない特段の事情があったと認め、その間は消滅時効が進行しない旨を判示している。前掲・最判平15・12・11は、あくまで法的可能性説を基調としつつ、特段の事情の認定によって当該事案に係る結論の具体的妥当性を追求するものであり、同判決が現実的期待可能性説を採用したものでないことには留意する必要があろう。

8　危険の減少

1　保険法の規律の概要と趣旨

損害保険契約・生命保険契約・傷害疾病定額保険契約の締結後に危険が著しく減少したときは、保険契約者は保険者に対し、将来に向かって、減少後の当該危険に対応する保険料に至るまでの減額を請求することができる（11条・48条・77条）。ここで問題となる「危険」とは、損害保険契約にあっては、当該契約によりてん補することとされる損害の発生可能性をいい（4条括弧書）、生命保険契約では保険事故の発生可能性を（37条括弧書）、傷害疾病定額保険契約では給付事由の発生可能性を（66条括弧書）いう。いずれの場合も、保険者は各保険契約における危険の発生率に応じて保険料を算定し、保険契約者がこれを支払う義務を負うため、当該危険が各保険契約の締結後に低下したときは、危険の減少の程度に応じ保険料を減額することを保険者に求める請求権を保険契約者に認めることとした。

2　要件と効果

⑴　**要　件**　　危険の減少を理由とする保険契約者の保険料減額請求が認められるためには、「保険契約締結後」に「危険が著しく減少した」ことを要する。保険法は、第1に、保険期間中の危険の減少を問題とした旧法（平成20年改正前商646条・683条1項）と異なり、保険契約締結後の危険の減少を対象とするため、保険契約締結後であれば保険期間開始前であっても引受危険が著しく減少すれば、保険契約者の保険料減額請求が認められる。

第2に、「危険が著しく減少した」とは、上記の制度趣旨に鑑み、保険料を減額すべき危険の減少をいう。学説上、その意義をめぐり、危険の減少が大きく保険料の額に影響を及ぼす程度となり、当初の約定保険料額が過剰になっている場合をいい、保険料にほとんど影響しない軽微な危険の減少を排除する趣旨と解する見解と、保険法の立案過程の議論を踏まえ、危険の著しい変更とは、保険料率区分が下位区分に変更されることとなる危険の減少を一般的に含むと解する説の対立があるが、いずれにせよ、自動車保険の目的物である自動車を営業用から自家用へと用途変更するケースや、生命保険契約で被保険者の職業・居住地等の環境的危険に変更があったケースや、保険者が生命保険の引受けに際し被保険者の健康状態の悪さを考慮し特別保険料を徴収していたところ、契約締結後に被保険者の健康状態が改善され、通常の健康体と同様の状態となったケースが、著しい危険の減少の例とされている。

⑵ **効 果**　保険契約締結後の危険の著しい減少から生ずる法効果は、保険契約者における保険料減額請求権の発生であるところ、保険料の減額は遡及効を否定され、将来に向かってこれを請求することができるものとされている（11条・48条・77条）。その場合、当該減額請求権の発生時点の属する保険料期間の次の保険料期間以降に減額の効果が生じるものとする取扱いのほか、保険法が保険料可分原則を採用することとの関係で、約款で、減額請求権の発生時の属する保険料期間のうち未経過期間を含めた期間に対応する保険料返還請求を定めることも可能である。

これに対し、危険の減少を理由とする保険料の減額を請求時からではなく保険契約の締結時ないし危険の減少時点に遡って認める旨を約款に定めることは、保険契約者の有利にこそなれ不利なものでないため、可能であり、損害保険実務ではその種の約款が用いられる例がある。

3　片面的強行規定

危険の減少に関する保険法の規律は、片面的強行規定とされている（12条・49条・78条）。したがって、危険の著しい減少があっても保険契約者による保険料減額請求を認めない旨の特約や、特別危険に限定してその著しい減少の場合に保険料減額請求を認める旨の特約は、いずれも保険契約者に不利なものであるため、無効とされている。また、危険の著しい減少を理由とする保険契約者の保険料減額請求権は形成権であるところ、減額請求の効力発生を保険者の確認にかからせる特約も、同様に無効となる。

コラム2－8　健康増進型保険と危険の減少等

健康増進型保険とは、行動経済学の成果や医療ビッグデータの分析から得られた結果をもとに、締約時及び一定期間ごとの契約更新時に被保険者から提供される自身の健康状態や健康増進活動の結果に関する情報に応じて、又は契約締結後に被保険者から提供される被保険者の健康状態や健康増進活動の状況等に応じて、保険料が割り引かれる（提供情報によっては割増の場合もある）長期タイプの人保険である。これは、インシュアテックの進展に伴い登場した保険商品であり、様々なタイプのものがある。当該情報の提供手段として、専用のアプリやウェアラブル端末が使用されることがある。

ところで、人保険において危険の著しい減少による保険料減額請求の対象となり得るのは、職業や居住地等の環境的危険の変更の場合に限られ、健康状態の回復・改善といった身体的危険の改善は織り込み済みであるため、その対象にはしないと考えられてきた。もっとも、締約時の被保険者の健康状態が悪かったために特別保険料を徴収されている場合に、爾後、当該被保険者の健康状態が改善し、通常の健康体と同様の状態となったときは、危険の著しい減少に当たり保険料減額請求が可能であるとの見解が学説上有力に提唱されているが、標準体を前提に引き受けられた人保険については、締約後における被保険者の健康状態等の改善は危険の減少の問題とは捉えられてこなかった。

そこで、健康増進型保険は、健康状態の改善を事実上、危険の減少と捉えその後の保険料の決定に反映させるものであるため、危険の減少に関する保険法の規律（11条・48条・77条）の射程を拡大するものであるのかが問題となる。現状の健康増進型保険は、保険者が定期的に被保険者から提供される健康情報や運動履歴等を基に、ビッグデータの分析結果を踏まえ、保険契約者の具体的請求によらず、また著しい危険の減少に該当するか否かを問わず、将来の一定期間の保険料を割り引くものであること、またこの種の保険料見直しサービスのための契約に基づき提供されることから、片面的強行規定により保護された保険契約者の保険法上の権利である、締約後に危険が著しく減少した場合の保険料減額請求権そのものではないことに注意を要する。しかし、危険著減は告知事項を反映させるものでないため、健康増進型保険が保険法における危険減少に関する規律を、保険契約者に有利に変更したものであるとの指摘が一部にあり、傾聴に値する。

なお、当該保険は保険料割増となる場合もあるが、告知事項にかかる危険の増加を反映させるものではないため、現状では、危険増加に関する保険法の規律（29条1項・56条1項・85条1項）の対象とはならないと解されている。

9　保険契約の終了

1　保険契約者による任意解除

⑴　**規律の概要と趣旨**　保険契約者は、損害保険契約・生命保険契約・傷害疾病定額保険契約のいずれについても、いつでも当該契約を解除することができる（27条・54条・83条）。旧法の下では、保険者の責任開始前に限り保険契約者による保険契約の任意解除権が認められていたが、一般的に保険契約が長期継続することが多いところ、契約期間中の保険契約者側の事情の変更により保険契約者として保険契約の継続を望まないケースが生じ得ることから、保険法は、責任開始前に限ることなく、保険契約者の保険契約の（任意）随時解除権を法定する。

⑵　**解約権者の範囲と契約解除の効果**　保険契約を随時解除する権利を有するのは、保険法上、保険契約者とされており（27条・54条・83条）、保険契約者が死亡した場合は保険契約者の相続人等の一般承継人が保険契約の随時解除権を承継する。これに対し、保険契約者以外に、差押債権者、質権者、債権者代位権の要件を満たした債権者等が保険契約を随時解除することの可否や解除権行使が認められる場面・要件をめぐり従来議論があったが、最判平11・9・9民集53・7・1173〔百選96〕は、生命保険契約の解約返戻金請求権を差し押さえた債権者が、その取立のため、債務者である保険契約者の有する解約権を行使することができる旨を判示する。しかも、保険法60条1項及び89条1項は、保険法において導入した介入権制度に関して、保険契約者の差押債権者・破産管財人その他の生命保険契約・傷害疾病定額保険契約の当事者以外の者が契約解除権を行使し得る旨を規定していることから、保険契約者又はその一般承継人以外の者であっても、差押債権者・破産管財人のほか、解約返戻金請求権につき質権設定を受けた質権者や債権者代位権を行使する者等は、必要があればいつでも保険契約の解除を行うことができると解されている。

保険契約者等による保険契約の解除がその効力を生じるには、解除の意思表示が保険者に到達することを要するが（民97条1項）、解除の効果が生じると、その対象となった保険契約は将来に向かって効力を失う（31条1項・59条1項・

88条1項)。解除の範囲については、保険法には特段の制限が設けられていないため、保険契約の全部の解除のみならず、保険金額の減額や特約部分のみの解除といった契約の一部の解除も認められると解されている。

なお、保険契約の解除の効果として、保険法は、生命保険契約及び傷害疾病定額保険契約について、保険契約者による任意解除が責任開始前であるときは、保険契約者は保険者に対し保険料積立金の払戻しを請求できる旨を規定する(63条2号・92条2号)。これに対し、責任開始後の保険契約の解除の場合の効果は保険法に規定されていないため、約款の定めるところによる。

⑶　**約款による任意解除権排除の余地**　保険契約者による保険契約の任意・随時解除権については、保険契約者自身が当該解除権の行使を必要としない場合があること、保険料算出等との関係で当該解除権を一定の時期に制限することが合理的である保険契約も存在することから、保険法27条、54条及び83条は任意規定とされており(33条・65条・94条参照)、保険契約者の当該解除権を合理的範囲内で制限することは認められている。例えば、個人年金保険契約においては、被保険者の死期が近づいている状況下において保険契約者が期待される年金支払総額よりも高額となる解約返戻金の請求を行うことを防止するために、約款で保険契約者の契約解除権を制限する必要があることが指摘されており、こうした観点から、当該生命保険契約の約款では、契約解除権を排除する例がある。

一方、保険契約者の保険契約の任意解除権を合理的な理由なく制限・排除する旨の約款規定については、消費者契約法10条の趣旨に鑑み、その効力が否定されると解されている。

2　危険増加による解除

⑴　**規律の概要と趣旨**　保険料が危険とのバランスにおいて設定されていることから、保険契約の締結後に危険増加が生じた場合には、保険者において、保険料を当該危険増加に対応した額に変更するとしたならば当該保険契約を継続することができるときには、保険料の増額により契約関係を維持することができるはずである。しかし、その場合であっても、保険者にとって保険契約の継続を困難にする事情があるときは、保険者に保険契約関係からの離脱を認める必要がある。

そこで、保険法は、保険契約の締結後に危険増加が生じた場合において、保険料を増加した危険に応じて増額したならば当該保険契約を継続することができるときは、原則として保険者の側から当該契約を解除することを認めないこととする。その上で、当該保険契約において、危険増加に係る告知事項についてその内容に変更が生じたときは保険契約者等が遅滞なくその旨を通知すべき旨が定められていること、保険契約者等が故意又は重過失により遅滞なく当該通知をしなかったことの２要件を充足するときには、保険者が当該保険契約を解除することができるものとする（29条１項・56条１項・85条１項）。

⑵ 保険者による契約解除の要件

（i） 危険増加の意義と射程　　保険者による上記解除権の行使が認められるためには、第１に、危険増加が保険契約締結後に生じていることが必要である。ここに「危険増加」とは、保険法上、「告知事項についての危険が高くなり、保険契約で定めている保険料が当該危険を計算の基礎として算出される保険料に不足する状態になること」をいうものと定義されている（29条１項・56条１項・85条１項）。これを受け、保険約款でもその旨の確認規定を設けるのが一般的である。危険増加の具体例として、損害保険契約では保険の目的物（自動車・家屋等）の用途を変更し保険事故の発生確率が増加する場合（山形地酒田支判昭62・５・28判時1252・92〔損保百選12〕等参照）、生命保険等では被保険者の職業を危険性の伴うものへと変更する場合が挙げられている。いずれにせよ、危険増加は告知事項に係る危険の変更を問題とするため、告知事項以外の事項についての危険が高くなったとしても、上記規律の対象とならない。

ちなみに、危険増加に該当するかどうかが問題となるケースとして、損害保険契約に関するものとして、保険の目的物の譲渡の場合と、道徳的危険増加の場合（被保険建物がしばしば小火災を繰り返し、その中に被保険者による放火があった場合等）が指摘されている。このうち、保険の目的物の譲渡は、平成20年改正前商法では、保険期間中に危険が保険契約者又は被保険者の帰責事由により著しく変更し又は増加したときは損害保険契約の失効をもたらす旨が規定されていたが（同法656条）、保険法がこの規定を削除したため、保険法下では、保険の目的物の譲渡も危険増加の問題として処理されることになった。また、生命保険契約に関する問題として、被保険者の健康状態の悪化、職種や就業場所等

コラム2－9　道徳的危険増加の取扱い

危険増加に該当するかどうかが問題となるケースのうち、道徳的危険増加の取扱いについては、重大事由解除条項の定めがなかった平成20年改正前商法の下で、これを危険増加の一場面として扱い、保険契約が失効する旨を判示した下級審判例（札幌地判平2・3・26判タ734・229等）があった。しかし、保険法が重大事由による保険契約の解除の制度（30条・57条・86条）を新設したことから、この種の問題は重大事由解除によって処理することが予定されている。

の環境的危険増加の取扱いが、危険増加に当たるかどうか問題となる。このうち、被保険者の従事する職業・業務の変更、居住地の変更がより高い危険性を伴うものであるときは、前述のように危険増加に該当するとされているが、被保険者の健康状態の悪化は、契約締結時の危険測定の中に織り込み済みであるとして、これを危険増加の問題として扱わないと説明されている。その上で、環境的危険が保険者による引受条件に影響を及ぼす重要な告知事項となる損害保険会社の所得補償保険や生命保険会社の団体定期生命保険契約等では、危険増加の問題の一場面とされているが、生命保険会社の個人保険では、危険増加に関する規律の適用対象外とする扱いが行われている。

これに対し、「危険増加」のうち、保険料を増額しても保険者において保険契約を継続することができない場合（引受範囲外の危険増加）は、保険法の上記規律の射程外であるため、約款の定めに委ねられ、保険者は当然に保険契約を解除することができると解されている。ただ、保険契約者等の保護の観点から保険者には理由の有無を問わない保険契約の任意解除権が認められていないこととの関係で、保険者が引受範囲外の危険増加を理由に保険契約を解除するためには、その旨を保険約款に定め、約定解除事由として明記することを要すると解されている。

第2に、危険増加は、危険の減少と同様、保険契約締結後に生じることが必要であり、それで足りるため、保険契約締結後に生じた危険増加であれば責任開始前であってもよい。

第3に、危険増加は、危険の減少と異なり、告知事項について生じるものと規定されているため、保険法の規定上は、「著しい」ものである旨の要件は規定されていない。

なお、危険増加の通知義務は、事後的な通知であり、遅滞なく通知すればよいことから、一定期間のみ危険増加となり、その期間に保険事故が発生したとしても遅滞なく通知すれば契約は解除されないことになる。そのため事故通知のみでは対応できない一定の場合には、別途、約款で免責事由を設けて対応がなされる場合がある。例えば、自動車等を用いて競技等をしている間に生じた傷害事故は傷害保険の給付対象としない免責条項等がこれである。

(ii) 保険契約者等の通知義務の定めと通知義務の懈怠　危険増加の場合でも、引受危険の範囲内のものであるときに、保険者がそのことを理由として保険契約を解除するには、危険増加に加えて、保険契約に、保険契約者・被保険者が、危険増加にかかる告知事項についてその内容に変更が生じたときは保険者に対し遅滞なくその旨を通知すべき旨を定めること（通知義務）、及び、保険契約者・被保険者が故意又は重大な過失により当該義務を行わなかったことが必要とされている（29条1項1号・2号・56条1項1号・2号・85条1項1号・2号）。

これを受け、標準約款でも、危険増加の場合の取扱いを定め、第1に、告知事項について危険増加が生じることにつながり得る事実（例えば、自動車保険における契約車両の用途・車種の変更等）が発生した場合に、保険契約者等が遅滞なくそのことを保険者に通知すべき義務を規定し、当該通知を受けた保険者が保険契約者等に対し、当該通知の内容を記載した書面の提出を求めることができる旨を定めた上で、保険契約者等が故意又は重大な過失によって遅滞なく当該通知を行わなかったときは、保険者が保険契約を解除できる旨を定めるのが一般的である。これは、引受範囲内の危険増加に係る保険法の規律を前提としたものである。

これに対し、第2に、引受範囲外の危険増加が生じた場合には、保険者はそのことを理由に保険契約を解除できる旨を保険約款で定めるのが一般的である。この場合の契約解除は、引受範囲内の危険増加と異なり、保険契約者等が故意又は重大な過失により所定の通知義務を懈怠したことが要件として規定されていない。そのため、保険契約者等が当該通知義務を履行したときでも、保険者は、危険増加が引受範囲を超えることを理由として保険契約の解除を行うことができることとなる。問題は、引受範囲外の危険増加の場合における保険者の契約解除権を定める保険約款の規定が、引受範囲内の危険増加を対象に保険契約者・被保険者の故意又は重過失による通知義務懈怠の場合に保険者の契約解除権を認める保険法の規律との関係で有効といえるかである。この点、引受範囲外の危険増加の場合に保険者による契約解除を制限することが保険者に過度の責任負担を強いることとなること等を理由に、この種の約款規定は有効であり、引受範囲外の危険増加の場合は保険法29条１項等の制限を受けることなく契約解除の対象となると解されている。近時の裁判例（山口地判令３・７・15金判1633・46〔百選９〕）も、損害保険契約の目的物である建物が空き家となり廃墟同然の使用状態であったケースが引受範囲外の危険増加に当たると認定し、保険者による契約解除を認めている。

いずれにせよ、第３に、保険法の上記規律を踏まえ、保険約款では、保険契約の解除が保険事故の発生後に行われた場合でも、その効果を遡及させ、危険増加が生じた時以降に生じた保険事故について、保険会社は保険金の支払義務を負わないものとし、当該保険事故につき保険会社が既に保険金を支払っていたときは、保険金の返還を請求することができるものとする一方、危険増加をもたらした事由に基づかずに発生した保険事故については保険金の支払いを行う旨を規定する。

⑶　**契約解除の効果・解除権の除斥期間**　危険増加及び保険契約者等による通知義務の故意又は重大な過失による懈怠があった場合の法効果は、保険者における契約解除権の発生であり、当然失効ではない（29条１項・56条１項・85条１項）。そのため、保険者が当該解除権を行使して初めて、保険契約の効力が失われる。また、この場合の解除の効果も、将来効が原則とされているが（31条１項・59条１項・88条１項）、その例外として、保険事故が危険増加発生時から保険契約解除時までに発生した場合は、保険者は免責される（31条２項２号・59条２項２項２号・88条２項２号）。

なお、危険増加の場合の保険者の保険契約解除権は、保険者が解除原因のあることを知った時から１か月間これを行使しないとき、又は、保険契約締結の時から５年を経過したときに、消滅する（29条２項・56条２項・85条２項による28条４項・55条４項・84条４項の準用）（除斥期間）。

⑷　**片面的強行規定**　危険増加の場合の保険法の上記規律は片面的強行規定

コラム2-10　危険増加に対する追加保険料の支払義務不履行に関する約款の定めと民法541条但書との関係

保険者が、保険契約者等から、危険増加の発生につながり得る事実が発生した旨の通知を受けた場合に、それが引受範囲内の危険増加であるときは、追加保険料の徴収で対応できるため、保険約款では、保険者が追加保険料を請求し得る旨を規定した上で、保険契約者が保険者に対し追加保険料の支払を行わなかったときには、保険者が保険契約を解除できる旨、及び、この場合には、保険者が保険給付を行わない旨を併せ規定するのが一般的である。この種の保険約款の定めは、債務不履行解除について定めた民法541条本文が契約解除の前提条件として求める債務の履行催告を、追加保険料の支払義務懈怠を理由とする保険契約の解除について排除するものであるが、これは保険実務の一般的取扱いであり、その有効性は認められている。問題は、保険約款の一般的な定めによれば、追加保険料の額が比較的少額である場合でも、保険者が保険契約者による追加保険料の支払義務の不履行を理由に保険契約を解除できることになるところ、それが、履行期間を経過した債務の不履行が契約及び取引上の社会通念に照らして軽微であるときに契約解除を認めない民法541条但書との関係で、片面的強行規定とされる保険法の規律に抵触し無効とならないかどうか、である。追加保険料の支払義務は、保険給付と保険料とをバランスさせるものであり、その意味で保険契約上の本質的義務でもあるため、その懈怠は、契約及び取引上の社会通念に照らして軽微なものといえないから、追加保険料の支払義務懈怠を理由として保険者が保険契約を解除し得る旨の約款規定の効力は有効と考えられる。

とされている（33条1項・65条2号・94条1号）。したがって、引受範囲内の危険増加については、通知義務の懈怠がなくても危険増加のみがあれば保険者がそのことを理由に保険契約を解除し得る旨の約款規定は無効と解される。これに対し、保険法の上記規律は、引受範囲外の危険増加を射程としていないため、そのことを理由に保険者が保険契約を解除できる旨を定めても、片面的強行規定には違反しない。そのため、この場合には、前述のように、保険契約者等の通知を受けた保険者が当該危険増加を理由に保険契約を解除し得る旨が保険約款に定められている。

3　重大事由による解除

⑴　重大事由解除の趣旨と法定の経緯　保険法は、損害保険契約・生命保険契約及び傷害疾病定額保険契約のそれぞれにつき、保険契約者等が当該保険契約に基づく保険給付を行わせることを目的として保険事故を生じさせ、又は当該目的のため保険事故を生じさせようとしたとき等の一定の事由があるときに、保険者が当該保険契約を解除できる旨を定める（30条・57条・86条）。これが、保険者の重大事由解除ないし重大事由解除権であり、保険契約者等に対する保険者の信頼を損なう行為が行われたことで保険契約関係の継続を困難にする場合に、保険者に契約解除権の行使を認め、以てモラル・リスク等の保険契約の不正利用に適切に対処することができるようにするため、保険法において制定された措置である。この種の解除権は、保険法制定前は法律に明文の規定がなく、生命保険契約の約款等で定められることが多かった。保険法は、上記の趣旨から、こうした重大事由解除権を保険法に法定するが、その効果の重大性に鑑みると、保険者による当該解除権の濫用を防止する観点から重大事由を解釈することも求められる。

⑵　解除権発生・行使の要件としての重大事由の発生

（i）故意の事故招致・その未遂行為　保険法は、保険者の保険契約解除権を生じさせる重大事由として、上記制度趣旨に鑑み、損害保険契約、生命保険契約及び傷害疾病定額保険契約の契約類型に応じそれぞれ２類型の解除事由を例示した上で、いずれの契約についても、２種の解除事由のほか保険契約の存続を困難とする重大な事由を、包括解除事由として規定する。

保険法が具体的に規定する解除事由のうち第１は、保険給付を保険者に行わせるためにする故意の事故招致である。保険法は、これを、損害保険契約では保険契約者又は被保険者が、生命保険契約では保険契約者又は保険金受取人が、傷害疾病定額保険契約では保険契約者、被保険者又は保険金受取人が、保険者に各保険契約に基づく保険給付を行わせることを目的として損害を生じさせ（損害保険）、故意に被保険者を死亡させ（生命保険）、保険者に保険給付を行わせることを目的として給付事由を発生させたこと（傷害疾病定額保険）、及び、保険者に保険給付を行わせることを目的として損害を生じさせようとし（損害保険）、故意に被保険者を死亡させようとし（生命保険）、給付事由を発生させようとした（傷害疾病定額保険）ことと規定する（30条１号・57条１号・86条１号）（以下、「１号事由」という）。生命保険契約のうち被保険者の生存を保険事故とするものは、当該契約の性質上、１号事由が問題とならないため、当該契約は１号事由の適用を除外されている（57条１項括弧書）。なお、１号事由に該当する場合は、保険者の免責事由となるが（17条・51条・80条）、保険契約者等と保険者間の信頼関係を損なうものであるため、保険法はこれを契約解除事由としても規定する。また、保険法が重大事由解除を信頼関係破壊の法理の観点から規定していることもあり（30条３号・57条３号・86条３号）、１号事由により保険者が保険契約を解除するには、被保険者や保険金受取人が保険給付を行わせることを目的として保険事故を発生させ又はさせようとしたことが、保険者の保険契約者等に対する信頼を損ない、以て保険契約の存続を困難とするものであることを要するとの指摘もある。しかし、１号事由に該当する場合は、そのこと自体で、保険契約者等に対する保険者の信頼を損ない、保険契約の存続を困難ならしめるといえるため、保険者が契約解除のために、信頼関係破壊について改めて立証することは必要ないであろう。

ちなみに、生命保険契約（死亡保険）では、被保険者の自殺は保険者の保険給付免責事由とされているが（51条１号）、１号事由には該当しない。被保険者の自殺免責の対象期間を限定する約款規定の下で当該期間経過後の被保険者の自殺が保険者を免責させるかどうかの問題を扱った最判平16・３・25民集58・３・753〔百選85〕が、「当該自殺に関し犯罪行為等が介在し、当該自殺による死亡保険金の支払を認めることが公序良俗に違反するおそれがあるなどの特段の事情がある場合は格別、そのような事情が認められない場合には、当該自殺の動機、目的が保険金の取得にあることが認められるときであっても、免責の対象としない」旨を判示しているところ、これを前提とすると、約款所定の自殺免責期間経過後に保険給付を保険者に行わせる目的で被保険者が自殺した場合は、特段の事情が認められない限り保険者の免責事由とならないのに、重大事由解除が認められるのは、整合性を欠く。そこで、保険法は、生命保険契約（死亡保険）については１号事由を保険契約者・保険金受取人による被保険者故殺と定め、被保険者の自殺を除外する。

また、１号事由については、損害保険契約の被保険者の保険金請求権にかかる質権者、生命保険契約（死亡保険）・傷害疾病定額保険契約における保険給付請求権の譲受人や質権者等を含めて考えるかどうかも、１つの解釈問題とされている。

(ii)　保険給付請求にかかる詐欺・その未遂　　保険法所定の重大事由の第２は、損害保険契約の被保険者、生命保険契約及び傷害疾病定額保険契約の保険金受取人が、各保険契約に基づく保険給付の請求について詐欺を行ったこと、または詐欺を行おうとしたことである（30条２号・57条２号・86条２号）（以下、「２号事由」という）。２号事由に該当する具体的事例としては、保険金受取人が被保険者の死亡と無関係な事故報告書を保険者に提出し、死亡証明書に被保険者の死因が事故死であるかのように検察医に記載させたケース（福岡高判平15・３・27生判15・218）や、交通事故による人身傷害を偽って保険給付を請求したケース（仙台高判平20・９・５生判20・451）がある。

他方で、２号事由も保険者の保険契約者等に対する信頼破壊の具体的ケースであることから、比較的軽微な態様の欺罔行為の扱いについては、議論がある。被保険者が、自身の身体状態が高度障害状態に該当しないことを知りながら、虚偽の記載のある障害診断書を提出して保険給付を請求した事案につき、下級審判例ながら、２号事由該当事例とする鹿児島地知覧支判平24・３・22生判24・158があるが、信頼関係の破壊までは認められるかどうかは疑問であるとして、同判決が２号事由該当とした結論に疑義を唱える見解もある。

(iii)　その他の信頼破壊行為　　保険法所定の重大事由の第３は、１号事由・２号事由以外で、保険者の保険契約者・被保険者（損害保険）、保険契約者・被保険者又は保険金受取人（生命保険・傷害疾病定額保険）に対する信頼を損ない保険契約の存続を困難とする重大な事由（以下、「３号事由」）であり、包括規定（バスケット条項）である（30条３号・57条３号・86条３号）。３号事由に基づく契約解除が認められるためには、保険者の保険契約者等に対する信頼を破壊する事情があったこと、及び、それが保険契約の存続を困難とする重大なものであることが必要となる。保険法の規定振りに鑑みると、３号事由は、１号事由又は２号事由に比肩するようなケースとされており、１号事由・２号事由を踏まえて解釈することを要すると解されている。これにより、包括条項である３号事由の運用の合理化・明確化が図られることになろう。

ちなみに、3号事由について、過去の裁判例を参考に具体例を挙げると、生命保険契約において、被保険者が保険金取得目的で被保険者以外の者を殺害し、被保険者が死亡したかのように偽装した替え玉殺人のケース（大阪地判昭60・8・30判時1183・153）、多数の保険者との間で締結された多数の疾病入院特約（日額給付金の合計が11万円超）について過去の被保険者の事故歴や同一疾病名による入院歴・入院給付金受給状況等を勘案し3号事由該当を認めたケース（大分地判平17・2・28判タ1216・282）、入院給付を内容とする保険契約において、自己の職業を偽った上で複数の保険者との間で保険契約を締結し、生活状況に比して多額の保険料を支払っていること、短期間に複数の入退院を繰り返していること、疾病の性質上長期・継続的な入院治療の必要性に疑義があること等の事情を認定し、信頼関係の破壊を理由に保険契約の解除を認めたケース（大阪地判平12・2・22判時1728・124〔百選（初版）91〕）、疾病保険において、被保険者が同一の保険者との間で締結した複数の疾病保険契約が詐欺を理由として重大事由により解除されたこと等から、保険者の当該被保険者に対する信頼が損なわれ、保険契約の存続を困難とする重大な事由が認められるとしたケース（東京地判平25・12・11生判25・480）等がある。

これに対し、第1に、生命保険契約の被保険者（船舶の賃貸・売買等を目的とする株式会社の代表取締役）が、当該生命保険契約の継続中に、当該株式会社が他の損害保険会社との間で締結した損害保険契約について、保険金詐取（2度にわたる被保険船舶の沈没工作による船舶保険金の詐取）を行ったことが発覚し、最終的に自殺したため、当該株式会社が当該生命保険契約の保険金受取人として被保険者の死亡を理由とする生命保険金の支払いを求めたことに対し、保険者が保険約款に基づき重大事由による解除を行った事案はどうか。当該事案において、当該解除の意思表示が有効かどうか、すなわち当該事案が重大事由に該当するかどうかの問題を扱った東京地判平14・6・21生判14・385は、解除の対象となった保険契約の継続中に、当該契約の保険者と締結した他の保険契約であるか、その他の保険者との間で締結した保険契約であるかを問わず、また、保険契約の種類の如何を問わず、保険契約者等がおよそ保険金を詐取し、又は他人に詐取させる目的で保険事故を招致した場合は、信頼関係の破壊が認められると判示して、契約解除の有効性を認めている。この事例が、保険法の下でも重大事由解除が認められるケースといえるかどうかをめぐっては議論があるが、保険法の規律との関係では、３号事由該当性の有無の問題とともに、１号事由に基づく解除の射程が当該事由の認められる保険契約以外の同種又は異種の保険契約にまで及ぶのかという問題も含んでいる。

第２に、保険約款では、保険契約の解除が行われる重大事由の１つとして、保険契約者等が反社会的勢力に該当すると認められること、反社会的勢力に対して資金等を提供し又は便宜を供与する等の関与をしていると認められること、反社会的勢力を不当に利用していると認められること、保険契約者等が、反社会的勢力が経営を支配し又は経営に実質的に関与していると認められる法人であること、保険契約者等がその他反社会的勢力と社会的に非難されるべき関係を有していると認められることを規定することが一般的である（以下、「反社排除条項」という）。この反社排除条項（暴力団排除条項ともいう）をめぐっては、３号事由を具体化し約款に明記したものと捉える説と、重大事由解除とは別個の解除権を認めたものとする説に見解が分かれるが、いずれにせよ、その有効性は認められている。ただ、当該条項の適用にあたり、保険契約者等が反社会的勢力であることのみをもって当該条項による解除を行えると解するのかどうかは１つの問題であるが、保険法30条・57条の趣旨に鑑み保険金不正請求を招来する高い蓋然性がある場合に限り反社排除条項を適用するものとする限定解釈の要否が問われた広島高岡山支判平30・３・22金判1546・33〔百選95〕は、当該条項の趣旨が、「反社会的勢力を社会から排除していくことが社会の秩序や安全性を確保する上で極めて重要な課題であることに鑑み、保険会社として公共の信頼を維持し、業務の適切性及び健全性を確保することにあると解されるところ、その趣旨は正当なものとして是認できる。そして、このような……趣旨に鑑みれば、本件排除条項は、保険金の詐取のような場合とは異なり、公共の信頼や業務の適法性及び信頼性の観点から、外形的な基準によって、これらを害する恐れがある類型の者を保険契約者から排除しようとしたものといえ、本件排除条項をもって、保険金不正請求を招来する高い蓋然性がある場合に限り適用される規定であると限定的に解釈すべきである旨の……主張は採用できない。」と判示する。こうした理解を前提とすれば、反社排除条項は、重大事由解除制度の趣旨に合致し、その予定する範囲に属するといえるた

コラム2-11　他保険契約（保険契約の重複）と重大事由解除

他保険契約の重複による保険金額の累積が告知事項に含まれるかどうかは従来、議論があったが、これが告知事項に該当し、他保険契約の重複による保険金額の累積の告知義務違反が認められる場合でも、通常は、因果関係不存在特則により、保険者の免責が否定される（31条2項1号但書・59条2項1号但書）ため、保険法の下では、むしろ3号事由に該当するかどうかが問題とされている。この点、損害保険契約に関しては、実損てん補契約であることから、保険契約の重複があること自体をもって、3号事由該当性を認めることは困難であるとされている。これに対し、定額保険である生命保険契約及び傷害疾病定額保険契約は、著しい保険契約の重複加入と3号事由の関係が問題となるところ、従来、ごく短期間に保険契約が著しく重複したという事情のみでは、3号事由に該当することにならないと解されていることもあってか、被保険者の属性・状態、短期間での重複契約の締結、累計保険金額が必要性を合理的に説明し難いほど高額であること等の諸事情を勘案し、保険契約の重複が重大事由（3号事由）に該当すると認定されることになろう。現に、生命保険契約付帯の疾病入院特約では、3号事由の例示として、「他の保険契約との重複によって、被保険者に係る給付金額等の合計額が著しく過大であって、保険制度の目的に反する状態がもたらされるおそれがあること」を掲げている。この点に関し参考となる裁判例の1つとして、大阪地判平29・9・13生判27・227〔百選94〕がある。

め、片面的強行規定に違反することにはならないであろう。

⑶　**解除の対象**　重大事由を理由とする解除のうち1号事由による解除の場合は、1号事由が損害保険契約・傷害疾病定額保険契約については、当該損害保険契約・当該傷害疾病定額保険契約に基づく保険給付を行わせることを目的として損害を生じさせ又は生じさせようとしたこと（30条1号）、給付事由を発生させたこと又は発生させようとしたこと（86条1号）と規定されているため、当該保険契約のみが解除の対象となる。

これに対し、1号事由による生命保険契約の解除の場合は、当該事由が、保険者に保険給付を行わせることを目的として故意に被保険者を死亡させ又は死亡させようとしたこととされるのみで（57条1号）、「当該保険契約に基づく保険給付」との限定がない。そのため、例えば、Aが保険契約者兼保険金受取

コラム２－12　主契約又は特約の解除と契約全体の解除

一個の生命保険契約が死亡保険金・高度障害保険金の給付を定める主契約と疾病入院特約や傷害疾病特約等の特約で構成される場合に、主契約又は特約のいずれかにつき重大事由が認定されるときに、保険者による解除が、主契約のみならず特約を含む契約全体に及ぶかどうかが問題となるところ、全体として一個の契約と認定できるときは、契約全体の解除が可能と解されている（東京地判昭63・５・23判時1297・129〔災害入院保障特約付きの養老保険契約につき偽装事故による入院給付金詐取を理由に保険者が保険契約全部を解除した事例〕、東京地判平７・９・18判タ907・264〔生命保険契約を主契約とする入院給付特約に基づく入院給付金の詐取を理由に生命保険契約の全体を保険者が解除した事例〕）。

人となり、Ｂを被保険者とする生命保険契約（死亡保険）を甲生命保険会社と締結するとともに、Ｃを被保険者とする生命保険契約（死亡保険）を乙保険会社と締結していた場合において、ＡがＣを故意に死亡させたときに、甲保険会社がＡとの生命保険契約を解除できるかどうかが問題となる。立案担当者から、ある生命保険契約で１号事由に該当する事実が認められるときは他の生命保険契約についても解除が認められるとの説明がなされているところ、これによれば、上記事例で甲保険会社が、保険契約者が他の保険会社との間において１号事由に該当するときは、甲保険会社はそれを理由にＡとの間の保険契約を解除できると解することになる。この種の事例は、３号事由に該当するとも考えることも可能であろう。

⑷　**解除の効果**　　重大事由を理由に保険者が保険契約を解除した場合、他の事由による契約解除の場合と同様、遡及効が制限され、その効果は将来に向かって生ずる（31条１項・59条１項・88条１項）。しかし、これでは、重大事由の発生から保険契約の解除時までの間に保険事故が発生した場合に、保険者は保険給付義務を依然負うこととなるため、保険法では、重大事由発生時から保険契約解除時までに発生した保険事故については、保険者が免責される旨を規定する（31条２項３号・59条２項３項２号・88条２項３号）。

問題は、保険事故発生後の保険給付請求にかかる不実申告（損害の水増し申告による保険金の過大請求等）があるときに保険者がこれを２号事由に該当するとし、当該事由の認められる保険契約を解除した場合の取扱いである。保険法の規律からすれば、重大事由により当該保険契約は解除されるものの、その場合の保険者の免責の対象が重大事由発生時から解除時までの保険事故に基づく保険給付に限られるからである。そこで、この種の場合に備えるものとして、保険給付請求にかかる不実申告の場合に保険者を免責する旨を定める保険約款の不実申告免責条項がある。学説の一部に、重大事由解除制度を片面的強行規定とする保険法の規律との関係で、これを無効とする見解があるが、信頼関係破壊法理としての重大事由解除制度と、信義則に基づく不実申告免責とは、相互背反的なものでなく、併存し得るとして、保険法の下でも有効性が認められると解するのが多数説である。ただ、信義則の観点から不実申告免責の要件を定めることの技術的困難性から、保険法に対応する保険約款には、不実申告免責条項が置かれていないが、当該約款の下でも、不実申告にかかる諸般の事情を総合的に勘案し、信義則（民1条2項）を根拠に保険者の免責の余地は残されていることに留意する必要がある。

なお、重大事由を理由とする解除権については、保険法に除斥期間の定めがなく、当該解除権の消滅は民法の規律（民547条等）に委ねられる。この場合の保険契約者等の悪質性に鑑み、解除権を制限することは適切でないからである。また、重大事由解除にかかる保険法の規律は、片面的強行規定であるから（33条1項・65条2号・94条2号）、保険法の規定に違反する特約で保険契約者等に不利なものは無効となる。

4　契約解除の将来効

保険法上、各保険契約の解除の効果は将来効とされ、遡及効が制限されている（31条1項・59条1項・88条1項）。その結果、保険契約者等に告知義務違反や重大事由が認められるため、保険者がこれを理由に契約を解除したとしても、当該解除が行われた時までに給付事由が発生した場合に、保険者が保険給付を行わざるを得ないこととなる。

そこで、保険法では、告知義務違反等を理由とする解除の効果について将来効を定めつつ、告知義務違反を理由とする契約解除がされた時までに発生した保険事故による被保険者の損害、その時までに生命保険契約の保険事故・傷害疾病定額保険契約における被保険者の傷害疾病（31条2項1号・59条2項1号・88条2項1号）、危険増加にかかる通知義務違反を理由とする解除がされた場合は危険増加が生じた時から当該解除がされた時までに発生した保険事故による被保険者の損害、その時までに発生した生命保険契約の保険事故・傷害疾病定額保険契約における被保険者の傷害疾病（31条2項2号・59条2項2号・88条2項2号）、及び、重大事由による解除がされた時までに発生した損害保険契約の被保険者の損害、その時までに発生した生命保険契約の保険事故・傷害疾病保険契約の給付事由については、それぞれ保険者が保険給付義務を負わない旨を規定し、所要の措置を講じている。

なお、告知義務違反又は危険増加の通知義務の違反を理由とする解除の場合は、告知義務違反の認められる事実又は危険増加をもたらした事由と因果関係のない損害については、保険者の免責が認められない（31条1項1号但書・2号但書、59条2項1号但書・2号但書、88条2項1号但書・2号但書）。

また、解除の将来効等を定める保険法の上記の各規定は、片面的強行規定とされている（33条1項・65条2号・94条2号）。

5　保険料の返還の制限

保険法では保険契約の解除の効果が将来効とされているが、第1に、意思表示の瑕疵を理由とする保険契約の取消しの場合は、遡及効を制限する旨の定めが置かれておらず、最初に遡って当該保険契約が無効となる（民121条）。当該取消しの原因が保険者の詐欺又は強迫である場合は、遡及的無効を理由に保険契約者が保険者に対し、民法703条以下の規定に基づき保険料の返還を請求できると解することに異論はない。これに対し、損害保険契約の保険契約者又は被保険者、生命保険契約・障害疾病定額保険契約の保険契約者、被保険者又は保険金受取人の詐欺又は強迫を理由として保険者が保険契約を取り消した場合に、保険契約者の保険料返還請求を認めることは問題である。この場合、民法708条の不法原因給付に該当すると解釈することは困難である。そこで、保険法は、保険契約締結にかかる詐欺又は強迫を行った保険契約者等に対する一種の制裁として、保険契約者等の詐欺又は強迫を理由とする保険契約の取消しの場合には、保険者の保険料返還義務を免除し、保険料の返還を制限する（32条

1号・64条1号・93条1号）。なお、保険契約者の錯誤を理由とする保険契約の取消し、法定代理人の同意を欠く未成年者による保険契約の取消し、消費者契約法4条に基づく保険契約の取消しの場合等については、保険法に基づく保険料返還制限の対象とされておらず、民法703条に基づき保険者の保険料返還義務の有無が判断されると解されている。

第2に、遡及保険であることを理由として保険契約が無効とされる場合（5条1項・39条1項・68条1項）も、保険契約者等が保険契約の悪用により不当利得を得ようとする意図がうかがえることから、当該保険契約者への制裁として、保険者の保険料返還義務を免除し、保険契約者の保険料の返還請求を制限する（32条2号・64条2号・93条2号）。ただし、保険者が悪意であるときは、保険者の保険料返還義務を免除する理由に欠けるため、保険料返還請求制限の対象とならない（32条2号但書・64条2号但書・93条2号但書）。

保険法の上記規律はいずれも、保険契約者等に対する制裁の観点から保険料の返還請求の制限を定めるものであり、民法の不当利得法理（民704条）の特則であるとされている。保険法の上記の規定以外にも民法708条に該当する場合には保険者は保険料返還義務を負わない。また、上記の保険料返還請求制限規定は、片面的強行規定であるため、これに反する特約で保険契約者等に不利なものは無効となる（33条2項・65条3号・94条3号）。

3章 損害保険契約

1　損害保険契約の種類、内容

1　種　類

損害保険契約は、「保険契約のうち、保険者が一定の偶然の事故によって生ずることのある損害をてん補することを約するもの」（保険2条6号）と定義される。損害が生じ得る局面は多種多様であるため、それに応じて、損害保険も多種多様の類型がある。

(1)　**保険の対象による分類**

(i)　人保険　　人を対象とする保険を人保険という。典型例は生命保険であるが、損害保険においても、傷害疾病損害保険はこれに当たる。

(ii)　物保険　　物を対象とする保険を物保険という。その物の損壊、滅失などによる損害をてん補する保険である。火災保険や盗難保険、自動車の車両保険などが典型例である。物保険は、古くからあるオーソドックスなタイプの損害保険である。

(iii)　財産保険　　財産一般を対象とする保険を財産保険という。損害賠償責任や費用負担などを対象とする保険が存在するが（賠償責任保険、費用保険など、本章**5** 2及び4の解説を参照）、必ずしも「物の損壊、滅失など」と把握することができないため物保険といえない。そこで、これらの保険も包含するように、物保険よりも広い概念として、財産保険という概念が用いられるようになった。同様に、物保険には該当しないが、財産保険に該当するものに、債務不履行による損害をてん補する保証保険、信用保険（本章**5** 4を参照）がある。

(2) 積極利益と消極利益

(i) 積極保険　財物や債権といった積極財産が失われることについての利益を積極利益といい、これを対象とする保険を積極保険という。もっぱら、物保険がこれに該当する。保証保険、信用保険（本章**5** 4を参照）も含まれる。

(ii) 消極保険　債務が増大し、財産状態が悪化することについての利益を消極利益といい、これを対象とする保険を消極保険という。典型例は、賠償責任保険、費用保険（本章**5** 4を参照）である。

(3) 保険販売の対象による分類

(i) 家計向け保険　一般消費者を販売の対象とした保険である。保険法は、保険者と比して交渉力に乏しい消費者を保護する規律を多く有しており、家計向け保険を主たる対象とする法といえる。

(ii) 事業者向け保険　企業を販売の対象とした保険である。企業は、保険者と比して交渉力が乏しいとは必ずしもいえない。そのため、保険法では事業者向け保険につき片面的強行規定を適用除外とし（保険36条）、当事者同士の交渉の自由度を高めている（2章**1** 3の解説を参照）。

このように損害保険契約には様々な類型があるが、販売にあたっては複数の対象にまたがってパッケージ化されていることが多い。例えば、火災保険も、火災に関するリスクだけで無く、台風などによる水災、風災や雪災など、さらには家財の盗難のリスクまでも対象とし得る契約（一般に「住宅総合保険」と称される）が、主力商品として販売されている。特約にて、家族に対する賠償責任リスクなどまでもが対象とされることもある。

なお、海上運送に関する船舶や貨物に関する損害保険として、海上保険がある。損害保険のルーツであり、重要な類型であるが、特有の法理論もあり、保険法の対象分野からは外れている。いわゆる海商法の分野（商法第三編第七章〔商815条以下〕）にて規制されている。

2 保険事故の偶然性

保険制度は、リスクに対応する経済制度であり、偶然発生する事故に備えるものである。保険法も、保険事故に偶然性を要求している（5条）。ここでいう偶然性とは、契約成立時に、保険事故の発生・不発生が不確定であることをいう（最判平18・6・1民集60・5・1887〔百選47〕、最判平18・9・14判時1948・164）。それゆえ、保険事故の発生・不発生が確定している場合には、損害保険契約は成立しない。契約締結後に判明した場合には、その契約は消滅する（危険の減少についての**2章8**の解説も参照。保険事故の不発生が確定したということは危険が消滅したことを意味する）。

偶然性は、契約当事者の主観で足りると解されている。保険期間を契約締結の時点よりも遡らせて開始させるものを遡及保険というが、保険法はこれを有効とする（5条）。遡及保険の場合、契約締結の時点で既に保険事故が発生している可能性もあるが、契約当事者が発生をわかっていなければ「偶然」といい得るわけである（遡及保険について、**2章5**の解説を参照）。

なお、一般用語として「偶然」を用いる際には「故意によらない」という意味合いも含まれることがある。しかし、損害保険の分野では、基本的に、そのように理解されていない。そのように理解してしまうと、保険金請求者側が保険事故に故意性がないことまで立証する必要があるようにも考えられ、故意免責との関係で主張・立証責任をどのように分配すべきかという問題が生ずるためである。判例では、保険金請求者側は保険事故が発生したとの一定の外形的事実を立証すれば足り、偶然のものであることまで主張・立証すべき責任を負わないと解されている。故意は、保険者側が抗弁として主張・立証すべきこととなる。例えば、保険金請求者側は、火災保険であれば火災の発生によって損害を被ったこと（最判平16・12・13民集58・9・2419〔百選29〕）、自動車の車両保険であれば車両の水没（前掲・最判平18・6・1）を立証すれば足りると解された。また、盗難は所有者の意思に反して行われるという意味を含むが、最高裁は、車両の盗難につき、被保険者以外の者がその車両を持ち去ったことを立証すれば足りると解し、被保険者の意思によらないことの主張・立証責任を保険者に負わせた（最判平19・4・17民集61・3・1026〔百選48〕）。ただし、傷害保険の保険事故については別異に解されている（最判平13・4・20民集55・3・682〔百選（初版）97〕。詳しくは、**5章3** 1⑴の解説を参照）。

3　保険期間

個々の契約において、保険者がてん補責任を負う期間が定められる。これを保険期間という（6条5号）。保険者は、この保険期間中に保険事故が発生した場合に、てん補責任を負うこととなる。保険事故が保険期間内に発生していれば、損害の発生は保険期間経過後であってもよい。例えば、火災保険において、保険期間中に発生した火災が、保険期間経過後も継続した場合、保険者は火災終了までに発生した損害についててん補責任を負う。

保険期間は、具体的には、特定の日時で設定されることが多いが（実務では、通例、就業時間との関係で、1年の期間でも、4月1日16時から翌年4月1日16時までといったように定められる）、一定の事実の発生をもって設定されることもある。例えば、貨物海上保険では、輸送区間（荷揚げから荷下ろしまで）をもって定められる。

4　保険の目的、保険価額

損害保険契約の対象は「金銭に見積もることができる利益」である（保険3条）。利益があるために、その分、損害が発生し得ると考えるのである。この、損害てん補の対象となる利益のことを被保険利益という。前述した積極利益、消極利益はいずれも該当する。被保険者は、被保険利益の帰属主体である。

物保険において被保険利益を把握するための概念として、「保険の目的物」と「保険価額」がある。保険の目的物とは、保険事故によって損害が生ずることのある物として契約で定めるものをいう（6条7号）。この保険の目的物を客観的に金銭に見積もった価額が、保険価額である（9条）。例えば、火災保険であれば、保険に付された建物が保険の目的物であり、その建物に1000万円の価値があるとすれば、それが保険価額である。保険価額は、被保険利益を評価した額と表現することもでき、それゆえ、保険に付すことができる上限としても機能する。

保険価額は、契約締結時に一旦見積もられるが、保険の対象となる損害が発生した時点において、その発生した地を基準として算出されるのが原則である（18条1項）。

なお、保険の目的物及び保険価額は、物保険を念頭に置いた概念であるため、責任保険のような消極保険には存在しない。それゆえ、被保険利益の意味合いも消極保険では変わる。詳しくは、本章**2** 1(4)(ii)の解説を参照。

5　保険金額

保険金額は、個々の契約において定められる保険給付の限度額である（6条6号）。保険価額には、保険に付すことができる客観的な限度額となるという意味があるが、これとは別に、保険金額は、契約当事者において定めた限度額となる。保険金額を保険価額よりも低額にすれば、保険料を節約し得る。保険契約者が、自らの支払能力を考慮して、保険料を支払えるだけの保険契約を締結する、その際に調整されるのが保険金額というわけである。

6　全部保険、一部保険

保険の目的物についてすべて保険を付した場合を全部保険といい、すべてを保険に付さない場合を一部保険という。つまり、保険金額＝保険価額となる場合が全部保険であり、保険金額＜保険価額となる場合が一部保険である。当然ながら、一部保険の場合は、全部保険の場合よりも保険料を節約できる。

一部保険においては、生じた損害につき保険金額／保険価額の分だけてん補する方式（比例てん補方式）で保険給付がなされるのが原則である（19条）。詳しくは本章**3** 3(1)の解説を参照。

7　約定保険価額

保険価額は、物の価値であるから変動し得るものである。保険の目的物が値上がりした場合、保険価額も上昇し、その結果、契約締結当初は全部保険として保険金額を設定したにもかかわらず、保険金額＜保険価額となるから保険事故発生時は一部保険となってしまうことがあり得る。一方で、保険事故に伴い保険の目的物が滅失した場合、保険事故発生時点で保険価額を見積もることは容易ではない。これらの問題が、古くから、自動車保険における車両保険や、貨物海上保険などでよく認識されてきた。

そこで、こうした問題を解消すべく、保険価額算定の例外として、契約締結時点で予め保険価額の評価を済ませておき、保険事故発生時に改めて算出し直すことはしないタイプの損害保険契約が創出された。これを評価済保険という。また、同様に保険価額算定の例外として、再調達価額を保険価額とするタイプの損害保険契約もあり、これを新価保険という。

評価済保険や新価保険のように、契約時に予め約定された保険価額のことを約定保険価額という（9条）。約定保険価額が、保険の目的物の客観的な価値（すなわち保険価額）を超えている場合は、保険給付により被保険者は利得するともいえるが、保険法は、原則として、これを問題視しないことにしたわけである（9条但書）。ただし、約定保険価額が、保険価額を著しく超えるときは、てん補損害額は、その保険価額によって算定するものとされる（18条2項但書）。利得が著しい場合は看過できないためである。被保険者が利得を得ることの問題性については、詳しくは、本章**2** 1(5)の解説を参照。

8　超過保険

一部保険とは逆に、保険価額よりも大きな保険金額が設定された場合を超過保険という。一見すると超過部分は利得となりそうであるが、保険事故時に算出されたてん補損害額に従って保険給付がなされるため、被保険者が超過部分の利得を得ることはない。詳しくは、本章**2** 3の解説を参照。

なお、保険の目的物の価値が下がった結果、保険価額が保険金額を下回った場合は、超過保険ではなく、保険価額の減少として扱われる（10条）。

9　重複保険

複数の会社と損害保険契約を締結した結果、超過保険の状態になることがある。これを重複保険という。より厳密な定義を述べれば、同一の目的物について、被保険利益、保険事故、保険期間が重なる複数の損害保険契約が存在し、各契約の保険金額の合計が保険価額を超える場合をいう。

そのままでは被保険者に利得が生じ得るため、各保険者の負担割合などが調整される（20条）。詳しくは、本章**3** 3(2)の解説を参照。

2　損害保険契約の成立と効力

1　被保険利益

(1) **概　要**　　損害が生じ得ないならば損害保険契約を締結する意味がない。契約締結時に損害が生じ得ることを確認するための概念が被保険利益である。

被保険利益とは、損害の発生により滅失する利益である。

保険法3条は「損害保険契約は、金銭に見積もることができる利益に限り、その目的とすることができる」と定めており、この「利益」が被保険利益である。同条は、被保険利益が損害保険契約の目的であること（ただし、契約の内容ではなく、「契約の客体」を示している。一般的な法律用語で用いられる「契約の目的」とは意味が異なることに注意）、被保険利益の存在しない契約は無効であること（最判昭36・3・16民集15・3・512〔損保百選5〕参照）を示すものであり、強行規定と解されている。

自宅の火災保険を例とすると、この場合に被保険利益が存在するということは、金銭的価値がある建物を所有していることを意味する。建物の時価が1000万円であったとしよう。これが被保険利益の客観的価額、すなわち保険価額となる。この保険価額の目減り分が損害となる。全焼すれば、損害は1000万円となり、半分焼失した場合は、損害は500万円となる。このように、被保険利益が存在すれば、その分だけ損害が発生し得ることになる。逆に、被保険利益が存在しなければ、金銭的価値がある建物を所有していないということであり、そのため、火災が発生しても、てん補すべき損害は発生しないこととなる。

被保険利益を要求することで、真実は損害が発生しないにもかかわらず誤って保険給付がなされ利得を生ぜしめる危険性を、事前に回避しようとするのである。この基盤には、損害保険によって利得を生じさせてはならないという原則が存在する。これを**利得禁止原則**という。損害保険の分野では最重要というべき原則である。損害保険が賭博とは異なるものとすること、モラル・ハザードを抑止することがその趣旨である。利得禁止原則が強行法的原則であるため、被保険利益の存在も損害保険契約の必須の要件となっているわけである。

もっとも、規制が硬直化すると、実務的な利便性が失われることがある。実態として、この両者の規律が厳格に遵守されてきたかといわれれば、そうではない。現実の必要性に応じた商品開発がなされた結果、一見、これらの規律に抵触するものも現れた。そのため、強行法規性がどこまで及び、どの程度厳格であるのか、限界や例外について議論されてきた。

以下では、まずは、被保険利益の機能や類型について解説し、その上で、限界について説明する。

⑵ 被保険利益の機能

(i) 賭博との峻別、モラル・ハザードの抑制　賭博行為は、偶然の事象に基づいて、不労の利得を生ぜしめ得るものであり、公序良俗に反して無効とされる（民90条）。保険も、偶然の事象に基づいて金銭を給付するものであるが、被保険利益を要求することで、利得が生じることを防ぐことができる。そのため、被保険利益には、損害保険契約を賭博から峻別する機能がある。

一方で、利得が生じないのであれば、例えば、保険事故を故意に発生させるなどの行動を起こす経済的な意味は乏しいことになる。そのため、被保険利益は、モラル・ハザード抑制の機能も有する。

この２点が被保険利益の存在意義であるが、同時に、利得禁止原則の趣旨でもある。この両者の限界や例外を探るにあたっては、この２点の機能との関係が重要となる。

(ii) 契約内容の確定　被保険利益が存在していることを具体的に示すことは、その損害保険契約の対象を具体的に定めることである。そのため、被保険利益には、契約内容を確定する機能もあるといえる。

この機能のため、損害保険は多様な経済的利益に対応することができる。例えば、建物には、所有者の他にも、賃借している者、建築資金を貸し付けて抵当権を設定している者などが存在し得、それぞれ別の経済的利益を有している。被保険利益をそれに応じて設定することにより、対象となる建物は１つではあるが、別途の保険契約として締結することが可能となるわけである。

(iii) 保険給付の額の決定　物保険の場合、被保険利益の評価額が保険価額となる。前述したように、保険事故が発生し、その保険価額が目減りした分が損害となる。それゆえ、被保険利益は保険給付の額を決定する機能を有している。また、保険価額を介して、一部保険、超過保険、重複保険の規律がなされる。被保険利益は、これらの規律の起点となっているといえる。

⑶ 被保険利益の要件

(i) 金銭評価可能性　被保険利益は、金銭的に評価可能な利益でなければならない。保険法３条がまさに要求していることである。ここでいう金銭的な評価は、社会通念上、客観的なものである必要がある。利得禁止原則の観点からして、利得が生じうるかどうかは、客観的に判断されるべきだからである。

住居にせよ物品にせよ、個人的な思い入れが強い場合はあろうが、主観的な評価は被保険利益の対象外である。

(ii)　確定可能性　　契約確定機能を果たす必要があるため、被保険利益は、確定可能でなければならないと解されている。ただし、契約成立時にすべて確定している必要はなく、保険事故発生時までに確定し得るものであればよい。例えば、火災保険において家財も対象とする場合は、契約成立後に加わる物品も含めて、被保険利益とすることができる。

(iii)　適法性　　法的な要請として、被保険利益が適法なものでなければならないことはいうまでもない。例えば、麻薬や覚せい剤についての利益は違法なものであるから、被保険利益とすることはできない。

(4)　被保険利益の類型

(i)　積極利益　　積極利益とは、財物や債権といった積極財産が失われることについての利益であり、積極保険の対象である。所有者利益はその典型である。例えば、土地や建物の所有権者が火災保険契約を締結する場合が該当する（ただし、所有権者であることにつき、必ずしも登記などの対抗要件を備える必要はない。二重譲渡の場合など、所有権の帰属に争いがある場合に登記の有無が決定的な基準となるというのみである。前掲・最判昭36・3・16参照）。

物保険のほかにも積極利益を扱うものがある。債務不履行による損害をてん補する保証保険や信用保険であり、対象となるのは債権者利益である。

将来発生する利益も積極利益に該当し得る。例えば、利益保険は、営業できないことで得られるはずの利益を失った損害をてん補する損害保険であるが、このときの利益（収益利益）がそうである。ただし、その利益は将来発生することが客観的に確実でなければならない。

抵当権者などの担保利益も積極利益の1つである。担保利益は所有者利益とはまた別のものとして被保険利益になり得る。

譲渡担保は、経済的な意味では同様に考えられそうであるが、形式的には所有権が譲渡担保設定者（債務者）から譲渡担保権者に移転しているため、いかに解するか議論がある。古くは、譲渡担保設定者は所有権を失っているから被保険利益を有せず、火災保険契約を締結できない（譲渡担保権者のみ可能）とする裁判例も存在したが（岐阜地判昭34・3・23下民10・3・528）、現在の判例法理では、譲渡担保設定者も譲渡担保権者もいずれも所有者として被保険利益を有し、損害保険契約を締結できると解される（最判平5・2・26民集47・2・1653〔百選5〕）。この立場が学説上も多数説であるが、そうすると、いずれもが火災保険契約を締結している場合、1つの物について二重に保険給付されることのないよう、調整が必要となる。最高裁は、各保険契約の保険金額の割合によって各保険者の負担額を決定すべきと判断したが、その際のよりどころが、同時重複保険に関する平成20年改正前商法632条であった。保険法は、この規定を引き継がず、重複保険についての規律を変更したため、最高裁の立場は、現在では実定法上の根拠を失った状態となっている。重複保険に関する現行法の規律に基づき、独立責任額全額主義に基づいて処理すべきということも考えられる（20条2項。本章**3** 3⑵(ii)の解説を参照）。学説では、担保権者・設定者の間の利害調整であるから、譲渡担保権者が優先的に自己の保険から支払いを受け、譲渡担保設定者は残りの損害額についてのみ自己の保険から支払いを受けると処理すべきとの見解が、かねてより有力に唱えられている。

(ii) 消極利益　　消極利益とは、債務が増大し、財産状態が悪化することについての利益である。例えば、賠償責任保険や費用保険が、消極利益を対象とする保険である。

消極利益も被保険利益の1つとして挙げることができるため、保険法3条は満たされることになるが、しかしながら、積極利益とは相当に性質が異なる。消極利益の場合、債務の額をそのまま損害と把握すれば足りるため、積極利益の場合のように、被保険利益の評価額を保険価額とし、その目減り分を損害として把握するという過程を経る必要がないからである。

古くは、積極利益と同様に解するべく、消極利益における被保険利益は被保険者が全財産について有している利益であるとする見解もあった。損害は債務を負担したことにより全財産が目減りした分として把握できることになる。しかし、この見解によると保険価額は全財産の額となるため、自動車保険の対人賠償では一般的な保険金額無制限の保険は超過保険となってしまう。他方、無財産や債務超過状態の者は被保険利益が無いことになり、消極保険契約を締結することすらできない。それゆえ、現在ではこの見解は支持されていない。

現在でも、財産状態が債務の発生により変動しないことについて被保険者が有する利益であるとする見解など諸説あるが、学説が割れているというよりは説明の仕方の相異であるようにも思われる。積極利益の場合と同様の意味での被保険利益は存在しないということについて、学説は一致している。

⑸　**利得禁止原則の意義とその限界**　既に述べたように、損害保険における重要な原則として利得禁止原則がある。賭博との峻別及びモラル・ハザードの抑止がその主たる趣旨である。

被保険利益はこの原則に基づく規制を具現化したものである。保険法18条1項は損害の額は時価で算定すべきと定めるが、そのことはつまり、損害算定の起点となる被保険利益も時価評価によるべきということである。やはり利得禁止原則に則るためであるが、しかし、これを厳格に遵守すると、現実には不都合が生じることがある。論議を呼んだ問題の1つが、評価済保険と新価保険の法的有効性である。

評価済保険とは、保険価額の評価を、契約時に済ませておくタイプの保険である。例えば、自動車の車両保険で、目的物が盗難された（滅失した）場合を考えてみよう。車両の時価は走行距離や状態で大きく変わり得るところ、盗難時の保険価額を評価しようとしても、肝心の該当車両がないわけであるから、容易なことではない。自動車事故で毀損した場面でも、同様に、事故時の車両の時価を把握することが困難な場合もある。

また、通常、物の価値は経年で低下するが、美術品や骨董品などは価値が上がることもある。保険価額が上昇した結果、契約時に設定した保険金額を超えてしまえば一部保険となってしまい、生じた損害の全額はてん補されない。

そこで、このような場合には評価済保険を利用しようというわけである。現実の必要性から生じた保険であるが、時価を超えた保険給付がなされる可能性があるため、厳密には利得禁止原則に抵触するともいえる。

新価保険とは、保険の目的物の再調達価額に従って保険金を支払うこととするタイプの保険である。例えば、住宅の火災保険について、新築時には1000万円であった住宅が、築20年が経過し現在の評価額は500万円であるとしよう。全焼しても損害額は500万円となるため、保険金が支払われても、新築費用分には足りない。その結果、保険事故（火災）発生前と同様の生活を維持することはできないことになる。損害保険の意義を、減じた財産の補てんではなく、偶然の事象が発生してもその影響なく従来の活動を維持できることに求めるのであれば、時価評価では満足が得られにくいことになる。

こうしたニーズに応じ、新価保険が利用される。時価を超えた保険給付がなされるわけで、その分を利得とするならば、やはり利得禁止原則に抵触するといえる（なお、例として火災保険を掲げたが、現在販売されている商品は新価保険ではなく、物保険に当該物件を再取得する際に必要な費用保険を加えた混合保険として構成されたものともいわれている。もっとも、この構成でも、より高価値な物件を再取得し得るかという面で、利得禁止原則との抵触が問題となり得ないわけではない）。

評価済保険、新価保険と利得禁止原則との関係をいかに考えるべきか、かつて盛んに議論された。両保険の現実的必要性は否定し難い、それゆえ、両保険の法的有効性をいかに導くことができるかということが議論の焦点であった。

このことは、結局、利得禁止原則の意義や限界を洗い直すことである。利得禁止原則の趣旨は、前述したように賭博との峻別及びモラル・ハザードの抑止である。ということは、賭博と峻別できている限り、また、モラル・ハザードの面で問題が生じない限りであれば、利得禁止原則の例外を許容する余地があるといえる。評価済保険も新価保険も、賭博とは峻別できているといえそうである。それゆえ、モラル・ハザードの面で問題が生じない限りであれば法的有効性を否定する意味はないこととなる。

保険法では、約定保険価額という概念が導入された（9条・18条2項）。評価済保険と新価保険を念頭に置いたものであり、両保険の法的有効性は、実定法上の根拠を有することになったわけである。ただし、保険法18条2項但書はその約定保険価額が時価を著しく超える場合は時価による旨を定める。利得が著しく大きくなるとモラル・ハザードの面で問題が生じる危険性が高まるから、それを回避するためである。

利得禁止原則については、保険代位との関係でも重要かつ難解な論点がある（本章**3** 4の解説を参照）。生命保険などの定額保険には利得禁止原則が全く及ばないか、という論点もある。古くから様々に議論されているところであり、学説は百花繚乱の様相を呈している。賭博との峻別やモラル・ハザードの問題を直接論じれば足りるとして、利得禁止原則を不要とする見解すらある。利得禁止原則にまつわる議論は、いましばらくは尽きそうにない。

2　第三者（他人）のためにする損害保険契約

親が、子のために自動車保険に加入する場合がある。保険料は自らが負担するが、保険サービスは子が受けられるようにするわけである。すなわち、親は保険契約者、子は被保険者となる。このように被保険者が保険契約者と別人である場合を、「第三者（他人）のためにする損害保険契約」という。倉庫業者や運送業者が、火災や盗難に備えて、寄託物ないし運送品につき、その所有者のために火災保険契約や盗難保険契約を締結する場合なども該当する。

第三者のためにする損害保険契約が締結されると、被保険者は、当然にその契約の利益を享受するものとされる（8条）。この「当然に」とは、被保険者は受益の意思表示をする必要が無い、ということを意味する。民法537条3項は、第三者のためにする契約において第三者が権利を取得するためには「受益の意思表示」を必要とすると定めており、保険法8条はその特則となる。

また、被保険者は「当該損害保険契約の利益」を享受すると定められているが、具体的には保険金請求権のみである。保険契約者に帰属する各種の権利（保険料積立金返還請求権や契約者配当請求権など）は含まれない。

保険法8条は片面的強行規定である（12条）。そのため、例えば、被保険者の受益の意思表示を必要とする特約や、被保険者の権利の発生時期を契約成立の時点より後とするような、被保険者に不利となる特約は無効である。

3　超過保険

保険金額が保険価額を上回って設定されている場合を超過保険という。かつては、上回っている部分は被保険者に利得を生じさせるものであるため無効とされた（平成20年改正前商631条）。しかし、保険給付は、保険事故時に算出されたてん補損害額に従うため、通常、被保険者がその利得を得ることはない。保険価額を上回る保険金額は、いわば「空振り」の状態にあるだけである。他方で、保険の目的物の価値が上昇することを見込んで、あえて高い保険金額を設定することもあり得る。そのため、保険法では、超過保険も原則有効とし、超過部分は取り消すことができるという規律とした（9条本文）。

超過部分の取消しの実質的な意味は、保険料の問題にある。保険料は保険金額に応じて算出されるから、保険契約者は、超過部分の保険料を余分に支払うことになる。そこで、超過部分を取り消すことで、既払保険料のうち超過部分に対応する分の返還を認めることとしたわけである。ただし、取消しができるのは保険契約者が善意かつ無重過失の場合に限られる。将来のインフレに備え、あえて超過保険を締結しておきながら、後に価格が上昇しなかったことを確認してから保険料の返還を請求することは、機会主義的な行動として許されるべきではない。そこで、このように超過保険を悪意又は重過失で締結した場合は、取消しできないものとしたわけである。

約定保険価額を設定している場合は、超過保険にかかる規律は適用されない（9条但書）。契約時に保険価額を約定しているわけであるから、保険金額をどのように設定しようが、それは意図通りのことであって、保険契約者に取消権を与えなければならない必然性は見出し難いからである。

このように超過保険は原則有効であるが、保険の不正利用が企図される悪質なケースにおける契約の有効性は別途判断される。旧法下であるが、保険価額の数十倍の保険金額が設定された火災保険契約について、保険金を不正に取得する目的で締結されたものであり、公序良俗に反し無効と判示した裁判例がある（名古屋地判平9・3・26判時1609・144。同様の事件として、京都地判平6・1・31判タ847・274、熊本地判平9・3・26判時1654・117など）。こうした考え方は、保険法下でも維持し得るものと思われる。

4　保険価額の減少

物の価値は変動し得るものであるから、保険の目的物の価値、すなわち保険価額も変動し得る。例えば、火災保険の対象である建物は、何らかのプレミアが付いて価値が上がることもあり得るが、一般的には、使用に応じて価値が下がっていく。価値が下がった、すなわち保険価額が減少した結果、保険金額よりも下回ることもあり得る。そうなれば超過保険と同様の状態に陥るわけで、保険契約者は保険料を余分に支払っていることになる。そこで保険法は、保険契約が成立した後に保険価額が著しく減少した場合、保険契約者は保険金額及び保険料の減額を請求できることとした（10条）。契約成立後の規制であり、契約成立時に既に保険価額が減少していた場合は、超過保険の扱いとなる。

超過保険と類似の規制であるが、取消しではないため、遡って既払保険料の返還を求めることはできない。また、保険契約者の主観的要件（善意かつ無重過失）は問われない。

「著しく減少した」場合のみが対象である。物の評価は一定の幅をもってなされるものであるから、現実において保険価額が少しでも保険金額を下回った場合を適切に捉えようとしても困難であり、規律の対象として適切ではないと考えられたからである。もっとも、何をもって「著しく減少した」といえるかは解釈による、損害保険契約は1年契約が多いことから、1年分程度の自然消耗による減価ならば「著しく減少した」とはいえないとの見解が有力である。

なお、保険価額が減少すれば、保険制度の対象である危険も減少することになる。それゆえ、広い意味では、保険価額の減少は「危険の減少」（11条）の一場面ともいえるが、規律の内容が特化しているため、別の定めとなっている。危険の減少については、**2章8**の解説を参照。

3　損害保険契約に基づく保険給付

1　損害防止義務

(1) **総　説**　保険契約者及び被保険者は、保険事故が発生したことを知ったときは、これによる損害の発生及び拡大の防止に努めなければならない（13条）。これを保険契約者又は被保険者の損害防止義務という。

損害防止義務はその根拠を、損害の発生又は拡大を保険契約者側が防止し得るのにそれをしないでいたずらに損害を拡大させることは信義則違反であるという点に求めるものと、保険契約者側の故意又は重過失を免責とする規定を保険事故発生後の損害の発生及び拡大にまで及ぼしたという点に求めるものがある。

損害防止義務については平成20年改正前商法においても660条に規定されていたが、保険法ではいくつかの修正が図られている。まず、損害防止義務を負う者（損害防止義務者）について、同条1項では被保険者だけが規定されていた。しかし、保険契約者が損害の防止に努めるほうが妥当な場合もあり得るので（例えば、倉庫業者が保管している受寄者の貨物に保険を付す場合や運送人が荷主のために運送品に保険を付す場合など）、保険法では損害防止義務者を保険契約者及び被保険者と規定した。

また、平成20年改正前商法では単に「損害の防止」と規定していたが、一般的には、損害の発生を防止するだけでなく、損害が発生した後にその拡大を防止することも含まれると解されているため、保険法では「損害の発生及び拡大の防止」と規定している。この損害の発生及び拡大の防止の程度については、保険契約が締結されたからといって、損害防止義務者が保険契約を締結していない場合よりも格別に高い努力が要求されるべきではないので、保険契約がなかった場合に努力したであろう程度でよいと解されており、このことを明らかにするために、保険法では「防止に努めなければならない」と規定している。

そして、保険法では履行すべき時期を「保険事故が発生したことを知ったとき」と規定している。これは損害の発生及び拡大の防止は保険事故が既に発生したことを前提とするものである。したがって、保険事故の発生自体を防止する義務は損害防止義務には含まれない。

⑵ **損害防止義務違反の要件と効果**　損害防止義務違反の要件について保険法に規定はないが、損害防止義務者の故意・重過失を要求する説が有力である。保険事故が発生した場合、損害防止義務者に精神的動揺が生じることは仕方のないことなので、軽過失程度では義務違反とするべきではない。

また、損害防止義務違反の効果についても法定されていない。かかる義務違反があったとしても被保険者は保険金請求権を失わないが、被保険者は債務不履行又は不法行為に基づく損害賠償責任を負うので、保険者は被保険者が有する保険金請求権と自己が有する損害賠償請求権を相殺して控除した額をてん補損害額として支払うというのが通説である。これに対して、義務違反により発生又は拡大した損害については、そもそも保険者は損害てん補責任を負わず、それゆえその分については保険金を支払わないという説も有力である。

約款では、保険契約者又は被保険者が、正当な理由なく損害防止義務に違反した場合は、発生又は拡大を防止することができたと認められる損害の額を差し引いて保険金を支払うものと規定されている。

⑶ **損害防止費用の負担義務**　損害の発生及び拡大の防止のために必要又は有益であった費用は、保険者がこれを負担しなければならない（23条1項）。損害防止義務者が損害の発生及び拡大の防止に努めることにより、保険者はその

てん補すべき損害額が減るという意味で利益を享受することになるから、支出された費用が必要又は有益なものである限りにおいて、保険者にこれを負担させる必要がある。これに対して、保険金額が保険価額に満たない一部保険の場合は、保険者は保険金額の保険価額に対する割合を損害防止費用の額に乗じて得た額について負担するものとされる（同条２項）。保険者が負担すべき防御費用に当たるか否かを判断する際に、実際に損害の発生及び拡大の防止に成功したか否かは関係しないものと解されている。

平成20年改正前商法660条１項但書では、損害防止費用がてん補損害額と合算して保険金額を超過する場合であっても、保険者はこれを負担すると定めていた。これに対して、保険実務では、約款において、保険者が損害防止費用を全く負担しないとする損害防止費用全額不担保条項や、損害てん補額と損害防止費用の合計額が保険金額を超えない範囲で保険者が費用を負担するとする損害防止費用一部不担保条項を定めるものがあった。このような損害防止費用不担保条項の有効性については、平成20年改正前商法660条１項が公益保護を目的とした強行規定であるとの前提に立ち、同項但書と異なる約款規定はすべて無効であるとする説（全面的無効説）、損害防止費用全額不担保条項は無効であるが、一部不担保条項は被保険者の損害防止努力を削ぐほどの非公益的効果はなく、保険者の責任を保険金額に限定することに合理的な理由があるとして有効とする説（制限的無効説）、保険者が損害防止義務違反に基づく損害賠償請求権を放棄するならば、損害防止費用不担保条項についてはすべて有効とする説（制限的有効説）、費用を無制限に担保すると、保険料の値上げが不可避であることを理由に費用不担保条項は無条件で有効であるとする説（全面的有効説）といった学説上の争いがあった。

保険法23条１項２号は任意規定（26条参照）とされていることから、損害防止費用を保険者と防御義務者とでどのように負担するかは当事者間の合意により定めることができる。したがって、損害防止費用不担保条項の有効性を完全に否定することは困難であるかもしれない。しかし、損害防止費用全額不担保条項については、損害防止義務者に損害防止義務を課し、義務違反の場合に損害額の減額をしておきながら、保険者は損害防止費用を一切負わないことになるので、当事者間の公平性からみて問題がないとはいえないであろう。

2　損害額の算定

(1)　保険事故と損害の因果関係　　損害保険契約において、保険者がてん補すべき損害は、保険事故「によって」生ずることのある損害、すなわち、保険事故と因果関係のある損害に限られる。この因果関係がどのような因果関係であるかについては諸説あるが、保険者は保険事故と相当因果関係のある損害につき責任を負うというのが通説・判例（大判昭2・5・31大民集6・521〔損保百選43〕、最判昭39・10・15民集18・8・1637〔損保百選73〕）の立場である。すなわち、当該事例に限らず、その事故から通常発生すると認められる損害については、保険者はてん補責任を負う。ただし、例外的に、火災保険契約において、保険者は、保険事故が発生していないときであっても、消火、避難その他の消防の活動のために必要な処置によって保険の目的物に生じた損害をてん補しなければならない（16条）。例えば、保険の目的物の周囲で発生した火災による延焼の防止措置により、当該目的物に損害が発生した場合は、保険事故により発生した損害ではなくても保険者はてん補責任を負う。また、保険者が担保する事故により分損が生じた後、不担保の事故により全損が生じたときには保険者は分損につき責任を負う（15条）。例えば、火災により住宅が半焼した後に、残った部分がその直後に発生した地震により滅失したような場合、最初の火災と半焼による損害との間の因果関係は否定されず、半焼による損害については保険者はてん補責任を負う。本条は片面的強行規定である（26条）ので、例えば、保険の目的物が保険事故の発生後に、保険事故によらずに滅失したときは、保険者は一切の損害をてん補する責任を負わない旨の約款規定は無効とされる。

(2)　てん補損害額の算定方法

(i)　総　説　　損害保険契約は保険事故によって生じた損害をてん補する保険契約であるから、損害を査定し、てん補すべき損害額（てん補損害額）を確定することが必要となる。そこで、保険法では、18条においててん補損害額の算定方法についての原則を定めている。すなわち、損害が発生した場合における保険者のてん補損害額は、原則として、その損害発生の地及び時における価額によって算定される（18条1項）。また、契約締結時に契約当事者間で約定した保険価額（約定保険価額）がある場合には、原則として、当該約定保険価額によって保険者のてん補損害額が算定されることになる（同条２項本文）。

(ii)　評価済保険　　保険法18条２項本文が定める約定保険価額でもって支払保険金額を決定する方式の保険を評価済保険という。保険価額は評価時において客観的に評価されることを原則とするが、保険の目的物が滅失毀損した段階で保険価額を評価することは難しく、不可能な場合もある。そのため、保険者と被保険者との間で紛争が生じることがあり、保険給付等の保険事故後の処理に迅速さを欠くおそれがある。そこで、このような評価済保険を用いることで損害発生時の評価の困難や保険価額の変動による問題を回避することができる。評価済保険の場合、全損であればその約定保険価額が原則としててん補損害額となり、分損であれば約定価額と残存価額との差額がてん補損害額となる。

このように約定保険価額があるときは、てん補損害額は約定保険価額で算定されるが、約定保険価額が実際の保険価額を著しく超えるときは、てん補損害額は、当該保険価額によって算定される（18条２項但書）。約定保険価額が保険価額を著しく超える場合にまで約定保険価額を基準にてん補損害額を算定すると、被保険者は過大なてん補損害額を取得することになり、利得禁止原則に反するからである。したがって、約定保険価額が保険価額を著しく超えるときは評価済保険の効力は失われ、評価済でない保険の原則に戻り、てん補損害額は実際の保険価額によって算定されることになる。

ここでいう「著しく超えるとき」とは、当該約定保険価額によって保険者のてん補損害額が算定されることが利得禁止原則の観点から許されないような場合を判断基準とすると解されている。著しく過大と判断された事例として、実際の価額が９万5000円の船舶を12万円で協定した船舶保険の事例（大判大６・３・10民録23・484）や実際の価額が500円の建物に1200円で協定した火災保険の事例（大判昭16・８・21大民集20・1189〔損保百選11〕）がある。また、自動車保険の車両保険において、一般に使用する車両の標準価格表では585万円から750万円である車両を、被保険者が365万円で購入し、協定保険価額800万円としていたところ、著しく過大であるとして保険者の減額請求を認めた事例がある（大阪高判平10・12・16判タ1001・213）。この判決については、車両価額協定保険特約では、市場価格を示す標準価格表により保険価額を協定するとしているのに、実際の購入価格で過大か否かを判断することは約款に反するもので不当であるとの批判がなされている。

(iii) 保険価額不変更主義　評価済保険と同様の趣旨から、保険事故発生時の価額を算定することが困難な場合（特に物の運送中の事故など）に、例えば、保険者の責任が開始する時の価額（商818条）、船積み時の価額（商819条）といった特定の時点の価額に保険価額を固定することがある。これを保険価額不変更主義という。

評価済保険との違いは、保険期間開始時における保険価額が予め協定されない（特定の時点の価額に保険価額を固定することだけを決めている）ので、損害発生時に保険価額の評価をしなければならないことにある。

(iv) 新価保険　保険価額の算定は、例えば火災保険の場合、建物や家財の再調達価額（新築費や新品の再取得費）から減価控除額（経年劣化等に応じた減価額）を差し引いた価額（いわゆる時価）によるのが通例である。例えば、新築時2000万円の建物に保険金額2000万円の火災保険契約を締結していたとしても、当該建物の時価が経年劣化等により1500万円であったとすれば、火災により全焼したとしても保険金は1500万円しか支払われないことになる。しかし、これでは同程度の建物を建て直すことができない。そこで、このような場合のために再調達価額そのものを損害額として保険金を支払う新価保険というものがある。これにより保険金のみで同程度の建物を建て直すことができる。ただし、時価1500万円の建物が全焼したときに2000万円の保険金が支払われるのでは、利得が生じることによりモラル・ハザードを誘発しかねない。そこで、実際は減価割合を一定程度に制限したり、「２年以内に同一敷地内に同一用途の建物を復旧する」といった復旧義務を課し、建物を復旧する前は時価で支払いをし、残りは建物が復旧した際に支払う（復旧しないのであれば時価分のみを支払う）といった対策を行っている。

(3) **目的物の状況等の調査及び費用**　保険事故の発生により目的物に損害が発生したとき、保険価額や損害額等を調査するために、保険者は目的物の状況等を調査することができる。この際にかかった費用については原則として保険者が負担する（23条１項１号）。

3　一部保険、重複保険

(1)　一部保険

(i)　一部保険における保険金額の算定方法　　物保険において、全部保険の場合、保険の目的物に生ずる損害の限度額まで保険に付されているので、全損か分損かを問わず、被保険者は損害額と同額のてん補を受けることになる。

例えば、火災保険の目的物である保険価額が1000万円の建物に、保険金額を1000万円とする保険契約を締結したとしよう。当該建物が全焼したとき、当該建物の保険価額が1000万円であれば損害額は1000万円となり、被保険者は損害額と同額の1000万円の保険金を受け取ることになる。当該建物が火災で半焼した場合は、損害額が500万円と算定されるので、500万円の保険金が被保険者に支払われることになり、損害額と保険金額は同額となる。

これに対して、一部保険の場合、保険法では、保険者が行うべき保険給付の額は、保険金額の保険価額に対する割合をてん補損害額に乗じて得た額とされている（19条）。このような算定方式を比例てん補方式といい、保険金額の保険価額に対する割合を付保割合という。比例てん補方式によると、全損の場合は保険価額と損害額が一致するので、保険金額が全額支払われることになるが、分損の場合は保険金額の全額は支払われないことになる。例えば、保険価額1000万円の建物に保険金額500万円の火災保険契約を締結していたとする。当該建物が全焼した場合、損害額は1000万円であるが、支払保険金は500万円（損害額1000万円×保険金額500万円／保険価額1000万円）となる。これに対して、当該建物が半焼した場合、損害額は500万円であるが、支払保険金は250万円（損害額500万円×保険金額500万円／保険価額1000万円）となる。

一部保険の場合において、比例てん補方式が採用される理由は保険料に関する公平性の観点に基づく。一般に、物保険において保険料は、保険金額に保険料率を乗ずることにより算出されている。比例てん補方式ならば、この保険料率は全部保険の場合と同一でも公平性を維持できる。これに対し、実損てん補方式（保険金額の範囲内で損害額相当の保険金を支払う方法）において公平に保険料を算出するためには、保険料率を保険価額と保険金額の割合に応じて調整しなければならない。しかし、保険料率を適切に算定することは、保険制度を健全に運営するために最重要な要素といってよく、この調整は決して容易なことではない。そのため、実務的には比例てん補方式が一般化しており、保険法もそれを踏襲したというわけである。ただし、料率算定上の困難性が根拠であることから、保険法19条は任意規定であると解されている。したがって、個々の契約において実損てん補方式を採用することは可能である。なお、責任保険のような消極保険には、保険価額という概念が当てはまらないため、本条が規律するような一部保険は存在しない。ただし、てん補すべき損害額のうち一定割合のみ保険給付をする制度がある。「免責控除」といわれるが、一部保険と経済的には同じものである。

(ii) 一部保険の発生原因とその対策　一部保険は、保険契約者が保険料を節約する場合、被保険者の注意力減退を防ぐ目的であえて負担部分を残しておく場合、あるいは契約締結後に保険の目的物の価額が急騰した場合などに生ずる。一部保険か否かが問題となるのは、保険事故が発生し、保険者のてん補損害額を算定する時であるから、一部保険の判断基準時は、保険事故発生の時と解されている。そのため、契約締結時は全部保険のつもりでもその後の物価の上昇により保険価額が上昇したため一部保険となってしまい、比例てん補方式により満足な保険金の支払いが受けられないといった問題が生じる。そこで、このような問題の対策として、火災保険の標準約款などでは、付保割合条件付実損払特約条項というものがある（コインシュアランス・クローズなどと呼ばれる）。これは、保険金額が損害発生時の保険価額に予め定められた一定の付保割合（住宅総合保険では一般的に80%）を乗じた額以上であるときは、実損てん補方式をとり、この額に満たない場合も、保険金額を限度として、保険価額に前述の付保割合を乗じた額に対する保険金額の割合で支払う保険金の額を算定するというものである。例えば、保険価額が1000万円であった建物に保険金額800万円の火災保険契約を締結していた場合、被保険者は損害額については保険金額の限度内で全額保険金を受け取ることができる。これに対して、保険価額が物価の上昇により1200万円になった場合で600万円の損害が発生したとき、付保割合は80％に満たないので、この特約条項によると支払保険金額は500万円（損害額600万円×保険金額800万円／保険価額1200万円×0.8）ということになる。これが通常の比例てん補方式であれば、400万円（損害額600万円×保険金額800万円／保険価額1200万円）ということになる。

コラム3－1　被保険者の注意力減退対策としての一部保険

保険事故により損失が発生したとしても、その全額を保険金で回収できるとなると、どうしても事故の予防のための注意力が減退する傾向がある（いわゆるモラール・ハザード）。そこで、このような被保険者の注意力の減退を防止する対策として、一部の保険（例えば、自動車保険の車両保険など）には免責金額が定められている。免責金額は大きく２つに分けられる。１つは、損害額から一定の約定金額を控除した額につき保険金を支払うというものであり、ディダクティブルといわれるものである。もう１つは、一定の約定金額以下の損害には保険金を支払わないというものであり、フランチャイズといわれるものである。例えば、保険価額100万円の自動車に保険金額100万円、免責金額10万円の保険契約を付したとして、50万円の損害が発生した場合、支払われる保険金はディダクティブルでは40万円、フランチャイズでは50万円ということになる。このように少額の損害については保険者免責となるため、保険者の負担が減り、保険契約者側も保険料の軽減という恩恵を受けることになる。

また、他の対策として、価額協定保険特約というものがある。これは契約締結時に専用住宅や併用住宅の再調達価額を評価し、その額に一定の割合（例えば住宅の場合は、60％、80％、100％のいずれかを選択する）を乗じた額を保険金額とした上で、保険金額を限度として実損てん補方式をとるものである。保険事故発生時の損害額算定に際しては未評価保険の場合と同じ基準がとられ、協定保険価額を基準とするものではないから評価済保険ではない。

現在保険会社が販売する商品は再調達価額ベースで実損払い方式とする契約が多いようである。

⑵　重複保険

（i）重複保険の要件　　重複保険とは、同一の目的物につき被保険利益、保険事故、保険期間が重なる複数の損害保険契約が存在し、各契約の保険金額の合計が保険価額を超える場合のことをいう。保険法では20条において重複保険における支払保険金額の調整方法について定めている。

重複保険となるためには、２以上の保険契約において保険の目的物が同一でなければならない。更に、①被保険利益が同一であること、②保険事故を同一にすること、③保険期間を共通にすること、④保険金額の合計額が保険価額を超えることが必要である。したがって、同一の建物について、所有者が所有権に基づき保険契約を締結し、抵当権者が抵当権に基づき別の保険契約を締結していても、①を満たさないので重複保険ではない。また、複数の保険契約の保険期間が完全に一致する必要はなく、部分的に一致している限り、その部分において③の要件は満たされることになる。④の要件については、保険法20条1項には「保険給付の額の合計額がてん補損害額を超える」という文言がないことから、重複保険にはこれを必ずしも含める必要はなく、これを満たす場合を重複超過保険として分けて考える立場もある。しかし、保険金額の合計額が保険価額を超えないのであれば、各保険者が自己の保険契約に基づくてん補損害額の全額について保険給付義務を負うのは当然であるから、同項も保険金額の合計額が保険価額を超えることを念頭に置いた定めであると解すべきである。したがって、重複保険においては④の要件を満たすことが必要である。また、同条2項が「2以上の損害保険契約の各保険者」という文言を用いていることから、2以上の保険者が重複保険の要件であるとする立場もあるが、同項は保険者間の求償関係を定める規定であるから、2以上の保険者がいることを前提としているのは当然であり、この規定に決定的な意味はなく、同一の保険者との間に複数の保険契約が存在する場合にも、保険給付額の調整は必要であるから、2以上の保険者の存在は重複保険の要件ではないと解すべきであろう。

重複保険に関する事例としては、譲渡担保権者と譲渡担保設定者が同一の建物に締結した火災保険契約が問題となった最判平5・2・26民集47・2・1653〔百選5〕や、異なる共済事業者の各共済契約における他車運転特約が問題となった東京地判令2・6・22判時2496・45などがある。

(ii) 重複保険における各保険者の給付義務　損害保険契約でてん補される損害額について他の損害保険契約がこれをてん補することになっている場合においても、保険者は、てん補損害額の全額について、そして、一部保険の場合には、一部保険について定める保険法19条の規定により行う保険給付の額の全額について、保険給付を行う義務を負う（20条1項）。これを独立責任額全額主義という。したがって、重複保険の場合においても、各保険者は、被保険者に対し、てん補損害額の全額（一部保険については比例てん補方式に基づいて算出されたてん補損害額の全額）について保険給付を行う義務を負う。例えば、保険価額1000万円の目的物に、目的物の所有者が保険期間を同じくする保険金額1000万円の保険契約を保険者Ａと、保険金額600万円の保険契約を保険者Ｂと、保険金額400万円の保険契約を保険者Ｃと締結したとする。当該目的物に800万円の損害が発生した場合、Ａについては全部保険として800万円が、ＢとＣについては一部保険として、それぞれ480万円（損害額800万円×保険金額600万円／保険価額1000万円）と320万円（損害額800万円×保険金額400万円／保険価額1000万円）がてん補損害額となり、Ａ、Ｂ、Ｃはそれぞれてん補損害額の全額につき保険給付を行わなければならない。

従来の実務では、各保険者がてん補すべき損害額は、各自の独立責任額（他の保険契約がないものとして算出したてん補責任額）のすべての保険契約に基づく独立責任額の合計額に対する割合に応じて損害額を按分した金額とするのが通例であった。これを独立責任額按分主義という。前述の例に当てはめると、Ａは400万円（損害額800万円×Ａの独立責任額800万円／独立責任額の合計額1600万円〔800万円＋480万円＋320万円〕）、Ｂは240万円（損害額800万円×Ｂの独立責任額480万円／独立責任額の合計額1600万円）、Ｃは160万円（損害額800万円×Ｃの独立責任額320万円／独立責任額の合計額1600万円）の保険給付義務を負うことになる。この場合、損害の全部のてん補を受けるためにはすべての保険者に対して請求しなければならず、保険者のうち支払不能の者が生じた場合に他の保険者がこれを分担してくれない点で、保険法が採用する独立責任額全額主義よりも被保険者に不利な規定であるといえる。そのため、保険法では独立責任額全額主義を原則として定めたが、保険法20条は任意規定であると考えられているので、従来のような独立責任額按分主義を採用する約款規定も有効であると解されている（現にこのような規定を採用している共済もあるようである）。独立責任額全額主義であれば被保険者はどの保険者からも独立責任額まで保険金の支払いを受けることができるが、当然のことながら損害額は800万円であるので、それを超えててん補を受けることはできない。

この場合に、例えば被保険者がＡから800万円の支払いを受けると、被保険者はもはやＢとＣに対して保険金の請求をすることはできないので、ＢとＣは被保険者に対する保険給付の義務を負わないで済むことになる。これでは先に支払った者が損をし、保険者間の公平が図れない。そこで、各保険者にはそれぞれ負担部分があり、負担部分を超えて支払った保険者は、他の保険者が共同の免責を得たときに、負担部分を超えた額につき他の保険者に求償することができる（20条２項）。前述の例であると、他の損害保険契約がない場合における各保険者が負うべき保険給付の額が、Ａは800万円、Ｂは480万円、Ｃは320万円、その合計額が1600万円、てん補損害額が800万円なので、Ａの負担部分は400万円（800万円×800万円／1600万円）、Ｂの負担部分は240万円（480万円×800万円／1600万円）、Ｃの負担部分は160万円（320万円×800万円／1600万円）ということになる。Ａが800万円の支払いをした場合、Ａは自己の負担部分400万円を超える400万円につき、ＢとＣにそれぞれ求償することができる。重複保険の要件として、保険給付の額の合計額がてん補損害額を超える場合が必要であるが、ここでいうてん補損害額は保険法18条１項に基づいて算定されたもので、各損害保険契約に基づいて算定したてん補損害額が異なるときはそのうちの最も高い額を超えなければならない。例えば、約定保険価額がある場合で、実際の保険価額より約定保険価額のほうが高い場合、その約定保険価額がここでいうてん補損害額となる。

同じことは、保険契約において免責金額がある場合にもいえる。例えば、自己所有の財産（保険価額200万円）に保険金額200万円（免責金額20万円）の保険契約を保険者Ｄと、同じく保険金額200万円（免責金額20万円）の保険契約を保険者Ｅと締結したとする。当該財産が全損し、被保険者は200万円の損害を被ったので、先にＤに対し保険金請求をした場合、Ｄは180万円まで保険金を支払わなければならない。その後、当該被保険者がてん補されていない20万円についてＥに保険金請求をした場合、Ｅは20万円の保険金を払うことになる。そして、ＤとＥの負担部分はともに100万円（損害額200万円×Ｄ又はＥの独立責任額180万円／独立責任額の合計360万円（180万円＋180万円））であるから、Ｄは自己の負担部分を超える80万円について、Ｅに対し求償することができる。

4　保険代位

保険事故の発生により被保険者に損害が生じ、保険者が被保険者に対して損害をてん補した場合で、保険の目的物に全損が生じてもまだ価値のある残存物

（例えば、火災により全焼した建物における使用可能な石材や鉄材など）が存在する場合、又は損害が生じたことにより被保険者が第三者に対して損害賠償請求権等（例えば、放火犯に対する不法行為に基づく損害賠償請求権など）を取得する場合、保険者は一定の要件の下、被保険者の残存物に対する権利又は被保険者が取得する第三者に対する債権について、当然に被保険者に代位する。これは保険代位と呼ばれる制度で、代位の対象が被保険者の残存物に対する権利であるものを残存物代位（24条）、被保険者が取得する第三者に対する権利であるものを請求権代位（25条）という。

⑴ **残存物代位**　保険者は、保険の目的物の全部が滅失した場合において、保険給付を行ったときは、当該保険給付の額の保険価額（約定保険価額があるときは、当該約定保険価額）に対する割合に応じて、当該保険の目的物に関して被保険者が有する所有権その他の物権について当然に被保険者に代位する（24条）。

残存物代位の存在理由としては、全損であるが価値のある残存物が残る場合に保険金全額を支払うことによって被保険者が利得することを防ぐということ（利得防止説）や、残存物の価値を評価して支払うべき保険金の額を算定するという技術的困難を避けるということ（技術説）が挙げられている。

残存物代位の要件としては、まず保険の目的物の全部が滅失したこと、すなわち全損したことが必要である。全損とは必ずしも物理的に滅失したことまでを要せず、目的物が従来の使用目的におよそ適さないような状態になれば全損であると解されている。これに対して、分損の場合は残存物の価値を控除して損害額が算定されるので、残存物代位の問題は起こらないとされている。しかし、分損の場合にも残存物の評価が困難な場合があり、迅速な保険保護を図るためにも、残存物代位を認めるべきであるとする見解も主張されている。また、保険者の保険給付が要件となるが、保険金額の全部を支払うことは必要ではなく、一部しか支払っていない場合でも残存物代位が認められる。

保険者が保険給付を行うと、被保険者が保険の目的物に有する所有権その他の物権は保険者に移転する。この権利移転は法律上当然の移転であるので、権利移転の意思表示は不要であり、第三者への対抗要件も必要ない。

残存物代位により保険者が権利を取得する結果、残存物を除去する義務が発生することがあり（例えば、沈没した船舶の除去など）、かえって保険者に不利益が生じるおそれがある。そこで、約款では、保険者が残存物に対する権利を取得する旨の意思表示をしない限りは移転しないとしたり、残存物の所有権を取得することにより保険者が負った義務の履行に必要な費用は被保険者が負担するなどと規定されている。しかし、このような約款規定の存在は被保険者に不利益を与える場合が考えられる。保険法24条は片面的強行規定（26条）であり、被保険者に不利な特約は無効となるため、このような規定の有効性については検討する必要がある。これについて、保険法24条は権利移転について定めた規定であり、除去費用の負担配分について定めたものではないから、保険者が権利を放棄する結果、被保険者に権利が残る余地を定めた特約は被保険者に有利であるので認められると解されている。もっとも、被保険者に有利だからといって被保険者に著しい利得が生じるような場合（例えば、自動車などの高価品の盗難保険において、保険金が支払われた後に、保険の目的物が見つかった場合など）にまで保険者の権利の放棄を認める約款は、利得禁止原則の観点からその効力が否定されることがあり得る。

⑵　請求権代位

（i）総　説　　第三者の行為により引き起こされた保険事故により被保険者が損害を被った場合において、保険者が被保険者に保険給付を行った場合、保険者は一定の限度で被保険者が第三者に対して有する債権について当然に被保険者に代位する（25条1項）。例えば、Aは所有する保険価額1000万円の建物につき、保険者Bとの間で保険金額1000万円の火災保険契約を締結していたが、Cの放火により当該建物が全焼したとする。この場合、AはBに対して当該保険契約に基づき1000万円の保険金請求権を取得することになる。また、Cの行為は明らかに不法行為（民709条）に該当するので、AはCに対し不法行為に基づく1000万円の損害賠償請求権を取得する。この場合、Aは発生原因の異なる2つの請求権を有することになるが、どちらも行使できるとなると、Aには利得が発生することになる。そこで、BがAに対して保険金を支払った場合、AがCに対して有する損害賠償請求権を代位取得する。これを請求権代位という。

請求権代位の存在理由としては、被保険者が保険金と損害賠償金の両方を取

コラム3-2　請求権代位の制度趣旨における近時の議論

請求権代位の趣旨については、伝統的に、被保険者の利得禁止と、第三者の免責阻止が挙げられているが、近時、請求権代位の趣旨として、利得禁止原則や第三者の免責阻止を強調することに否定的な立場が有力に主張されている。すなわち、請求権代位制度は、損害保険契約の目的である「損害のてん補」を実現するための制度であり、請求権代位を排除しない限りは、保険金と第三者からの（損害賠償金などの）給付により、被保険者の損害の全額を超える部分（請求権）が生じる場合に、保険金を支払った保険者にそれが移転するという制度である。したがって、利得が回避されたり第三者の免責が回避されたりするのはそのような処理の副産物にすぎないのであり、それらがありきの制度ではないというものである。このような立場に立てば、損害保険契約であっても（人保険だけでなく、物保険や財産保険にまで）請求権代位を否定する契約も認められるということになりそうである。また、利得禁止原則を請求権代位の制度趣旨だと捉えないのだとすると、一般的に利得禁止原則が適用されない定額保険においても、請求権代位（に類似する）制度を置くことも可能だという。このように請求権代位制度については、保険法の中でも、引き続き盛んに議論がなされる可能性の高い重要な論点の1つだといえよう。

得すると、不当に利得してしまうことになるため、被保険者に重複取得をさせないことで被保険者の利得を禁止すること（被保険者の利得禁止）、そして、加害者である第三者は、被害者がたまたま保険に加入していたために保険金で損害がてん補されることで法律上負っていた損害賠償責任を免れるというのでは妥当ではないとして、第三者の免責を阻止すること（第三者の免責阻止）が挙げられる。前述の例でいうと、Aが保険金を取得することでCに対する損害賠償請求権は保険者Bに移転するので、1000万円の損害に対して1000万円の保険金のみを取得することになるから利得は生じておらず、Cは被害者であるAに対して損害賠償金を支払うことはないが、Bに対して損害賠償金を支払わなければならないので、免責されることにはならないのである。

請求権代位の存在理由の1つが被保険者の利得禁止にあるとすると、そもそも利得禁止原則が適用されない定額保険では、代位は必要ないということになる。したがって、生命保険においては代位の規定はなく、代位が適用されないことに異論はない。また、定額保険として行われる傷害保険や疾病保険においても理論的に同様のことがいえる。

これに対して、損害てん補型の傷害保険や疾病保険については、損害保険である以上、代位の規定が適用されるというのが伝統的な通説・判例の立場である。最判平元・1・19判時1302・144〔百選24〕は、傷害保険の一種である所得補償保険は、就労不能となった場合に、毎月、直近の一定期間の平均月間所得額を限度として保険金を支払うというものであるが、そのような限度額があることにより損害てん補型の保険であるとして、約款に規定はなくても代位の適用があると判示した。実際に、損害てん補型の傷害保険や疾病保険では、約款においても代位の規定が存在する。しかし、傷害や疾病という同じ保険事故に対して、定額保険であれば利得禁止原則が適用されないのに、損害保険であれば強行法的に利得禁止原則が適用され、それに反する特約が一切許されないとするのは論理的整合性を欠く。そこで、人保険契約については損害保険として行われる場合でも強行法としての利得禁止原則が妥当せず、請求権代位規定を適用しない特約も認められるべきであるとする有力な見解も主張されている。

(ii) 請求権代位の要件と効果　請求権代位が認められるためには、まず保険事故によって損害が生じたことにより、被保険者が第三者に対して債権を取得したことが必要である（25条1項）。被保険者が取得した第三者に対する債権は被保険者債権と呼ばれ、この被保険者債権の典型は不法行為に基づく損害賠償請求権であるが、法文は行為の種類を不法行為に限定していないのでこれに限られず、債務不履行に基づく損害賠償請求権、損害賠償義務者間の求償権、不当利得返還請求権、共同海損分担請求権なども含まれ、保険給付を発生させる事象と同一の事象により被保険者が取得する債権であれば、その種類は問われないと解されている。

そして、請求権代位が認められるためには、保険者が保険給付を行ったことも必要である。保険者が被保険者に対して保険給付を行っていない限り、被保険者の損害がてん補されていないわけであるから、被保険者債権を保険者に取得させるのは妥当でない。ただし、保険者が負担額の全額を支払うことは必要ではなく、負担額の一部であっても保険給付を行えば代位は認められる。

請求権代位の要件が満たされるときは、その効果として、保険者は、被保険者債権について当然に被保険者に代位する。ここでいう「当然に」とは、代位による被保険者債権の移転が法の規定により当然に生じることを意味する。したがって、当事者の権利移転の意思表示は必要とされず、指名債権譲渡の対抗要件（民467条）も不要である。

(iii)　対応の原則　　被保険者が保険者から保険給付によるてん補を受けた場合に、請求権代位に基づいて保険者に移転する第三者に対する損害賠償請求権等は、保険による損害てん補と対応する部分に限られるものとされており、これは対応の原則とよばれている。この対応の原則について、保険給付が対象としている損害の他に、被保険者に損害が発生している場合（例えば、自動車事故で、車両本体の損害のほかに、代車費用などの損害が生じたが、保険は車両損害しか対象としていなかった場合など）に、保険給付が対象としていない損害も含めて代位の対象とすべきかかという論点があり、これを肯定する裁判例（神戸地判平10・5・21交民31・3・709、東京高判平30・4・25判時2416・34〔百選26〕など）も存在するが、判例（最判平24・2・20民集66・2・742〔百選44〕）は保険給付が対象としていない損害については、保険者の損害賠償請求権の取得を認めないという立場をとっている。また、対応の原則については、保険給付と損害は全体では対応しているといえるときに、全体で対応していれば足りるのか（積算額比較法）、それとも内部の損害項目間で対応していなければならないか（項目別比較法）という問題がある。これについては、項目別比較法を採用していると思われる裁判例（東京高判平20・3・13判時2004・143〔百選（初版）42〕）もあるが、積算額比較法を採用していると思われる裁判例（前掲最判平24・2・20、東京地判令2・6・29金判1602・40〔百選 A4〕など）の方が、特に、人身傷害保険のように人的損害を保険給付の対象とする保険契約の事例において多く存在している。

(iv)　代位取得する被保険者債権の額　　保険者は、保険給付を行ったときは、保険給付の額か被保険者債権の額（保険給付額がてん補損害額に不足するときは、被保険者債権の額から当該不足額を控除した残額）のうち、いずれか少ない額を限度として、被保険者債権の額について当然に被保険者に代位する（25条1項）。保険給付の額がてん補損害額に不足するときは、被保険者は被保険者債権のうち保険者が代位した部分を除いた部分について、保険者の債権に先立って弁済を受ける権利を有する（同条2項）。

図表3－1　全部保険の場合における保険者の代位取得額

全部保険で、被保険者債権の額と損害額が同額の場合

	損害額	保険給付額	被保険者債権額	保険者の取得額
全　損	1000万円	1000万円	1000万円	1000万円
分　損	500万円	500万円	500万円	500万円

全部保険で、被保険者債権の額が（過失相殺等により）損害額よりも低い場合

	損害額	保険給付額	被保険者債権額	保険者の取得額
全　損	1000万円	1000万円	800万円	800万円
分　損	500万円	500万円	400万円	400万円

この規定によると、全部保険の場合は、被保険者が有する第三者に対する損害賠償請求権などの被保険者債権の額と実際の損害額が同額である場合も、被保険者債権の額が損害額よりも低い場合も、保険給付を全額行った保険者は被保険者債権の額を代位取得することになる。これは保険の目的物が全損した場合であっても分損した場合であっても変わらない。例えば、Ａが所有する保険価額1000万円の目的物に、保険者Ｂとの間で保険金額1000万円の損害保険契約を締結したとしよう。この目的物がＣの不法行為により全損した場合、ＡはＣに対して不法行為に基づき1000万円の損害賠償請求権（被保険者債権）を取得する。ＢがＡに1000万円の保険金を支払ったとき、Ｂの支払った保険給付の額と被保険者債権の額は同じ1000万円であるから、Ｂは1000万円の被保険者債権を取得する。また、Ｃの不法行為によりこの目的物に500万円の損害（分損）が発生した場合、ＡはＣに対して500万円の損害賠償請求権を取得する。ＢがＡに500万円の保険金を支払ったとき、Ｂの支払った保険給付の額と被保険者債権の額は同じ500万円であるから、Ｂは500万円の被保険者債権を取得する。次に、同じ保険契約をＡが締結している状況で、Ｃの不法行為により当該保険の目的物が全損したが、Ａにも２割の過失があると認定された場合を考える。過失相殺によりＡはＣに対して800万円の損害賠償請求権（被保険者債権）を取得する。ＢがＡに1000万円の保険金を支払ったとき、Ｂの支払った保険給付の額と被保険者債権の額を比較すると被保険者債権のほうが少ない額なので、Ｂは800万円の被保険者債権を取得する。また、Ｃの不法行為

図表3－2　一部保険の場合における保険者の代位取得額

一部保険で、被保険者債権の額と損害額が同額の場合

	損害額	保険給付額	残額	保険者の取得額
全損	1000万円	500万円	500万円	500万円
分損	500万円	250万円	250万円	250万円

一部保険で、被保険者債権の額が（過失相殺等により）損害額よりも低い場合

	損害額	保険給付額	残額	保険者の取得額
全損	1000万円	500万円	300万円	300万円
分損	500万円	250万円	150万円	150万円

によりこの目的物に500万円の損害（分損）が発生したが、Ａにも２割の過失があると認定された場合を考える。過失相殺によりＡはＣに対して400万円の損害賠償請求権を取得する。ＢがＡに500万円の保険金を支払ったとき、Ｂの支払った保険給付の額と被保険者債権の額を比較すると被保険者債権のほうが少ない額なので、Ｂは400万円の被保険者債権を取得する。このように全部保険の場合、保険者は常に請求権代位により被保険者債権の額を取得することになる。

一方で、一部保険の場合は、被保険者が有する第三者に対する損害賠償請求権などの被保険者債権の額と実際の損害額が同額である場合には、保険者は保険給付の額と同額の債権を代位取得することになるが、被保険者債権の額が損害額よりも低い場合、てん補損害額から被保険者債権の額を控除した残額のみを代位取得することになる。例えば、Ａが所有する保険価額1000万円の目的物に、保険者Ｂとの間で保険金額500万円の損害保険契約を締結したとしよう。この目的物がＣの不法行為により全損した場合、ＡはＣに対して1000万円の損害賠償請求権を取得する。この場合、一部保険であるので比例てん補方式に従いＢがＡに500万円の保険金を支払ったとき、保険給付額がてん補損害額に不足するので、Ｂの保険給付の額500万円と比較すべきは、被保険者債権の額1000万円からてん補損害額に不足する額500万円を控除した残額500万円となるが、同額であるのでＢが代位取得する債権の額は保険給付の額と同額の500万円ということになる。また、Ｃの不法行為によりこの目的物に500万円の損害が発生した場合（分損の場合）、ＡはＣに対して500万円の損害賠償請求権

を取得する。この場合、一部保険であるので比例てん補方式に従いＢがＡに250万円の保険金を支払ったとき、保険給付額はてん補損害額に不足するので、Ｂの保険給付の額250万円と比較すべきは、被保険者債権500万円からてん補損害額に不足する額250万円を控除した残額250万円となるが、同額であるのでＢが代位取得する債権の額は保険給付額と同額の250万円ということになる。これに対して、同じ保険契約をＡが締結している状況で、Ｃの不法行為により当該保険の目的物が全損したが、Ａにも２割の過失があると認定された場合を考える。過失相殺によりＡはＣに対して800万円の損害賠償請求権（被保険者債権）を取得する。この場合、一部保険であるので比例てん補方式に従いＢがＡに500万円の保険金を支払ったとき、保険給付額はてん補損害額に不足するので、Ｂの保険給付の額500万円と比較すべきは、被保険者債権800万円からてん補損害額に不足する額500万円を控除した残額300万円となる。前者よりも後者のほうが少ない額であるので、Ｂが代位取得する債権の額は保険給付の額よりも少ない額である300万円ということになる。また、Ｃの不法行為によりこの目的物に500万円の損害（分損）が発生したがＡにも２割の過失がある場合、過失相殺によりＡはＣに対して400万円の損害賠償請求権を取得する。この場合、一部保険であるので比例てん補方式に従いＢがＡに250万円の保険金を支払ったとき、保険給付の額はてん補損害額に不足するので、Ｂの保険給付額250万円と比較すべきは、被保険者債権400万円からてん補損害額に不足する額250万円を控除した残額150万円となる。前者よりも後者のほうが少ない額であるので、Ｂが代位取得する債権の額は保険給付の額よりも少ない額である150万円ということになる。

このように、一部保険において、過失相殺などにより被保険者債権の額が実際の損害額を下回る場合、保険給付を行った保険者は、保険給付の額と被保険者債権の額から不足額を控除した残額のうち、いずれか少ない額の範囲でしか被保険者債権を取得できない。したがって、被保険者は、一部保険の場合であっても、保険者からの保険給付に加え、第三者に対する損害賠償請求権のうち保険者の代位取得した部分を除いた部分を行使することにより、その損害全額を回復することができる。

平成20年改正前商法では、一部保険の場合において、被保険者債権の額が損害額を下回る場合に、保険者がどの範囲で代位取得できるかについて、主に絶対説、比例説、差額説の３つの見解が主張されていた（各学説については**コラム3－3**参照）。判例は「保険金額が保険価額（損害額）に達しない一部保険の場合において、被保険者が第三者に対して有する権利が損害額よりも少ないときは、一部保険の保険者は、填補した金額の損害額に対する割合に応じて、被保険者が第三者に対して有する権利を代位取得することができるにとどまるものと解するのが相当である」として比例説の立場をとった（最判昭62・5・29民集41・4・723〔損保百選33〕）。学説においても比例説をとるものが多く、比例説が伝統的通説であると考えられていた。しかし、実務においては多くの約款が差額説を採用していたという事情があり、学説においても差額説を支持する立場も有力であったため、保険法では差額説の立場を採用した（25条）。更に、保険法25条は片面的強行規定であるので、それに反する特約で、被保険者に不利な約定は無効となる（26条）。したがって、今日においては、絶対説や比例説を採用する約定などは原則として許されないと解されている。

⑶　**被保険者による被保険者債権の処分**　　請求権代位による被保険者債権の移転の時期は、保険者が保険給付を行った時であるから、保険者が被保険者に対し保険給付を行うまでは、被保険者は第三者に対する権利を処分する（譲渡したり放棄したりする）ことができる。しかし、被保険者に被保険者債権を自由に処分されてしまうと保険者は不利益を被ることになる。そこで、被保険者は保険者の代位による権利を保全するために協力する義務を負い、保険者の同意を得ずにその権利を譲渡したり放棄したりすることは許されず、仮にこれに違反した場合、保険者は、権利が保全されていたならば代位により第三者から取得することができたであろう金額を、支払うべき保険金の額から控除することができると解されている。したがって、被保険者が第三者に対する損害賠償請求権を放棄してしまうと、第三者からの損害賠償金だけでなく、保険者からの保険金も取得できないことになる。

これに関して、運送人と荷送人との運送契約における、運送人は保険に付された危険によって生じた損害について責任を負わない旨の条項（いわゆる保険利益享受約款）の効力が問題となった。判例は、このような条項が文字通り荷送人の損害賠償請求権の予めの放棄であると解すると、保険者はその金額にお

コラム3-3　一部保険の場合における請求権代位の適用範囲に関する学説の対立

平成20年改正前商法662条は、被保険者が一部保険の状況で、保険者が負担すべき保険金を全額支払った場合に、保険者の請求権代位がどの範囲に適用されるのかについて不明確であった。そのため、同条をどのように解釈すべきかについて、主に絶対説、比例説、差額説の３つの見解が示されていた。

絶対説は、保険者が全部保険の場合であろうと一部保険の場合であろうとその支払った保険金について被保険者の権利を代位取得することができるというものである。この説は同条１項が全部保険と一部保険を区別せずに支払った金額について代位を認めていることを根拠とする。比例説は、保険者は被保険者の第三者に対する損害賠償金に、保険金額の保険価額に対する割合で乗じたものを代位取得するというものである。この説の根拠としては、同項は、一部保険においてもその適用が認められるべきであるが、同条は第三者に対する被保険者の損害賠償額が損害額と同額の場合を前提とするので、損害賠償額が損害額に及ばない場合には一部保険の比例分担原則に従うべきであるというものである。差額説は、被保険者が保険金を受け取ってもなお損害が残る場合に、被保険者はその損害が完全にてん補されるまでは第三者に対する損害賠償金を優先的に受け取ることができ、被保険者が保険金と損害賠償金を得ることで損害額を超過する場合にはじめて超過部分につき保険者は代位取得できるというものである。差額説は、請求権代位は被保険者の利得を排除する範囲で機能すれば十分であるということを前提としている。

いて保険金の支払義務を免れ、荷送人は保険者から保険金の支払いを受けることができないことになるが、荷送人がそのような不利益かつ不都合な結果を引き起こすような意思表示をすることは通常考えられないので、この規定は保険金額を超える損害部分の賠償請求だけを放棄する旨の意思表示をしたにすぎないと判示した（最判昭43・7・11民集22・7・1489〔百選25〕、最判昭51・11・25民集30・10・960）。これにより、このような規定があったとしても、保険給付を行った保険者は荷送人の運送人に対する損害賠償請求権を代位取得できる。また、海上物品運送契約に関して、このような利益享受約款は損害賠償請求権の予めの放棄であると解した上で、強行法規である平成30年改正前商法739条に反するとして無効であるとした判例（最判昭49・3・15民集28・2・222〔損保百選36〕）もある（なお、現在の商法では739条2項において、運送人の損害賠償責任を減免する旨の特約は無効であると規定している)。

(4) **人身傷害保険と請求権代位**　不幸にも交通事故の被害者になった場合、損害の全額につき加害者から（又は加害者の加入する責任保険契約の保険金により）速やかに賠償してもらえれば、経済的には問題はないかもしれない。しかし、交通事故の場合、通常は示談が成立してからでなければ賠償金を受け取ることができず、また、被害者側にも過失があると判断された場合、過失分については自己負担ということになる。例えば、損害額が5000万円で過失割合が被害者2、加害者8であった場合、4000万円は加害者に賠償請求をすることができるが、1000万円については被害者が自己で負担することになる。そこで、このような場合に備えて、過失割合に関係なく、また示談交渉の終了を待つことなく実際に発生した損害額に対する保険金の支払いを受けることができる保険として開発されたのが人身傷害保険である。人身傷害保険は、被保険者が被保険自動車に搭乗中に（特約を付せば、他の車両の搭乗中や歩行中に）、自動車の運転に起因する急激かつ偶然な外来の事故により身体に傷害を被った場合に、保険給付を行う傷害保険契約である。人身傷害保険では、被害者である被保険者の迅速な救済を図るために、保険者独自の基準により損害額を算定する方法がとられており、その損害額（いわゆる人傷基準損害額）は、自賠責基準よりは高くなるものの、被害者が加害者に対して不法行為に基づく損害賠償を求める裁判を行った際に裁判所が算定する損害額（いわゆる裁判基準損害額）よりも低くなるという特徴がある。また、人身傷害保険は実損てん補型の傷害保険であるので、請求権代位の規定が適用される（約款上にも規定がある）。

そこで、人身傷害保険から保険金の支払いを受けた後になおてん補されていない損害がある場合、被保険者は、加害者に対して損害賠償請求権を行使することになると思われるが、過失相殺などにより、加害者に対して有する損害賠償請求権の額が裁判所の認定する損害額よりも低くなる場合、保険者はどの範囲で請求権代位が認められるかという問題がある。具体的な数値を用いて考えみよう。自らを保険契約者兼被保険者、保険金額5000万円の人身傷害保険を保険者であるＢ社と締結していたＡは、自動車を運転中にＣ運転の自動車に衝突され大ケガをしたとする。Ａはこの事故をＢに連絡すると、Ｂは独自に調査し、本件事故によるＡの損害を8000万円と算定し、保険金5000万円をＡに支払った。Aはその後、加害者であるCに対して不法行為に基づく損害賠償請求をし、その結果裁判所はAの損害額を1億円と認定したが、Aにも過失が2割あるとして、Cの損害賠償責任額を8000万円とした。このような場合に、保険者はどの範囲で被保険者の第三者に対する請求権を代位することになるか。これに関しては、主に人傷基準差額説と呼ばれる見解と裁判基準差額説と呼ばれる見解が主張されている。前者の人傷基準差額説は、保険会社は、支払った保険金と被保険者（被害者）が加害者から取得した損害賠償金の合計額のうち、人傷基準損害額を上回る額について、被保険者の加害者に対する損害賠償請求権を代位するというものである。この説を採用した裁判例として大阪地判平18・6・21判タ1228・292がある。前述の例であれば、Aの5000万円の保険金と8000万円の損害賠償金の合計額1億3000万円のうち、人傷基準損害額8000万円を上回る5000万円が保険者に代位されることになる。この説によると、保険金と損害賠償金のいずれを先に請求しても被害者が取得できる総額は変わらないので（ともに8000万円）、後者の説によると生じてしまう問題が生じないという利点はあるが、裁判基準損害額（1億円）が示されている場合でも人傷基準損害額（8000万円）を上回る額については保険者に代位されてしまうので、後者の説に比べて被保険者に不利であるといった問題がある。これに対して、後者の裁判基準差額説は、保険会社は、支払った保険金と被保険者（被害者）が加害者から取得した損害賠償金の合計額のうち、裁判基準損害額を上回る額について、被保険者の加害者に対する損害賠償請求権を代位するというものである。この説を採用した裁判例として東京地判平19・2・22判タ1232・128、東京高判平20・3・13判時2004・143〔百選（初版）42〕などがある。この説によると、Aの5000万円の保険金と8000万円の損害賠償金の合計額1億3000万円のうち、裁判基準損害額1億円を上回る3000万円が保険者に代位されることになる。被保険者（被害者）は裁判基準損害額である1億円まで回復できるので、人傷基準差額説（人傷基準差額説だと8000万円）よりも有利であるが、人身傷害条項には、先に加害者から損害賠償金を取得した場合、保険金の額は保険者の算定した人傷基準損害額から損害賠償金を差し引いた額である旨の定めがあることがあり、先に保険金を取得した場合に比べて被保険者に不利になることがあるといった問題があった。すなわち、被保険者が先に保険金を取得した場合、保険金と損害賠償金の合計額のうち裁判基準損害額を超える額について代位されるので、被保険者は1億円を回復することができるが、先に損害賠償金を取得した場合、被保険者は8000万円の損害賠償金を取得することになるので、保険金は支払われないことになる。

この問題に対し、判例は「保険金が支払われる趣旨・目的に照らすと、本件代位条項にいう『保険金請求権者の権利を害さない範囲』との文言は、保険金請求権者が、被保険者である被害者の過失の有無、割合にかかわらず、上記保険金の支払によって民法上認められる過失相殺前の損害額（以下『裁判基準損害額』という。）を確保することができるように解することが合理的である。そうすると、上記保険金を支払ったA（保険者：著者注）は、保険金請求権者に裁判基準損害額に相当する額が確保されるように、上記保険金の額と被保険者の加害者に対する過失相殺後の損害賠償請求権の額との合計額が裁判基準損害額を上回る場合に限り、その上回る部分に相当する額の範囲で保険金請求権者の加害者に対する損害賠償請求権を代位取得すると解するのが相当である」として裁判基準差額説の立場をとった（最判平24・2・20民集66・2・742〔百選44〕）。また、本判決では、被保険者が先に損害賠償金を取得したときは、人身傷害条項の規定を限定解釈し差し引くことができる金額は裁判基準損害額を確保するという「保険金請求権者の権利を害さない範囲」のものとすべきであるとの補足意見が述べられた。なお、現在の約款には、判決又は裁判上の和解において、人傷基準損害額を超える損害額（裁判基準損害額）が認められた場合には、その損害額を損害額とみなして人身傷害保険金を支払う旨の規定があるため、先に損害賠償金を取得したとしても、保険金を取得した後に損害賠償金を取得した場合と、受領する総額は変わらないことになる。したがって、現在ではこの問題は解消されている。

(5)　**保険給付と損益相殺**　　保険代位と関連する問題として、損害賠償における損益相殺の問題がある。すなわち、保険事故が第三者の不法行為や債務不履行によって生じたことにより被保険者に給付される保険金は、被保険者の利益とみなし、損益相殺として第三者が被保険者に対して負う損害賠償額から控除されるか否かという問題である。これに関して、火災保険の事例において、判例は「家屋焼失による損害につき火災保険契約に基づいて被保険者たる家屋所有者に給付される保険金は、すでに払い込んだ保険料の対価たる性質を有し、たまたまその損害について第三者が所有者に対し不法行為又は債務不履行に基づく損害賠償義務を負う場合においても、右損害賠償額の算定に際し、いわゆる損益相殺として控除されるべき利益にはあたらない」と判示している（最判昭50・1・31民集29・1・68〔百選（初版）25〕）。損害保険の場合、保険者が被保険者に対して保険給付を行えば、被保険者の第三者に対する損害賠償請求権は支払われた保険給付の額だけ保険者に代位されるので、重複補償の問題も生じない。また、生命保険の事例においても、判例は、支払われる保険金は既に払い込まれた保険料の対価の性質を有し、不法行為の原因と関係なく支払われるものであるから、第三者の不法行為により被保険者が死亡したためにその相続人に死亡保険金や傷害給付金の給付がなされたとしても、これを不法行為による損害賠償額から控除すべきではないとしている（最判昭39・9・25民集18・7・1528〔百選92〕）。定額保険では利得禁止原則が適用されないので、保険金と損害賠償金の両方を取得したとしても問題はない。このように判例は控除を否定する立場をとっており、学説も損益相殺の対象となる利益に該当しないとする立場が支配的である。

これに対して、定額給付型の傷害保険である自動車保険における搭乗者傷害保険については損益相殺を認めても良いのではないかという見解がある。例えば、Ａが運転する自動車にＢを同乗させていたところ、Ａの過失により事故が起こりＢが死亡したという事例において、Ａが加入していた自動車保険の搭乗者傷害保険によりＢの遺族に搭乗者傷害保険金が支払われた後に、Ｂの遺族がＡに対して損害賠償請求をしたとしよう。この場合、搭乗者傷害保険はＡが保険料を支払っていたものであり、それによりＢの遺族に保険金が支払われたのであるから、損害賠償額に充当されても良いのではないかと思われる。しかし、判例は、搭乗者傷害保険が定額保険であることを重視して、Ａの損害賠償額から保険金の額を損益相殺として控除することはできないという立場をとっている（最判平7・1・30民集49・1・211〔百選41〕）。ただし、一般的な裁判実務では、搭乗者傷害保険金の支払いは慰謝料の額の算定において斟酌しているようであるので、実質的には損益相殺を部分的に認めているものと解される。

5　保険者の免責

⑴　**総　説**　保険者は、原則として、保険期間中に保険事故が発生し、それにより損害が生じた場合に保険給付を行うが、例外的に、保険者が免責となる事由を保険法及び約款で定めている。前者を法定免責事由、後者を約定免責事由という。

⑵　**法定免責事由**

(i)　総　説　保険者は、保険契約者又は被保険者の故意又は重大な過失によって生じた損害をてん補する責任を負わない（17条1項）。故意又は重過失が免責とされる根拠としては、不当に利得する目的の有無にかかわらず故意の事故招致の誘発は公益に反する、故意に保険金請求の要件を満たす行為は信義則に反する、故意・重過失による事故は危険が大きいので保険運営上このような危険を保険会社は引き受けないのが通常であるというものがある。

(ii)　故意免責　故意免責における故意とは、自己の行為が保険事故を生じさせることを知りながら行為をなすことを意味し、保険金取得の意思の有無を問わないとされる。このようにいわゆる確定的故意を意味することに異論はないが、未必の故意が含まれるか否かについては見解の相違がみられる。学説においては、自動車損害賠償保障法（以下「自賠法」という）14条の法定免責事由と同一の意味で解釈すべきことを理由に故意免責条項には未必の故意は含まれないとする見解、結果発生の可能性を認識しこれを認容した場合に故意が認められるとする刑法上の認容説の立場から、未必の故意も故意免責条項における故意に含まれるとする見解、故意免責が認められるためには、結果発生の蓋然性が高いことを要し、そのことを認識していた限りで故意に該当し、未必の故意という概念を持ち出す必要はないとする見解がある。下級審裁判例では、未必の故意を認めるものも見受けられる（東京高判昭63・2・24判時1270・140、神戸地尼崎支判平3・2・19判時1414・106など）。これに対して、最高裁の立場は明らかでない。最判平4・12・18判時1446・147は、自動車保険の被保険者が女性と車両内にいたところを女性の夫に発見され、その場から逃れようとしたが女性の夫に立ちふさがれたため、そのまま車両を発進すれば車体を同人に衝突させて傷害を負わせる可能性が高いことを認識しながら、それもやむを得ないと考え、その場を逃れたい気持ちからあえて車両を発進させた結果、同人に傷害を負わせた事案において、本件事故による傷害は故意免責条項における保険契約者・被保険者の故意によって生じた損害に当たり、保険者の免責を認めたという事案であるが、同判決については免責条項にいう故意に未必の故意が含まれることを明らかにしたものであると評価する見解もある。しかし、同判決ではこの点に関して明確に言及していないことから、最高裁は免責条項にいう故意の解釈に刑法上の概念である未必の故意を持ち込むことに関して消極的に考えていると解されている。

また、故意の対象となる事実についても見解の対立がある。保険法は「故意によって生じた損害」を免責事由として規定していることから、故意の対象となる事実は損害それ自体であるとする見解と、故意は保険事故の発生原因であり、故意によって生じた保険事故による損害が免責事由であるとする見解がある。例えば、傷害を与える意思はあったものの死亡させるつもりはなかったのに死亡させてしまった場合、前者の見解であれば故意に該当しないが、後者の見解であれば故意に該当する。これに関して、最判平５・３・30民集47・４・3262〔百選35〕は「傷害と死亡とでは、通常、その被害の重大性において質的な違いがあり、損害賠償責任の範囲に大きな差異があるから、傷害の故意しかなかったのに予期しなかった死の結果を生じた場合についてまで保険契約者、記名被保険者等が自ら招致した保険事故として免責の効果が及ぶことはない、とするのが一般保険契約当事者の通常の意思に沿うものというべきある」とし、また、このように解しても、保険契約当事者間の信義則や公序良俗といった免責条項の趣旨を没却することにはならないとして、免責を否定した。

故意の立証責任は保険者が負うが、その立証は極めて困難である。そこで、実際には、様々な間接事実から故意を推認する方法をとっている（大阪地判平９・６・13判時1613・144、東京地判平24・３・27判時2158・132など）。

保険法17条は任意規定であるので、約款で故意免責の適用を排除する規定を設けることも可能である。ただし、故意の事故招致であっても保険金を支払う旨の規定が認められるのは合理的な理由がある場合に限られ、公序良俗に反するような場合はその規定の効力は否定されると解される。

(iii)　重過失免責　　保険法では、保険契約者又は被保険者の重過失についても免責事由としている。この重過失の意義について、学説では、ほとんど故意に近い注意欠如であるとする見解がある。これは保険者による故意の立証が困難な場合が多いため、故意の立証の困難を緩和するために、重過失を故意の代替概念として用いることができるようにするために、重過失も免責事項として定めたという考えに基づく。そして、このような立場をとる下級審裁判例も存在する（例えば、東京高判平4・12・25判時1450・139〔損保百選13〕、東京地判平15・6・23金判1175・2など）。これに対して、重過失の意義について、故意に近い注意欠如と解する必要はなく、一般人に要求される注意義務を著しく欠くことで足り、故意が高度に疑われる場合に限り重過失免責を適用するというような限定的な解釈をすべきではないとの見解も有力に主張されている。また、民事法上の重大な過失については、ほとんど故意に近い注意欠如の状態を指すと解されており、保険法の重過失だけ特異に解すべき理由はないので、重過失の核となる概念は（ほとんど故意に近い）著しい注意欠如の状態を指すものと解すべきであるが、「ほとんど故意に近い」という部分は著しい注意欠如の状態をわかりやすくするための比喩的表現であるという見解もあり、これは後者と同旨の立場であろう。

なお、責任保険契約については、①被保険者が不法行為などにより損害賠償責任を負った場合に備えて締結されるものであり、保険契約者等に重過失があった場合に保険給付が行われないことになると、保険契約を締結した目的が十分に達成できなくなること、②被害者のための保険としての機能もあり、保険契約者等に重過失がある場合でも保険給付を行うこととしたほうが被害者の保護に資すること、③実務上も保険契約者などの重過失を保険者の免責事由としていない契約が多いことなどを踏まえ、保険法では、保険契約者又は被保険者の重大な過失を法定の免責事由から除外している（17条2項）。

(iv)　第三者の事故招致　　保険契約者又は被保険者以外の者の故意・重過失による事故招致の場合であっても、保険者免責とすべき場合があるかという問題がある。例えば、法人が保険契約者等である場合の法人の機関や従業員による事故招致、被保険者と特別な関係にある第三者による事故招致の場合などがこれに当たる。これに関して学説では、保険契約者又は被保険者に代わって保険の目的物を事実上管理する地位にある者の故意又は重過失は、保険契約者又は被保険者の故意又は重過失と同視すべきであるとする見解（代表者責任論。札幌高判平11・10・26金判1099・35参照）や、保険事故を招致した者が被保険者に保険金を取得させる意図を有していた場合に保険者免責とすべきであるとする見解がある。

裁判例としては、特別な事情の下で被保険者の妻・母の重過失による火災につき保険者免責を認めた事例（仙台地判平7・8・31判時1558・134）や、会社の経営に大きくかかわっていた経営コンサルタントによる放火に基づき会社が保険金請求を行うことは信義則に反するとした事例（福岡地判平11・1・28判時1684・124）、建物の実質的所有者の故意による事故招致を被保険者の故意による事故招致と同視し得るとした事例（東京高判令2・2・27金判1594・8〔百選20〕）などがある。

約款では、法人につき、法人の「理事、取締役または法人の業務を執行するその他の機関」による事故招致を免責と定めている。これに関して、保険契約者である有限会社の破産宣告時の取締役の放火により保険の目的物である建物が焼失したという事案である最判平16・6・10民集58・5・1178〔百選19〕は、「本件免責条項が……保険契約者または被保険者が法人である場合における免責の対象となる保険事故の招致をした者の範囲を明確かつ画一的に定めていること等にかんがみると、本件免責条項にいう『取締役』の意義については、文字どおり、取締役の地位にある者をいうものと解すべきである」と判示している。したがって、理事や取締役の地位にある者は、業務執行権限の有無や目的物の実質的管理の有無にかかわらず、免責の対象となる。

(v)　戦争その他の変乱　　戦争その他の変乱によって生じた損害についても、保険者はてん補責任を負わない（17条1項後段）。ここでいう戦争とは、宣戦布告の有無にかかわらず、国家間又は交戦団体の交戦状態をいう。また、その他の変乱とは、内乱や一揆、暴動などの人為的騒乱の状態を指す。

戦争その他の変乱によって生じた損害を保険者免責とする理由としては、このような損害の発生する確率を測定することが困難であること、一旦戦争などが起きてしまうと巨大な損害が発生する可能性があり、通常の保険料率ではこれらの損害を引き受けることができないことが挙げられる。このように保険者の運営上の理由により戦争その他の変乱は法定免責とされているので、特別保険料を徴収してこれらの危険を引き受ける特約は有効であると解されている。

⑶　約定免責事由

(i)　地震免責　　火災保険では、①地震若しくは噴火又はこれらによる津波によって生じた損害、②地震若しくは噴火又はこれらによる津波によって発生した火災が延焼又は拡大して生じた損害、③発生原因が何であるかにかかわらず、火災がこれらの事由によって延焼又は拡大して生じた損害は保険者免責となる、いわゆる地震免責条項が規定されている。通常の火災保険において地震損害を免責とする理由は、地震による損害は巨大になるおそれがあり、かつ地震の可能性の予測は困難であること、また、通常の火災保険で地震損害を担保するとなると保険料がかなり高額になることからである。①②③における「によって」の文言はいずれも相当因果関係を意味するというのが通説・判例の立場である。すなわち、①②類型では、地震又はこれによる津波と火災の発生との間に、③類型では、地震又はこれによる津波と延焼又は拡大との間に、相当因果関係があることが必要である。このような因果関係が争われた裁判例は多数存在するが、因果関係を認めた事例としては大阪地判平9・12・16判時1661・138、神戸地判平11・4・28判時1706・130、函館地判平12・3・30判時1720・33などがあり、認めなかった事例としては神戸地判平10・4・27判時1661・146、神戸地尼崎支判平10・8・10金判1048・13、大阪高判平12・2・10判タ1053・234などがある。

(ii)　酒気帯び運転免責、薬物免責　　自動車保険における搭乗者傷害保険や人身傷害保険、車両保険には「被保険者が、酒気を帯びて（道交65条1項違反又はこれに相当する状態）自動車又は原動機付自転車を運転している場合に生じた損害」について保険者を免責とする酒気帯び運転免責条項がある。ここでいう「酒気を帯びて」とは、酒気帯び運転を禁止する道路交通法65条1項と同様に、社会通念上酒気を帯びているといわれる状態、すなわち、その者が身体に通常保有する程度以上にアルコールを保有していることが、顔色、呼気等の外観上認知できる状態にある場合を意味するものと解されている。酒気帯び運転免責条項の適用に関する近時の裁判例としては、東京地判平23・3・16金判1377・49、名古屋高判平26・1・23金判1442・10、名古屋地判平27・3・25判時2261・186、大阪高判令元・5・30判タ1469・89、金判1577・8〔百選43〕などがある。

また、自損事故保険や無保険車傷害保険、搭乗者傷害保険、車両保険、人身傷害保険には、麻薬、大麻、あへん、覚せい剤、シンナーなどの影響により正常な運転ができないおそれのある状態で運転している場合に生じた損害について保険者の免責を認める薬物免責条項もある。ここでいう「正常な運転ができないおそれのある状態」であるか否かは、運転の具体的状況などに照らし客観的に判断されるべきであり、運転手自身がそのような状態にあったことを認識している必要はなく、運転手が薬物を体内に保有しながら運転していることを認識していれば足りると解されている。これに対して、違法性のない薬物については、自動車の運転を控えるよう医師に明確に注意されていたり、通常はその薬物を使用すれば正常な運転ができないおそれがあることが認識されるものであることを要するという見解もある。薬物免責条項の適用に関する近時の裁判例としては、静岡地沼津支判平21・11・30判時2074・151、前掲・東京地判平23・3・16、名古屋高判平25・7・25判時2234・115などがある。

4　損害保険契約の終了

自分の家を他人に売却する場合のように、損害保険契約の締結後に被保険者が保険の目的物を譲渡することがある。保険の目的物の譲渡により、当該目的物の所有権が譲受人に移転することになれば、譲渡人である被保険者は通常被保険利益を失うので当該保険契約は無効となる。したがって、譲受人が当該譲渡の目的物に対して保険の利益を得たければ、譲受人は新たに保険契約を締結する必要がある。しかし、譲受人の下でも当該保険契約を継続することができるのであれば、譲渡人は支払った保険料の分を譲渡代金に含めることで譲受人から当該保険料を回収することができるし、譲受人は譲渡の目的物が無保険状態になることを避けることができるため、保険契約を消滅させずに継続することができるのであればそのほうが望ましいといえる。

これに関して、平成20年改正前商法650条1項では、保険の目的物が譲渡されたとしても保険関係は消滅せず、保険契約に基づく被保険者の権利は譲受人に譲渡されたものと推定すると規定されていた。しかし、保険実務では、目的物の譲渡をした被保険者に、保険者への通知と保険証券への承認裏書を求める

コラム3－4　テロ保険の必要性

保険会社は、巨大リスクに対しては再保険などを利用して危険分散を行っており、以前はテロリスクについても再保険を利用して通常の保険料で引き受けていた。しかし、2001年９月11日のアメリカ同時多発テロ以降、再保険会社は一定規模以上の巨額物件を対象とする損害保険契約においてテロを免責とするか、高額の保険料の支払いを求めるようになった。これにより、国内の元受保険会社も、一定規模以上の巨額物件を対象とする保険契約では原則としてテロリスクを免責としている。これに対して、諸外国では政府の支援するテロ保険制度や再保険、資金プール、ファンドなどを利用してその対策がなされている。テロへの対応が不十分であると、国際的な信用力を失うだけでなく、国内企業の経済活動にも停滞を招き、国民生活においても重大な支障をきたすことになる。近年、我が国でも、テロ保険の販売を開始した保険会社も現れるなど、テロ対策はなされつつあるが、諸外国の制度や地震又は原子力の再保険制度などを参考にして、我が国もこの問題に対して十分な対策を講じる必要があろう。

ちなみに、海外旅行等の際に利用する海外旅行傷害保険では、戦争や革命などの戦争危険による損害については保険者免責としているが、テロ行為による損害についてはテロ補償特約により保険金が支払われる。

のが通常であった。

そこで、保険法では、平成20年改正前商法のような保険の目的物の譲渡に関する特別の規定を設けることはせず、保険の目的物の譲渡に伴い、保険契約を失効させるか、それとも譲受人の下で継続させることができるのかは個別の契約に委ねることとした。約款では、一般的に、保険契約の締結後に被保険者が保険の目的物を譲渡した場合、原則として保険契約は効力を失い、当該保険契約の権利及び義務は譲受人に移転しないが、保険契約者が当該保険契約の権利及び義務を譲受人に譲渡することを予め書面などで保険者に通知し承認の請求を行い、保険者がこれを承認した場合は、保険の目的物が譲渡された時に譲受人に移転されると規定している。

5　損害保険契約各論

1　火災保険契約

(1)　はじめに　一般的に火災保険契約という場合、火災という保険事故を想定するが、火災のみを保険事故とする火災保険は販売されていない。火災を含めた広い範囲での災害とそれに伴う費用をてん補する火災保険が保険者によって引き受けられている。保険者によって災害の対象は異なり、狭義では、火災、落雷、破損・爆発、広義では、それらに加え一定の風災・雹災・雪災が災害に含まれている。更に、家財等の盗難等広範な範囲の損害をてん補する住宅総合保険等もある。

費用は損害防止費用の他、一定の災害時の臨時費用、残存物の片付け費用、失火見舞費用、災害時の傷害費用等がてん補の対象となっている。

(2)　火災保険契約の意義・種類　最狭義の火災保険契約は、火災という災害を保険事故としてそれと相当因果関係のある損害とそれに伴う費用をてん補する保険契約を意味する。保険法上、火災の定義はなく、社会通念や保険契約者の一般的理解により火災を定義することになると解される。火災保険の種類としては、①住宅火災保険、②普通火災保険、③住宅総合保険、④店舗総合保険、⑤団地保険、等がある。

(3)　火災保険における損害てん補の特則　火災保険契約においては、保険の目的物に保険事故である火災が発生していないときでも、消火、避難その他の消防の活動のために必要な措置によって当該保険の目的物に損害が生じたときには、保険者はその損害をてん補しなければならない（16条）。

保険の目的物の近隣に火災が発生し、その消火活動の一環として延焼等を防ぐため、近隣の建物に防水その他の消防活動に必要な措置によって当該保険の目的物に損害が発生することがある。このような損害は火災事故による直接損害ではなく、また保険の目的物自体に生じた損害であることから、損害防止費用（13条・23条1項2号）にも該当しない。この場合、消火その他の消防活動のために必要な措置をとらなければ、被害の拡大をもたらすことになることから、保険法において特則を設け、保険者のてん補する損害に含めることとしている。

⑷　**保険事故の意義**　保険事故となる火災に関しては保険法及び約款においても定義は設けられてないことから、一般的な意味、すなわち、社会通念上の意味と同様に解されることになる。保険の目的物に落雷が生じそれに引き続き火災が生じた場合も、火災事故として火災保険の対象となる。しかし落雷が生じた保険の目的物に物理的な損害が発生した場合、その損害がてん補されないこととなると衡平を欠くことから、火災とは別に約款において落雷による損害も保険事故としててん補対象となっている。落雷による損害には直接雷自体の衝撃損害と直撃雷の波及損害がある。後者の波及損害としては、隣家に落雷してそのショックで保険の目的である家屋の窓ガラスが破壊された場合、屋外の変圧器が破損したために、その異常電圧によって保険の目的であるテレビが損害を被った場合、が含まれるものと解されている。送電線に落雷を受けた際に、その送電線を自動的に電力系統から切り離し、他の送電線からの送電を継続することにより、停電を防止する際に、切り離しが完了するまでに一瞬電圧が低下する現象である瞬時電圧低下によりパソコンのネットワークに接続されたハードディスクに損傷を生じさせたことが、店舗総合保険普通保険約款にいう「落雷によって生じた損害」に該当するかが争われた高松高判平28・1・15判時2287・57〔平成28年度重判商法12〕があるが、当該損害は落雷という保険事故には該当しないと判断する。

⑸　**地震免責条項と地震保険**　一部の建物共済契約を除き、一般的な損害保険契約においては約款において地震による損害はてん補対象としない免責条項が置かれている。

巨大リスクのため、通常の保険料ではてん補対象から除外し、地震保険や、追加保険料の支払による特約による復活担保等で、地震による損害の一部をてん補できるような制度設計とされている。個人向け火災保険における地震保険においては、政府の再保険制度がある。

⑹　**保険担保**　債権者が債務者に融資等を行う場合、債務者が所有する建物に質権設定を行う場合がある。その場合に、当該建物に火災事故が発生した場合に、債権の担保となる建物が火災等によりその担保価値を失う場合に備えて、保険担保の一種として火災保険が利用される場合がある。

(i) 物上代位　債務者が抵当権を設定した建物を保険の目的物とする火災保険契約を締結していた場合、当該建物が焼失したとき、抵当権による物上代位（民372条・304条）が保険金請求権にも及ぶことになるかに関して、判例・学説上対立がある。判例及び通説は、肯定的に解する（最判平22・12・2民集64・8・1990〔平成23年度重判民法6〕）。

物上代位による優先弁済が認められるためには、目的となる金銭等の支払い前に差押えが必要となる（民304条1項但書）。

当該差押は抵当権者により行われる必要があるのか、あるいは、他の債権者が転付命令を得たような場合にも認められるのか、について議論がある。

差押えと質権の対抗要件である承諾・通知の先後によるのか、抵当権の対抗要件である登記と質権の対抗要件である承諾・通知の先後によるのか、について見解の対立がある。

(ii) 保険金請求権の質入れ　保険金請求権に設定する質権は権利質（民362条）の一種と解されている（債権質）。

第三債務者である保険者への対抗要件は、保険者への通知又は保険者の承諾による（民364条・467条）。

実務上は、保険者が作成した「質権設定承諾請求書」という定型書式を用いて行われる。

保険者以外の第三者に対抗するためには確定日付のある証書による通知又は承諾が必要となる。

質権者は債権を直接取り立てることができる（民366条1項）。取立てができるのは、被担保債権額に限られる（同条2項）。

質権設定者は質権の目的である債権を消滅させない義務を負い、債権の放棄、免除、相殺等は質権者に対抗できないと解されている。

継続の度に、質権設定のための手続き（対抗要件手続を含む）を行う必要があるか議論がある。多数説は継続契約、更改契約は旧契約と同一性がないから質権は引き継がれないと解する。そのため、実務では質権設定承認請求書に継続契約上も保険金請求権にも質権を設定する旨の文言を入れる等の対応を行っている。

質権設定方式に関しては、①債務者が保険契約を締結する等の非協力的な場合には質権設定がそもそも行えない、②債務者に起因する事由による保険者免責、契約無効等が質権者にも対抗される、③債務者が別に保険契約を締結していた場合に、重複保険契約の規制を受け、質権者が受け取れる保険金の支払いが減少することや、場合によっては他社の保険者が損害を全額てん補したときには、質権者は保険金の支払いを受けられないことも考えられる、④抵当物の譲渡がなされ、譲受人が旧契約を引き継がず、新契約に加入した場合には、旧契約は失効し、質権も失効してしまう、という問題がある。

(iii)　抵当権者特約条項　　債権保全のために、抵当権者が抵当物（保険の目的物）の所有者を被保険者とする火災保険契約に基づく保険金請求権を譲受ける場合には、その対抗要件として債務者たる保険者の承認を得る際には、保険者と抵当権者の間で交わされる約定のことをいう。

(iv)　債権保全火災保険　　抵当権者自身が保険契約者兼被保険者となって、抵当物（保険の目的物）の滅損による被担保債権の損失をてん補するという内容の火災保険契約を保険者と締結する場合がある。この火災保険契約を「債権保全火災保険契約」という。

被担保債権の損失額は抵当物（保険の目的物）の損害額に基づき算定される。

2　責任保険契約

(1)　**責任保険契約の社会的機能**　　損害保険契約の下位類型として責任保険契約（17条2項括弧書）がある。責任保険契約は契約上の債務不履行責任や不法行為に基づく損害賠償責任を負うことになった者が、その賠償債務を支払ことによって生じる財産的な損失をてん補する機能を有する。他方、相手方である賠償請求権者にとっては賠償義務者からの賠償金支払を確保するという機能を有する。交通事故をはじめとして各種の事案における被害者への賠償資力を確保する目的で、法律上賠償責任保険の加入が義務付けられる場合や、近時は条例、学校の規則等で一定の事故に備えて賠償責任保険の加入を義務付けるなどの動きもあり、社会的にも重要な制度の一部となっている。

(2)　**責任保険契約の意義・種類**　　責任保険契約とは、被保険者が第三者に対して損害賠償の責任を負うことによって生じることのある損害をてん補することを目的とする保険契約である（保険17条2項括弧書）。

責任保険契約の種類は多種多様なものがあり、自賠責保険契約、自賠責保険契約の上積み保険である自動車保険契約の対人賠償責任保険、自賠責保険では対象外となる対物賠償責任をてん補する自動車保険契約の対物賠償責任保険、個人賠償責任保険、企業を対象とする生産物賠償責任保険、専門家を対象となる各種の専門家賠償責任保険等、がある。

(3) 責任保険契約における保険事故、保険価額　賠償責任保険の対象となる賠償事故が生じる場合、いくつかの時間的な段階を経ることになる。すなわち、①第三者（被害者）の損害の原因となる事故の発生、②第三者（被害者）の損害、③被保険者に対する賠償請求、④損害賠償額の確定、⑤損害賠償金の第三者（被害者）への支払い、である。この過程の中のどの時点をもって保険事故とするかについては、学説上見解が分かれているが、責任保険一般について保険事故を統一的に論じることは実益がないという指摘もある。

交通事故のように原因事故の発生が明確なものであれば原因事故の発生を保険事故とすることでもよい。多くの個人向けの責任保険では約款において、第三者に法律上の損害を与える事故の発生（原因事故の発生）をもって保険事故とする発生事故方式が採用されている。しかし医療過誤のように原因事故である手術がなされて数年後に医療過誤の事実が発見される場合もある。この場合、原因事故を保険事故とすれば時効との関係で責任保険が機能しないことも考えられる。そのため原因事故を保険事故とするのではなく医療過誤の発見を保険事故とする発見事故方式、あるいは被害者が被保険者に対して損害賠償請求をしたことをもって保険事故とする請求事故方式のように、実務では、各種の責任保険の特別約款において保険事故が明定されている。個人賠償責任保険における日常生活事故と業務性が争点となった東京高判令4・2・15（令和3年(ネ)第3230号保険金請求控訴事件）ウエストロー・ジャパン文献番号2022WLJPCA02156010がある。

被保険者が法律上の賠償責任を負う場合の賠償額を予め算定することができないため、賠償責任保険は物保険とは異なり被保険利益の評価額である保険価額を概念することはできない。

(4) 責任保険契約の効果　責任保険は損害保険の一種であり、被保険者が被害者に対して損害賠償金を支払うことによって被る経済的な損失をてん補する

コラム3-5　責任保険における保険事故概念

責任保険契約の保険事故を原因事故の発生若しくは法律上の損害賠償責任を追及されるおそれを発見したときとする発見事故方式、又は被害者から被保険者に対して損害賠償請求がなされたときとする請求事故方式とする場合、事故の発見又は損害賠償請求されたときには、既に保険契約期間が終了していたときには、保険契約に基づき損害がてん補されないという問題が考えられる。例えば、数年前に実施された開腹手術においてガーゼを取り忘れ、数年後に腹痛等の症状が出て、その原因が発見されたが、既に当該医者や病院は廃業されていた。当該手術がなされた当時から廃業までは医師賠償責任保険は継続的に締結されていたが、廃業とともに契約は終了している場合である。このような発見事故方式又は請求事故方式の問題に関して、約款においては、契約終了後3年等の一定期間においても保険期間として保険保護の対象となるよう特約等においては対応がなされている。

また保険契約締結前の原因事故に関しても約款上てん補範囲としない旨の約款条項を置くなどして対応がなされている。

ものであり、被害者の救済は責任保険の反射的効果と解することになる（東京地判平14・3・13判時1792・78参照）。

この責任保険契約の効果から考えれば、被保険者の賠償支払額が確定して、実際に、被保険者が賠償請求権者に支払がなされた後に、被保険者の経済的損失が発生しそれをてん補することになるため、責任保険の支払要件として被保険者の賠償請求権者に対する賠償金の支払が要件となってしまう。しかし被保険者の賠償義務の先履行を要件とした場合、被保険者に賠償資力がない場合には責任保険金の支払要件が充足できないことになる。また加害者の賠償資力の確保を目的とする責任保険の被害者保護という機能面からも問題となる。そこで実際に適用される約款で損害賠償請求権者に直接請求権を認めることや、被保険者の指示に基づき損賠償請求権者に対し責任保険金の直接払等を行うなどの柔軟な対応がなされている。

⑸　直接請求権・示談代行制度

（i）　被害者による直接請求権　　責任保険における直接請求権の法的性質に関して、古くから議論があり、①責任保険の目的は被害者保護にあり、被保険者の保護は被害者を保護するための事実的・反射的効果にすぎなく、この限りにおいて直接請求権は責任保険本来の性格にあるとする見解、②保険契約当事者の意思に基づき将来発生するかもしれない被害者に対する直接請求権を認める旨の「第三者のためにする契約」と解することによって、被害者の保険者に対する直接請求権が成立するとする契約の効果と解する見解、③責任保険における手続きの簡易化、被害者の保護という政策的見地からする特別の法の規定による効果と解する見解、等が主張されてきた。先述の通り、責任保険は損害保険の一種であり、被保険者が被害者に対して損害賠償金を支払うことによって被る経済的な損失をてん補するものであり、被害者の救済は責任保険の反射的効果と解することになる。そのため責任保険本来の性格に直接請求権の根拠を求めることは困難と考えられる。直接請求権の根拠は法の特別な規定又は約款上の規定に基づく契約当事者の合意（契約）にその根拠を求めることになる。具体例としては、自賠法16条１項に基づく被害者直接請求権や、自動車保険約款における対人対物賠償責任条項における被害者直接請求権がある。

これら法律の規定又は約款規定に基づき加害者である被保険者が加入している責任保険の保険者に対して被害者が権利行使を行い損害のてん補を請求できる。この場合、被害者の責任保険の保険者に対する直接請求権の行使は保険金請求権の行使ではなく、被害者の保険者に対して有する損害賠償請求権に他ならないと解されている。

法律上又は約款で直接請求権の規定がない場合、損害賠償請求権者は保険者に対して直接保険金請求を行うことが認められない。しかし、損害賠償請求権者が、被保険者に対して損害賠償請求訴訟を提起し、更に保険者に対して責任保険契約に基づく保険金請求を提起し、当該訴訟を併合した場合には、当該訴訟において、被害者加害者間の損害賠償請求の確定判決がなされることにより、被保険者の責任の有無、損害賠償額の確定がなされることから、損害賠償請求権者の請求が認められることになる。

被保険者が損害賠償請求権者に対して責任保険に基づく保険金請求権を譲渡して、その譲渡を受けた保険金請求権に基づき保険者に対して保険金請求をすることが認められるかに関しては議論がある。当該譲渡を理由に保険者に損害賠償請求訴訟を提起する場合には、訴訟信託を禁止した信託法10条に抵触することが考えられる。

(ii)　示談代行制度　　個人賠償責任保険契約の約款において、被保険者の依頼に基づき、被保険者に代わり、保険者の従業員が被害者との間で示談代行を行う旨の規定が置かれている。この示談代行制度は、被保険者と保険者との間で解決条件の合意が必要となり、被保険者と保険者との間で解決条件に相違がある場合には保険者は示談代行に応じる義務はない。示談代行制度の目的は、保険者が自己の経済的利益のために自己の法律事務として示談交渉を行うことを可能にする点にあると解される（那覇地判平27・10・21（平成27年(ワ)第212号損害賠償請求事件）LEX/DB 文献番号25545919）。被保険者の利益実現のために示談代行義務を保険者が負うと解することは、弁護士でない者が報酬を得る目的で法律事件に関して代理、和解等の法律事務を行うことを禁じた弁護士法72条違反に抵触することが理由となる（前掲・那覇地判平27・10・21）

示談代行制度は、被保険者が相手方に賠償責任を負っていることが前提となるため、被保険者に全く過失がない相手方に対して賠償請求をする場合には、示談代行制度を利用することはできない。この場合に、保険者が被保険者を代理して相手方と賠償請求に関する交渉を行うことは保険者の自己の法律業務を扱うことには該当せず弁護士法72条に抵触するためである。

(6)　**損害賠償請求権者の特別の先取特権**　　責任保険の主たる機能は被保険者が損害賠償の責任を負うことによって被る経済的損失をてん補することを目的とするものである（保険17条2項括弧書参照）。裁判実務においては、責任保険による保険金によって被害者への賠償資力を確保し被害者を救済するという機能は副次的なものと考えられている（前掲・東京地判平14・3・13、東京高判平14・7・31判例集未登載、最決平14・12・20〔上告不受理・上告棄却〕）。そして、被保険者（加害者）が責任保険に加入している場合でも、保険者に責任保険契約に基づく保険金請求をする前に破産開始決定を受けた場合には、法律上又は約款上被害者に直接請求権が認められていない場合には、被害者は当該保険者に対して責任保険金の支払を請求できないと解されている。

このような問題に対して、保険法では、責任保険契約に基づく保険給付請求権について損害賠償請求権者に特別の先取特権を認め、損害賠償請求権者に保険給付について法律上の優先権を付与した（保険22条1項）。この制度により、

コラム3-6　被害者直接請求権と示談代行制度の関係

被害者直接請求権と示談代行制度は理論的には異なる制度である。しかし、示談代行制度を約款で導入する際の歴史的な経緯として弁護士法72条違反の疑いがあるという点を解決する手段の1つとして示談代行制度と被害者直接請求権が一体として約款に導入され運用されているという実態がある。そのため被害者直接請求権を約款上導入していない企業向けの責任保険においては被害者直接請求権を認める約款条項も置かれていない。近時、企業向けの責任保険において直接請求権の約款規定を設けずとも示談代行制度の導入は可能であり、弁護士法72条にも抵触しないとする見解が主張されるに至っている。しかし、自動車保険における対人・対物賠償責任保険において示談代行が肯定されるに至った経緯や歴史的背景、示談代行に対して日本弁護士連合会との間で交わされた協定内容、弊害措置のための手段、更には弁護士法72条違反が問題となった最判平22・7・20刑集64・5・793で示された判例法理を踏まえて慎重に議論をすることが必要である。更に後述する通り、保険法において直接請求権の法定化を見送った理由を踏まえる必要がある。

損害賠償請求権者は別除権が認められ（破産2条9項）、破産手続によらずに権利行使することが認められる（同65条1項）。

この特別の先取特権の行使は、「担保権の存在を証する文書」を裁判所に提出することにより開始することになる（民執193条）。この「担保権の存在を証する文書」に何が該当するか議論があるが、被害者加害者間における損害賠償請求訴訟においては、当該賠償請求権の存在及び賠償額を具体的に証明する確定判決が必要となると指摘されている。

損害賠償請求権者の先取特権の実効性を確保するために、被保険者が保険給付を受けることができる場面を制限している（22条2項）。同様に保険給付の譲渡、質入れ及び差押えの原則禁止、被保険者以外の第三者が保険給付請求権を取得し、又は保険給付を受けることができる場合を制限している（22条3項）。

責任保険契約の定義は、保険法17条2項括弧書に定義があり、この場合の損害賠償責任は、不法行為に基づく損害賠償責任に限定されておらず、債務不履行に基づく損害賠償責任なども含まれることとなる。

この特別の先取特権が問題となる典型例としては、約款上直接請求権の定め

コラム3-7　保険法における被害者直接請求権の法定化の議論

保険法制定の審議過程において諸外国の保険法において被害者直接請求権を法定する立法を参考に、保険法においても直接請求権を法定すべきか、という点が議論された。企業を対象とした責任保険においては被害者が多数に及ぶ事故を対象とするものがある。この場合に保険金額に一定の上限があった場合に、多数の被害者が発生したときに、どのような割合で保険金の支払いをするのか、被害事故の当事者ではない保険者が具体的な損害査定を被害者との間で行えるのか、更にその査定において当事者ではない保険者が被害者の間で矢面に立たされ適切な対応がとれるのか等種々の問題があることから、被害者直接請求権は法定化されなかった。

しかし、個人向けの多くの責任保険では約款上被害者直接請求権が設けられている。これに対して企業向けの責任保険では約款上被害者直接請求権は設けられていない。その理由は被害者直接請求権の法定化を認めなかったものと同様である。

がない責任保険の被保険者が保険金を請求する前に破産開始決定を受けた場合であるが、その場合に限定されたものではない。

保険法22条の規定は強行規定と解されているが、損害賠償請求権者に特別の先取特権を認めた趣旨から、約款上被害者直接請求権を設けること自体は保険法22条に違反せず当該約款条項は有効なものと解されている。

⑺　**責任保険における争訟費用の位置付け**　被保険者が損害賠償請求権者から損害賠償責任訴訟を提起された場合、弁護士に依頼して応訴する際に係る争訟費用の負担に関して、諸外国では責任保険を引き受けている保険者の防御義務の問題として議論されている。

これに対して、我が国では、争訟費用は、責任保険における損害賠償金支払による損害てん補とは別立てで約款上認められた保険金請求権として位置付けられている。その法的性質とし賠償責任保険に基づくてん補対象となるものではないと約款上は整理されており、保険法22条の特別の先取特権の対象ともなっていない。第三者から損害賠償請求訴訟を提起された被保険者が弁護士に訴訟代理人となってもらいその尽力によって勝訴判決を得られた場合、被保険者は第三者から損害賠償請求による損害を被っていないので、損害賠償金のてん補は生じないこととなる。しかし、このような場合も、被保険者が適切な訴

コラム3-8　専門職業人賠償責任保険の特色

医者、弁護士、公認会計士、司法書士、税理士、行政書士、建築家等の各種専門家の業務上の過誤に基づく賠償責任をてん補する専門家賠償責任保険は一般の責任保険とは異なる特色を有する。

①被保険者が一定の専門職又は専門職員を構成する法人、事務所の構成員となっている。

②被保険者集団が一定の職業人集団であることや、対象となる業務の性質やその責任の特殊性等も考えて保険制度を構築する必要性などもあり、多くは団体保険契約での引受けがなされ、かつ保険契約者は当該専門職業人に関連する団体となっていることが多い。例えば、税理士職業賠償責任保険の保険契約者は日本税理士会連合会である。

③専門家の責任の有無その査定を保険者が単独で行うことは困難なため、第三者機関において責任の有無・賠償額等について審査を行うのが一般的である。構成メンバーは学識経験者、当該専門家団体の構成員、保険者の従業員等である。

④個々の被保険者の過去の事故率によって保険料が変わるのではなく、被保険者集団全体の事故率によって保険料が決定されることとなっている。また団体構成員の人数や規模によって保険料が変更されるのみで、被保険者個人の過去の事故率によって個々の被保険者の保険料が高くなる仕組みは一般にとられていない。

⑤当該専門職業人の業務の特殊性から保険契約の内容に関しても保険契約者である当該団体と保険者の協定等に基づき決められ、一種の相互扶助的な要素がみられる。

訟対応を行ったことによって保険者は不必要な損害賠償金のてん補をする必要がなかったことから、かかった弁護士費用等の争訟費用について適切な額の支払いをてん補することとしている。

約款上は、保険者の承認（同意）を得て支出した争訟費用を保険金として支払うこととしている。

この保険者の承認（同意）条項の設定趣旨については、被保険者が訴訟追行に際して不当に高額な弁護士報酬を支払うなど不要な争訟費用を支出することが考えられ、その場合に当該費用負担がそのまま保険者に転嫁され、ひいては他の保険加入者の保険料に反映されるなどの不適切な事態が生ずることを防止

コラム3-9　D&O 保険

会社役員賠償責任保険（D&O 保険）は、会社役員としての業務の遂行に起因して、保険期間中に損害賠償請求がなされたことによって被る損害を保険期間中の総支払限度額（保険金の最高限度額）の範囲内でてん補する責任保険である。

会社がD&O 保険の保険料負担をすることが、会社法上禁止されている利益供与（会社120条）に該当するか、利益相反取引規制（会社356条1項2号・3号）に該当するかという問題があることから、会社が当該会社の役員を被保険者とするD&O 保険を締結する場合には、株主総会（取締役会設置会社の場合には取締役会）の決議を要するものとされている（会社430条の3第1項)。D&O 保険では約款上、役員の故意は免責事由とされていないが、法令違反が免責事由とされている。当該免責事由の適用が争われた事案として東京高判令2・12・17金判1628・12〔百選 A8〕がある。

D&O 保険は会社以外の各種法人の役員を被保険者とするものが開発販売されており、近時は弁護士会の役員を被保険者とするD&O 保険も販売されている。

するため、保険者に対し、被保険者が争訟費用として保険金請求する額が適正妥当な範囲内のものであるか否かを判定して保険金の支払額（承認額）を決定する裁量権を与えたものと解されている（大阪地判平5・8・30判時1493・134〔百選54〕、大阪地判平28・2・5自保ジャーナル 1971・136)。

3　自動車保険契約

(1)　自動車保険制度の概要　　自動車運転中の事故による損害賠償や自損事故に備えて、自動車事故に特有な保険制度が確立している。

自動車による交通事故の被害者救済的な位置付けとして自賠法によって自動車の保有者に対して保険契約の締結が義務付けられている自動車損害賠償責任保険（共済）(以下「自賠責保険（共済)」という)。と保険契約の締結が任意とされているいわゆる、任意自動車保険とがある。

(2)　自賠責保険（共済）　　交通事故の被害者救済という観点から、自動車の所有者には、自賠法5条により自賠責保険（共済）への加入が義務付けられている。

自賠責保険（共済）は対人賠償責任に限定されており、賠償額も傷害の場合には120万円、死亡の場合には3000万円、重度の障害の場合には4000万円が保険金額の上限となっている（自賠法施行令２条、別表第一・第二参照）。

交通事故の被害者が健康保険、労災保険等の社会保険から給付を受けた場合、社会保険の保険者（以下「社会保険者」という）は保険給付した範囲で、自賠法16条１項請求権を代位取得できるものと解されている。この場合、被害者の自賠法16条１項請求権と社会保険者の自賠法16条１項請求権が競合したときには、被害者の自賠法16条１項請求権が優先するものと解されている（最判平20・２・19民集62・２・534〔平成20年度重判民法11〕、最判平30・９・27民集72・４・432〔平成30年度重判商法11、民法７〕）。社会保険者が自賠法16条１項請求を自賠責保険の引受保険会社（以下「自賠社」という）に行って来たときには、被保険者の自賠法16条１項請求権が優先するよう対応する実務が行われている。実務変更前に自賠社が被保険者よりも先に社会保険者に弁済した場合の支払の効力が争われたが、判例（最判令４・７・14民集76・５・1205〔令和４年度重判商法８〕、最判令４・７・14自保ジャーナル2119・１）は有効な弁済と解した。

⑶ **政府補償事業**　自賠法は、その71条以下で、政府の自動車損害賠償保障事業を定めている。その内容は、ひき逃げ事故・無保険車事故・泥棒運転事故による自賠責保険では救済されない人身事故の被害者に対して、政令で定めた限度額の範囲内で政府がその損害をてん補することにある。

政府保障事業の法的性質に関して、この制度は一種の社会保障的な制度であり、自賠責保険とは異なった異質の制度と解する見解（異質説）と、この制度を自賠責保険と同様の制度と解する見解（同質説）との対立がある。判例は異質説の立場をとっており（最判昭54・12・４民集33・７・723、最判平17・６・２民集59・５・901等）、政府の立場も異質説である。

自賠法73条１項は、被害者が、健康保険法、労働者災害補償保険法その他政令で定める法令に基づき政府保障事業による損害のてん補に相当する給付を受けるべき場合には、政府は、その給付に相当する金額の限度において、同事業による損害のてん補をしない旨を規定する。

交通事故の被害者が年金の受給権を取得した場合において、将来の年金受給額が控除されるかに関して判例は、控除説の立場をとるが（最判平21・12・17民集63・10・2566)、学説においては反対の立場をとる見解も有力である。

(4)　**任意自動車保険**　任意自動車保険は、対人賠償事故や対物賠償事故による賠償責任をてん補する賠償責任保険、人身傷害事故・搭乗者傷害事故・自損事故傷害事故・無保険車傷害事故による被保険者の傷害事故を担保する傷害保険、車両事故による損害をてん補する車両保険、自動車事故に起因して発生する諸費用をてん補する費用保険等、自動車の保有・使用・管理に起因する様々なリスクを担保するために、多種多様な保険条項で構成されており、それらの各種保険条項の総称が任意自動車保険と呼ばれるものである。

対人賠償事故を対象とする賠償責任保険は自賠責保険の上積み保険として機能するものである。自賠責保険契約でてん補されない対人賠償責任部分を任意自動車保険の対人賠償保険でてん補する仕組みになっている(大阪地判平24・2・29交民45・1・263)。自賠社と任意自動車保険の引受保険会社が異なる場合には、任意自動車保険の引受保険者が自賠責保険部分も一括して支払いを行う、いわゆる対人一括払方法が採られている。自賠責保険金部分を支払った任意自動車保険者は自賠責保険者に対して自賠責保険金の回収を行うことになる。

人身傷害保険は、被保険者が自ら加入している任意自動車保険の保険者から交通事故による被保険者の人身損害のてん補を受ける実損てん補型の傷害保険である。人傷保険金を支払った保険者は被保険者の自己過失部分を除き、被保険者が加害者に対して有する損害賠償請求権の全部又は一部を代位取得し、被保険者の権利を害しない範囲で求償権を行使できる(25条参照)。

無保険車傷害保険は加害車両が任意自動車保険に加入していない場合(無保険車)に、被保険者が自ら加入している保険者から損害のてん補を受ける内容の損害てん補型の傷害保険である。無保険車傷害保険金を支払った保険者は支払われた保険金の範囲内で、被保険者が加害者に対して有する損害賠償請求権の全部又は一部を代位取得し、被保険者の権利を害しない範囲で求償権を行使できる(25条参照)。被保険者の損害は約款別表の約定された人身傷害条項損害額基準(以下「人傷損害額基準」という)に基づき積算されることとなる。被保険者(被害者)が加害者に損害賠償請求訴訟を提起し、判決または裁判上の和解となったときには、いわゆる裁判基準損害に基づき、保険者の代位の範囲が決められることになる（最判平24・2・20民集66・2・742〔百選44〕、最判平24・5・29・判時2155・109）。人傷保険の引受保険会社（以下「人傷社」という）が、人傷保険金に上乗せして加害者が加入している自賠責保険に基づく損害賠償相当額を加えて、被保険者に支払うという人傷一括払いというサービスが実務上行われている。人傷社は被保険者に人傷一括払い後に自賠社に対して自賠責相当額の回収を行う。その後、被保険者（被害者）が加害者に対して損害賠償請求訴訟を提起していた場合、人傷社が自賠社から回収した損害賠償相当額が全額、加害者に対する損害賠償請求額から控除されるかという点に関し、人傷保険金額の範囲内で人傷一括払いがなされているときには、自賠責損害額の立替払いとは認めず、全額の控除を否定するのが判例（最判令4・3・24民集76・3・350〔百選45〕）の立場である。他方、判例（最判令5・10・16判時2594・75）は、人傷保険金額を超えた人傷一括払いがなされているときには、超えた部分については、自賠責損害額の立替払いと解する。

4　新種保険

(1)　概　要　　損害保険の分野においては個人及び企業の経済的損失をてん補する様々な新種の保険が開発されている。以下では代表的な新種保険について簡単に説明する。

(2)　保証保険　　保証保険とは、債務者が債務を履行しない場合に債権者が被る損害をてん補する保険である。保険契約者は債務者であり、被保険者は債権者である。

(i)　履行保証保険　　請負人又は納入者が契約を履行しない場合に、発注者が被った損害をてん補するものである。

(ii)　入札保証保険　　入札者が落札者となったにもかかわらず契約を締結しない場合に、発注者が被った損害をてん補するものである。

(iii)　住宅ローン保証保険　　住宅ローンの借入者が借入金を返済できなくなった場合に、金融機関が被った損害をてん補するものをいう。

(iv)　保証証券（ボンド）　　債務者と保険会社との間の保証委託契約に基づいて保険会社が保証料を徴して保証証券を発行し、債務者がこれを債権者に提出することによって、債務者が債務を確実に履行することを債権者に対して保証

コラム 3-10　弁護士費用保険の普及

何らかの理由で紛争に直面し弁護士に相談する場合や、紛争の相手方を被告として民事裁判を起こすことを弁護士に依頼する場合がある。この場合の法律相談料や弁護士費用等の費用負担の方法として、①依頼者自身が自己負担する方法、②法律扶助制度を利用する方法、が考えられる。それ以外の第3の方法として、共助の1つとして弁護士費用保険がある。我が国においては、国民の裁判を受ける権利（憲32条）を保障する観点から民事法律扶助制度が存在するが、この制度を利用できる者は一定の範囲に制限されており、この制度は原則、償還制度（貸与制度）である。国家の財政状況を考えた場合に、民事法律扶助制度の拡充には一定の限度がある。弁護士費用保険は国民の司法アクセスを確保する手段として今後重要な役割を担うことが期待されている。我が国では任意自動車保険の弁護士費用等補償特約として普及してきた。近時は被害事故賠償請求事件以外に、消費者トラブル、労働トラブル、近隣トラブル、親族トラブル（離婚・相続等）、ネットトラブル（誹謗中傷）、威力業務妨害対応、医療過誤、等対象分野の拡大がなされている。民事法律扶助の対象とならない法人向け・個人事業主用の弁護士費用保険も開発販売されている。

するものである。

⑶　信用保険

（i）　身元信用保険　　使用者又は身元保証人がつける保険で、被用者が職務上窃盗・強盗・詐欺・横領・背任などの行為を行い、使用者又は被用者の身元保証人に損害を与えた場合に、その損害をてん補する保険である。

（ii）　貸倒れ保険　　販売代金債権や貸付債権が回収不能となることによって債権者（売主や貸主）の被る損害をてん補する保険である。この種類に属する保険として、①割賦販売代金保険、②住宅資金貸付保険、③個人ローン信用保険等がある。

⑷　動産保険　　一般に動産とは不動産以外の財産を意味するが、動産保険の対象となる動産は、自動車保険、船舶保険、航空機保険等の他の保険で対象とされない動産を対象とする。

対象となる動産の、使用中、保管中、運送中、展示中の様々な偶然な事故による損害をてん補する。火災、落雷、破裂、爆発、風災、雹災、雪災、落下、飛来、衝突、いたずら、盗難、破損等の事故が対象となる。

(5) **費用保険**　一定の偶然な事故によって被保険者が支払いを余儀なくされた費用支払いによる損害をてん補する内容の保険である。交通事故により所有する自動車を修理する間に代車を借りるための費用（代車費用保険）、火災事故によって一時的に賃貸借契約を締結して他の住居を借りるためにかかる費用、一定の被害者事故に遭い相手方（加害者）に対して損害賠償請求訴訟を提起するために弁護士に法律相談や訴訟を依頼するためにかかる費用（弁護士費用保険）等、これらの費用を保険でてん補する費用保険も社会生活において重要な役割を果たしている。個人情報漏洩に基づく顧客に対する賠償責任の履行において、情報漏洩と顧客が被った損害との間の相当因果関係に伴う損害の算定という問題を解決する手段として、費用保険を利用した顧客への対応費用をてん補する等、費用保険の役割は単なる費用のてん補のみの機能を有するだけではない（任意自動車保険の被害者救済費用特約）。

5　再保険

再保険契約は、元受保険者が自己の負担する保険責任の一部又は全部を、再保険者にリスク移転するために締結する保険であることから（最判令6・7・18民集78・3・1097）、法的性質は損害保険契約（保険2条6号）である。もっとも、①人の生存又は死亡、②人の傷害疾病、に係る保険について、生命保険会社も再保険を引き受けることが認められている（保険業3条4項3号）。個人向け火災保険に付帯する地震保険の再保険を政府が引き受けるように、政策的な観点から政府が再保険者となる場合もある。プロ同士の契約であることから、保険法の片面的強行規定の適用除外となる（保険36条4号）。多国間の保険者と再保険契約を締結する場合も多く、条約、国際会議での採択事項、慣習などが再保険取引の規範となる。当事者間の意思や慣習等によって規律が保たれるが、元受保険者が被保険者に保険金支払い後、再保険者に再保険金の支払いをめぐり訴訟となるケースもある（東京地判平31・1・25判時2428・73〔百選 A10〕、東京高判令3・4・28金判1661・62）。

4章 生命保険契約

1　生命保険契約の特徴

1　生命保険契約の種類

生命保険は、「保険者が人の生存又は死亡に関し一定の保険給付を行うことを約するもの」（2条8号）である。保険事故の対象が限定されているため、損害保険ほど多様ではないが、以下に掲げる分類の組み合わせで幾通りものバリエーションが存在する。

(1)　保険事故による分類

(i)　死亡保険　　被保険者の死亡を保険事故とする保険である。日常用語の「生命保険」がこれに当たる。

(ii)　生存保険　　被保険者の生存を保険事故とする保険である。保険法2条8号をみれば、生命保険は、死亡だけでなく、生存も対象としていることが確認できるであろう。「生存」は状態であるから、保険事故は、一定の時期に被保険者が生存していること、となる。保険期間の満了時に設定されることが多く、この場合、生存保険金は「満期保険金」と称される。例としては、私的な年金保険（一定の時期に生存していれば、その後、保険金を複数回に分割して支払う）や、学資保険（幼少期に保険契約を締結しておき、大学などへの進学が間近になる時期に、保険金を支払う）がある。なお、我が国では、純粋な生存保険契約は販売されていないようである。被保険者が生存できなかった場合に保険給付がなされず、商品としての魅力に欠けるためである。

(iii)　養老保険　　死亡保険と生存保険を混合した生命保険契約である。つまり、契約で定めた時期まで生存していた場合には生存保険金を、その途上で死

図表４－１　被保険者、保険金受取人による分類

	保険契約者と同一人物	保険契約者とは異なる者
被保険者	自己の生命の保険	他人の生命の保険
保険金受取人	自己のためにする保険	第三者のためにする保険

亡した場合には死亡保険金を支払う保険である。我が国では、保険金が支払われなかった場合につき保険料が無駄になったという意味で「掛け捨て」といわれ、疎まれる傾向にある。そのため、確実に保険金が支払われる養老保険が好まれ、生命保険各社の主力商品となっている。入院保障（傷害疾病保険）などの特約も付加されたパッケージ商品となっていることが多い。

⑵　**被保険者による分類（図表４－１も参照）**

（i）自己の生命の保険　　保険契約者が、自らを被保険者とする（すなわち、保険契約者兼被保険者となる）類型である。生命保険契約を締結する典型的な動機は、例えば、世帯主が、自らに何かあっても保険金が支払われ、家族の生活は維持できるように、というものであろうが、まさにこの場合に利用される類型である。

（ii）他人の生命の保険　　保険契約者とは異なる他の者が被保険者となる類型である。例えば、配偶者を被保険者とする場合である。法律上、被保険者の範囲には制限がないが、その者の同意が必要となるため（38条）、現実的には誰でも被保険者にできるわけではない。詳しくは本章**２**１の解説を参照。

⑶　**保険金受取人による分類（図表４－１も参照）**

（i）自己のためにする生命保険　　保険契約者が保険金受取人を兼ねる類型である。保険料を負担する保険契約者が受益者となるのが自然のようにも思われるが、自己の生命の死亡保険の場合はその意味がない。そのため、自己のためにする生命保険は、もっぱら生存保険か、他人の生命の死亡保険の場合に用いられる。

（ii）第三者（他人）のためにする生命保険　　保険契約者とは異なる他の者が保険金受取人となる類型である。生命保険の典型例である自己の生命の死亡保険の場合などに用いられる。

⑷　保険期間による分類

（i）　定期保険　　保険期間の終期が定められている保険である。

（ii）　終身保険　　保険期間の終期が定められていない保険である。つまり、保険期間は、被保険者が死亡するまで続く。終身死亡保険の場合、保険事故は必然的に訪れることになるから、その時期だけが不確定な保険となる。なお、保険料が分割払方式の契約では、保険契約者の負担を考慮し、保険料の払込みは保険期間の終わりまでではなく、途中の一定の時期（例えば、定年退職となる60歳を迎える時期）で終了することが一般的である。

⑸　保険金給付方式による分類

（i）　一時金方式　　保険事故が発生した場合に、まとめて保険金を給付する方式である。一般に想起される生命保険の典型例は、一時金方式の死亡保険契約である。

（ii）　年金方式　　保険事故が発生した場合に、保険金を一定期間中、分割して給付し続ける方式である。いわゆる私的年金は、年金方式の生存保険契約である。

（iii）　変額保険　　保険会社の運用実績に応じて保険金額が変動する生命保険契約である。現在は、最低保障のある商品（満期保険金は変動するが、死亡保険金については一定額を下回らない）のみ販売されているが、かつて、いわゆるバブル経済の時代には、最低保障が存在しない商品が販売されていた。ハイリスク・ハイリターンの商品であったわけであるが、相続税対策として融資と一体となり販売されたこともあり広く普及した。バブル景気の終焉でリスクが顕在化したことにより、社会問題化し、日本中で訴訟が頻発した。現行の規制については、**2章2** 3⑵(iii)2）の解説を参照。

⑹　保険料支払方式による分類

（i）　一時払い方式　　保険料を保険期間の当初に全額を収める方式である。

（ii）　月払い、半年払い、年払い方式　　保険料を、保険期間中に継続して払い続ける方式である。月払い、半年払い、年払いとは、それぞれ、支払いの間隔が月単位の場合、半年単位の場合、年単位の場合である。

保険料前払主義からすれば、一時払い方式が原則になるはずである。現に、損害保険契約は一時払い方式が一般的である。しかし、生命保険契約は月払い方式などが通常である。生命保険は、保険期間が単年ではなく長期にわたるのが一般的で、10年を超えるような契約も少なくないことから、一時払い方式では保険料の額が非常に大きな額になってしまうためである。

2 生命保険と貯蓄性

(1) **生命保険と貯蓄性** 生存保険は、保険事故が発生する（一定時期に被保険者が生存している）可能性が高い。保険料は、その可能性に応じた額になるわけであるから（給付反対給付均等の原則を想起されたい）、その総額は保険金に近い金額となる。養老保険や終身保険に至っては、保険者が免責される場合などを除けば、必ず保険金が支払われるわけであるから、保険契約者が払い込むべき保険料の総額は保険金に相当近接する。そのため、これらのタイプの生命保険契約は保険者に払い込んだ額を払い戻してもらう状態に近く、貯蓄的な性格を有しているといえる。

これに対し、定期死亡保険契約の場合は、保険事故が発生する（保険期間中に被保険者が死亡する）可能性は高くなく、いわば「掛け捨て」となることが多い。それゆえ、貯蓄的な性格は強くはないが、平準保険料方式では後に払い込むべき保険料の一部を先立って払い込んでいることになるため（**コラム4－1**参照)、その部分は貯蓄的性格を帯びることになる。

生命保険会社は、この貯蓄部分をただ保有しているわけではなく、投資・運用により増殖を図っている。増殖が見込める部分は、「予定利回り」として、当初より保険料・保険金の計算に組み込まれる。運用益が好調な場合は、配当として契約者に還元されることもある（相互会社の場合は社員配当となる。株式会社の場合は組織上の仕組みはないものの、「契約者配当」という概念により支払われることがある)。このように投資・運用は、生命保険会社にとって重要な業務であり、財務の健全性に深く関わるため、監督規制の対象となっている（保険業97条2項・97条の2）（なお、配当金は契約者に支払われるのが原則であるが、約款上、保険契約者兼被保険者が死亡した場合につき保険金受取人に支払われる旨が定められることがある。保険金受取人が契約者の相続人であることが多いことに鑑みた便宜的措置であると考えられ、理論的には、配当金は、相続により承継取得する者に支払われるべきである。原始取得されるものではないため、配当金の請求権は、本章**2** 3(5)で述べる

コラム4-1　平準保険料方式

生命保険の対象となる人の死亡リスク（死亡率）は、幼少期を除けば、年齢とともに高くなっていく。そのため、死亡保険契約の保険料の額も、年齢とともに高くなっていく。この観点で計算された保険料を自然保険料という。給付反対給付均等の原則からすれば、自然保険料によるべきといえそうである。しかし、生命保険契約では、保険料は長期にわたり月払いや年払いで支払われ続けることが一般的である。この場合に自然保険料によると、保険契約者には、保険期間の終盤に重い支払負担が待っていることになる（死亡率は一定の年齢を超えると急激に上昇するため、自然保険料も急騰する）。生計維持の観点からすれば、望ましいことではない。そこで、通常、生命保険契約では、保険期間を通じて均等な額になるよう計算された保険料を支払う方式が採用されている。これを平準保険料方式という。

平準保険料方式では、死亡率が低い間は、自然保険料よりも高い額を支払うこととなる。その差額分は、後に、死亡率が高くなった際の保険料に充当されるが、それまでの間は保険者の下に貯蓄されていることになる。

固有権性を有しない）。

損害保険でも貯蓄性のある商品が存在しないわけではないが、一般的ではない。貯蓄性は、生命保険の特徴の１つといえよう。

⑵　**保険料積立金と解約返戻金**　貯蓄部分は、満期保険金の原資となったり、不足保険料分に補充されたりすることで、保険期間が満了すれば消滅する。しかし、保険契約が中途終了した場合には、保険者の手元に残ることになる。貯蓄部分であるから、保険契約者に払い戻す、というのが基本的な考え方である。

保険法63条は、保険契約が中途で終了した場合、保険契約者に「**保険料積立金**」を払い戻すべきと規定する。「保険料積立金」は、保険法63条において、「受領した保険料の総額のうち、当該生命保険契約に係る保険給付に充てるべきものとして、保険料又は保険給付の額を定めるための予定死亡率、予定利率その他の計算の基礎を用いて算出される金額に相当する部分」と定義されているが、要するに先に述べた貯蓄部分である。

保険料積立金が払い戻されるのは、典型的には保険者免責事由に該当する場合（51条）である。保険金が支払われずに保険契約が終了するため、保険料積立金が払い戻される（63条1号）。危険増加による解除が行われる場合（56条2項）も同様である（63条3号）。詳しくは、本章**3 5**の解説を参照。

一方で、保険期間の途中で、保険契約者が契約を任意に解除する場合（54条）は、保険料積立金の払戻し対象となっていない（保険63条2号は、保険者の責任開始前に任意解除される場合のみを対象とする）。これに対し、生命保険契約の約款では一般に、途中解約の場合には**「解約返戻金」**を払い戻す旨の定めが置かれる（「解約払戻金」や「解約返還金」と称されることもある）。解約返戻金は、上記の保険料積立金から、契約の締結・維持にかかる諸費用（主に募集費用）が控除された額となる。

保険契約者は、契約によっては、この解約返戻金を担保として保険者から貸付けを受けることができる。他方、保険契約者の債権者は、解約返戻金請求権を差し押さえることもできる。これらの制度については、詳しくは、本章**3 3**⑶(ii)、(iii)及び**4**の解説を参照。解約返戻金は、法定されていない概念であるが、これらの制度の基盤にあるものであり、実務的には大変重要である。

2　生命保険契約の成立と効力

1　他人の生命の保険契約

⑴ **概　要**　保険契約者と被保険者が別人の場合を「他人の生命の保険契約」という。典型的には、世帯主が、自分だけでなく、家族の生命についても生命保険契約を締結するような場合に用いられる。

いかなる「他人」の生命も対象とし得るかについて、保険法に特段の定めはない。それゆえ、法律上は、家族以外の者の生命も対象とすることができる。ただし、その契約を締結するには被保険者の同意が必要となる（38条）。

⑵ **「被保険者の同意」が必要とされる意味**　なぜ被保険者の同意が必要とされるのであろうか。具体例で考えてみたい。

［ケース］

Aは、B保険会社と、自らを保険金受取人とする、死亡保険金1000万円の生命保険契約を締結しようとしている。ただし、被保険者は次に掲げる者であった。Aは、望むような生命保険契約を締結できるであろうか。

①配偶者のC

②総理大臣のD

③Aが営む店舗で働く従業員E

①の場合は契約を成立させても特に問題はなさそうである。それでは②はどうであろうか。Dの生死はAの生活と密接な関係があるとは考えにくい。何か問題がありそうである。仮に、その関係性は乏しいのであれば、実質的には、Dの死亡によりAに利得を生じさせる契約となる。「保険期間中にDが死亡するかどうかを賭ける」と言い換えれば、「賭博」そのものである。つまり、他人の生命の保険契約は、賭博に堕しかねない危険性を有しているといえる。

③は一見問題がなさそうであるし、また、実際に、従業員を被保険者とする生命保険契約は存在している（(5)で後述する団体定期保険）。しかし、Aの店は経営が傾き、資金繰りに窮している状況であればどうであろうか。この状況では、追い込まれたAが保険金に目がくらみ、Eを過労死に追い込む（最悪の場合、より直接に犯罪行為に手を染める）ことを考えてしまう、という危うさが存在する。つまり、他人の生命の保険契約は、保険契約者側に被保険者の生命を脅かす誘因が生ずる危険性も有しているのである。

更には、②に戻ると、Dは、見ず知らずの他人に、自らの死を勝手に金銭授受の対象とされることになる。Dの人格権にかかわる問題であって、甘受せよとはいえないであろう。つまり、無断で他人の生死を金銭授受の対象とすることはその者の人格権を侵害する危険性を有するということである。

このように、被保険者を他人とすることには、賭博に堕しかねない危険性、被保険者の生命を脅かす誘因が生ずる危険性、被保険者の人格権が侵害される危険性が伴うわけである。これらの危険性は回避されなければならない。

いかにして回避するか。損害保険のように被保険利益を求めるのも1つである。少なくともケースの②の場面は契約が成立しないことになろうから、問題は解決される。実際に、アメリカやイギリスでは、これに近い法制が取られている。しかし、我が国の生命保険制度は、現実的な困難性から被保険利益制度を回避し、定額保険としているのであるから、この方式はなじまない。アメリカやイギリスでも、自己の生命について本人は無限の被保険利益を有するとさ

コラム4－2　未成年者の同意

保険商品のニーズは、大人に限られるわけではない。実際に、生命保険契約で、未成年者が被保険者となっている例は少なくない。しかし、世界的にみれば、未成年者を被保険者とする生命保険は規制対象である。未成年者の生命が、モラル・リスク的に悪用される懸念があるからである。

法的な問題の1つが、未成年者は果たして適切に「被保険者の同意」をなし得るといえるか、である。諸外国では、未成年者を被保険者とする保険契約を禁止する例（フランス：12歳未満）や、保険金額を制限する例（ドイツ：7歳未満は葬儀費用相当額まで）もある。しかし、我が国では特段の法規定が置かれなかった。ニーズが存在するため全面禁止することは適当でなく、一方で、保険金額の上限につき具体的な額を法律で規制することもまた適当でないと考えられたからである。

もっとも、全く野放しではない。15歳未満の未成年者が被保険者となる死亡保険については、保険会社の自主規制によって対応されている。15歳で区切られたのは、満15歳に達した者は遺言できること（民961条）と平仄を合わせたためである。

現在の自主規制の趨勢では、モラル・リスクの懸念がそれほど高いと思われないタイプ（一時払い養老保険など）を除き、保険金額は、他社で契約されたものと合算の上、1000万円が上限とされる。

れ、また、親族ならば愛情や感情に基づく被保険利益を有するとされている。人の生命が金銭評価しづらいのは、万国共通なのである。

ケースの①に違和感が薄いのは、Cが家族だからであろう。そこで、被保険者を保険金受取人の親族に限るという方式もあり得る。日本でも、かつてはその方式を採用していた時期もあった（明治44年改正前商法428条）。しかし、内縁者などの存在も考慮するとその限定が妥当かどうかは疑問の余地がある。そもそも、親族であれば、危険性が無いとは必ずしもいえない。

危険性の有無は、被保険者自身が一番わかっているであろう。そこで、保険法は、他人の生命の保険契約が成立するためには、被保険者の同意が必要であると定めた（保険38条）。つまり、前述の危険性が無いことを、被保険者の同意によって確認しようというわけである。方式として簡便であることもあり、諸外国に目を移しても、被保険者の同意を要求する法制が一般的である。

冒頭のケースに当てはめてみると、①ではCの同意が得られるであろう。一方で、②ではDの同意はおおよそ得ることはできないであろうから、契約が成立する現実的可能性はほぼない。③ではEの同意が得られるかもしれないが、労使関係の中で、自由意思に基づく判断をなし得るかという問題は残る（⑸団体定期保険の解説も参照）。

なお、保険法38条は、死亡保険のみを対象としている。生存保険はこのような危険性が重大なものになることはなく、回避するまでもないと考えられたためである。

一方で、このような危険性は、他人の生命の保険契約を締結する場面だけでなく、保険金受取人が変更される場面や、保険金受取人が保険金請求権を譲渡ないし質入れする場面でも問題となり得る。それゆえ、これらの場面でも被保険者の同意が必要とされる（45条・47条。本章**2** 4⑵の解説も参照）。

⑶　**同意の方式**　　保険法上、被保険者の同意の方式についての定めはない。したがって、法律上は、書面でなくとも、口頭でもよいこととなる。また、同意の相手方も定めは無いため、保険者に対してでも、保険契約者に対してでも良い。ただし、被保険者の同意は契約の効力発生要件であるから、実務上、保険者は、契約締結の際に、担当者を被保険者と面接させるなどして、慎重に確認しているようである。

なお、時期についても特に定めはない。実務的には、契約成立前に同意の有無が確認されているが、仮に同意の有無の確認が契約成立後となっても、同意を得たときから契約の効力が発生するものと解される。

⑷　**同意の撤回**　　被保険者の同意は、効果意思を伴っていないため法律行為ではない。しかし、契約の効力を発生させる意思の通知であるから、準法律行為に該当する。準法律行為には法律行為に関する民法の一般原則が類推適用され得る。例えば、錯誤、詐欺に該当すれば、被保険者は同意を取り消すことができる（民95条・96条）。

それでは、撤回は可能であろうか。生命保険では保険期間が長期にわたることが多いため、同意をした当時と比して、被保険者の置かれた状況に変化が生じることもあり得る。例えば、⑴で掲げたケースの①で、その後夫婦は離婚したとする。Cとすれば、自らの死亡によりAが金銭を得ることは違和感をもつであろう。Cは同意を撤回することができるであろうか。

保険法上、同意の撤回に関する明文規定はなく、解釈に委ねられる。同意の撤回を認めれば、一旦成立した契約が、いつでも否定され得ることになり、契約の効力は大変に不安定になる。そのため、法律関係の安定性の観点より、同意の撤回は認められないと解するのが通説である。

ただし、撤回はできないとしても、保険法は、被保険者に契約の解除請求権を与えている（保険58条２項３号）。保険契約者との関係が悪化した場合には、この権利を行使すればよい（本章**3** 4(1)の解説も参照）。

(5) **団体定期保険**　(1)のケースの③のように、企業が、従業員の生命に保険をかけることがある。その典型例が、企業が保険料を負担して、従業員をまとめて被保険者とするもので、「団体定期保険」と称される（「Ａグループ保険」といわれるタイプである。以後は触れないが、従業員自らが保険料を負担して個別に入るタイプもあり、「Ｂグループ保険」といわれる）。

団体定期保険には、経済的に、保険料が割安になるというメリットがある。契約締結にあたっての募集費用を抑えることができ、また、被保険者である従業員の集団は、健康状態が比較的良好かつ均質であるため、リスクをより正確に見積もることができるからである。多くの企業が団体定期保険を利用しているが、かつて、1990年代後半に社会問題化し、裁判例が続出したことがある。

裁判に訴えたのは、従業員の遺族である。勤務先の企業は、数千万円の死亡保険金を得ておきながら、遺族には退職金と数万円程度の弔慰金しか渡さなかったためである。そもそも、遺族には、この保険の存在すら知らされていなかった。遺族は、保険金の引渡しを求めて勤務先を訴えたわけである。

問題となったのは「被保険者の同意」である。企業が保険契約者となり、従業員の生命につき保険契約を締結するためには、その従業員全員の同意が必要となる（36条）。この点、かつて、団体定期保険の場合は「団体的同意」で足りるとの見解が有力であった。保険の存在を周知した上で、異議ある従業員は被保険者から外すといった方法をとれば、被保険者全員の同意を擬制し得るとするのである。この見解に基づいて個別的同意を得る手間を省いたことが、団体定期保険の利用が広まった要素の１つでもあった。しかしながら現実には、労働組合長への説明、同意で済ませ、周知はほとんど図られていない例が多く、また、周知された場合も、口頭で簡単な説明がなされる程度であった。団体的同意が得られていたと言い難いのが実情であったようである。

もっとも、被保険者の同意が得られなかったとすれば、保険契約は無効となり、保険金は支払われない。そこで、遺族は、次のように主張した。団体定期保険の目的は従業員の福利厚生にあり、従業員と勤務先との間で保険金を遺族に引き渡すとの合意がなされていると見れば、その目的通りに利用されているといえるから、「被保険者の同意」は厳格に確認されなくとも、保険契約は有効に成立していると考えることができる。したがって、この「合意」に基づいて、受け取った保険金を遺族に引き渡すべきである。

この考え方をとれるかどうか、裁判例は分かれた。採用する裁判例もあったが（名古屋地判平13・3・6判タ1093・228、その控訴審である名古屋高判平14・4・24労判829・38など）、そのような「合意」の存在は確認できないとする裁判例もあった（静岡地浜松支判平9・3・24判時1611・127など）。もっとも、後者の裁判例でも、判決文の中で、団体定期保険の不当性について断罪する異例の言及がなされた。実は、団体定期保険を締結する企業側の主たる動機は、従業員の福利厚生ではなく、生命保険各社との関係を良好に保つことで、融資を受けやすくすることであった。保険会社に支払う保険料の総額よりも受け取る保険金の総額が下回り、経済的には意味がなくとも、利用し続ける企業も存在したほどである。団体定期保険が趣旨通りに利用されていないことは所轄官庁も把握しており、保険会社に行政指導していたのではあるが、実態はあまり変わらなかった。裁判は、こうした状況下で、提起されたのである。

最高裁は、後者の立場をとった。最判平18・4・11民集60・4・1387〔百選(初版) 55〕（前掲・名古屋高判平14・4・24の上告審）は、事実認定の問題として、そのような「合意」の存在は認められないと判断したのである。ただし、判決文の中では、団体定期保険の趣旨から逸脱した運用がなされていたことが言及された。補足意見においては厳しく批判され、そもそも被保険者の同意を欠き契約として無効であるとまで指摘された。

これを受けて、所轄官庁の行政指導も強化され、運用実態は大きく改善された。現在では、被保険者の同意が個別に確認されるようになった。また、企業から遺族に支払われる弔慰金・死亡退職金等の額と死亡保険金の額が連動することとなった。つまり、死亡保険金は実質的に遺族に引き渡されることとなったわけである。

この問題を通じて、被保険者の同意の意義と限界について検討が進んだ。(2)の解説は、その成果である。もっとも、被保険者の同意が団体的同意で足りると解し得るかについては、上記の裁判で中心の争点にならなかったこともあり、いまだ議論が煮詰まっているとはいえない状況にある。団体定期保険でも被保険者の同意が個別に確認されるようになったため当面は問題が顕在化しないであろうが、理論的には重要な検討課題である。

2　第三者（他人）のためにする生命保険契約

生命保険契約の典型的な利用例は、一家の大黒柱が、もしやの場合に備えて、配偶者や子供に保険金を残すべく保険契約を締結する場合であろう。このとき、保険契約者と保険金受取人は別人ということになる。契約をして保険料を負担する者とは異なる第三者が、保険契約の利益を享受するというわけであり、これを「第三者（他人）のためにする生命保険契約」という。

保険法42条は、第三者のためにする生命保険契約が締結された場合、保険金受取人は、当然にその契約の利益を享受すると定める。この条文の解釈は、損害保険契約に関する保険法８条と同じである。すなわち、「当然に」とは、保険金受取人は受益の意思表示をする必要が無い、ということであり（42条も民537条２項の特則）、「当該生命保険契約の利益」というのは、保険金請求権のみである（３章**2** 2の解説も参照）。

保険法42条も片面的強行規定であるから（49条）、保険金受取人に不利な約定は効力が認められない。例えば、保険金受取人が利益を享受するのに条件を付す特約は無効と解される。

3　保険金受取人の指定

(1) **概　要**　　生命保険では、契約締結に際して、保険金受取人の指定がなされる。年金保険などの生存保険では、保険契約者兼被保険者が自らを保険金受取人として指定することが多い。一方で、死亡保険では、保険契約者兼被保険者が自らとは異なる第三者を保険金受取人に指定することが一般的である。

保険金が誰に支払われるべきかは重要な事項である。実務では、通常、契約申込書の保険金受取人欄に、特定人の氏名を記入することで確認される。しかし、その欄の記載が曖昧であったり、二義的であったりする場合も全くあり得ないわけではない。その場合はどのように考えるべきか。次に掲げるケースの各場面を題材として、解説することとしたい。

［ケース］

Ａは、Ｂ生命と、自らを被保険者とする死亡保険金1000万円の死亡保険契約を締結していた。契約申込書の保険金受取人欄に、Ａは、次のように記入していた。Ａの死亡後、それぞれ、誰が死亡保険金を取得することになるか。

①保険金受取人欄は「妻」との記載である。ただしＡは、契約締結時の妻Ｃとは離婚し、その後Ｄと再婚していた場合。

②保険金受取人欄は「妻　Ｃ」との記載である。後にＡとＣは離婚した場合。

③保険金受取人欄が空欄のままであった場合。

④保険金受取人欄は「相続人」との記載であった場合。

⑤保険金受取人欄は「Ｅ」との記載である。しかし、Ａの長男Ｅは、Ａの死後、相続を放棄した場合。

⑵　**保険金受取人指定に関する表示の解釈**　まず、ケースの①の場合について考えてみよう。保険金受取人は、Ａの死亡時の妻Ｄであろうか、それとも契約締結時の妻Ｃであろうか。１つの考え方としては、記載した保険契約者の真意を追求するというアプローチがある。しかし、保険金受取人の特定が問題となり得る場面では、その指定をした保険契約者が、被保険者と兼ねているがゆえに死亡していることが多いため、保険契約者の真意を追求することは、死者の意思を追求することに等しい。遺言ではそのような解釈方法が採られているが、時間と手間がかかる。大量の支払事務を抱えている保険者に、その解釈を強いるのは酷であるともいえる。真意の確認に手間取れば、それだけ保険金の支払いも遅くならざるを得ないため、保険金受取人にとっても好ましいとはいえない。

判例は、そのアプローチを採用せず、「保険契約者が何びとを保険金受取人として指定したかは、保険契約者の保険者に対する表示を合理的かつ客観的に解釈して定めるべき」とする（最判昭58・9・8民集37・7・918〔百選71〕）。この立場が、学説上も通説である。ケースの①では、Ａ死亡時の妻と解するのが客観的かつ合理的であろうから、死亡保険金を受け取るのはＤということになる。このように、「妻」や「子」といった抽象的な指定であっても、保険事故発生時にその地位にある者が、客観的かつ合理的に特定できるのであればよいと解されている。

それでは、ケースの②の場合はどうであろうか。これは、前掲の最高裁の事案であるが、実のところ、ＡとＣの離婚は、Ｃの不貞行為によるものであった。離婚成立後、Ｃは不貞行為の相手と結婚したため姓が変わっていた。そのため、当初の「妻　Ｃ」という記載に合致する者は存在しなくなっていたのである。こうした事情からすれば、Ａが生存していれば、Ｃに保険金を受け取らせることを了とするとはとても思えない。しかし、最高裁は、それでもなお、前述のように判断した。保険契約者の保険者に対する表示以外の事情は考慮する必要がないとしたわけである。

ただし、表示以外の事情は考慮しないとしても、「妻　Ｃ」という記載は「妻」が条件となっているとも理解でき、多義的である。学説の中には、表示が多義的な場合には、保険契約者の真意を追求した方が望ましいとする見解もある。しかし、最高裁は、「客観的にみて、右『妻』という表示は……単に氏名による保険金受取人の指定におけるその受取人の特定を補助する意味を有するにすぎないと理解するのが合理的」であるとし、氏名で特定されたＣが保険金受取人であると解した。「妻」という記載を重視しなかった解釈には違和感を感じるかもしれないが、現状ではこれがルール（判例法理）である。

契約申込書の保険金受取人の欄には、続柄を記入する部分もあるのが通例である（続柄は、同姓同名の場合に保険金受取人を特定するために、あるいは保険契約者と保険金受取人の関係を知るためには意味のある項目である）。そのため、現在でも、ケースの②のような場面が生ずる可能性はあるといえる。

⑶　保険金受取人の指定がない場合　　ケースの③のように、保険金受取人の指定がない場合について、保険法には特に定めがない。そもそも、保険金受取人の「指定」という概念自体、保険法には存在しない。保険金受取人は契約当初より生命保険契約の内容の１つと構成されるため、「指定」という概念を別途に観念する必要はなく、契約締結後の変更について定めれば足りる（43条）と考えられたためである。

とはいえ、保険金受取人の指定が無いために契約の有効性が否定されるとは解されていない。誰が保険金受取人かについての、契約の解釈の問題とされる。通説は、保険契約者の自己のためにする保険契約となると解する。保険料を負担する保険契約者が利益を得る立場になることは、自然な解釈ではある。もっとも、死亡保険では、保険契約者が被保険者を兼ねることが多く、だからこそ保険金受取人という地位が別に設けられていることからすれば、違和感のある考え方かもしれない。しかし、他に保険金請求権を帰属させるべき当事者を一般的に想定することはできないため、通説はやむを得ない解釈として是認されている。結局のところ、保険金請求権は、保険契約者の相続財産に帰属することになる。

約款規定として、保険金受取人の指定が無い場合には、保険契約者の相続人が保険金受取人となる旨が定められることもある。こうした約款規定は有効と解されている。一見、自己のためにする保険契約と同じことになるように思われるかもしれないが、この約款規定による場合、後述する固有権性により保険金請求権は相続財産に帰属しないこととなるため、一定の意義がある。

⑷ **「相続人」との指定**　生命保険契約の保険期間は、一般に長期間であり、数十年にわたることもある。そのため、契約時には保険金受取人として指定すべき特定人を想定しがたい場合もある。とりあえず指定しておき、結婚や出産などを機に、その都度変更することが筋であるが、面倒である。変更を失念することもあり得る。ケースの④のように「相続人」との指定が許されれば、この問題は回避できる。

「相続人」との指定は抽象的であるが、判例は、「保険契約者の意思を合理的に推測して、保険事故発生の時において被指定者を特定し得る」ために有効と解している（最判昭40・2・2民集19・1・1〔百選74〕）。学説上もこの立場が通説である。また、相続人が複数名存在する場合は、それぞれの権利取得割合も問題となり得るが、判例は、相続人という指定には「相続人に対してその相続分の割合により保険金を取得させる趣旨も含まれているものと解するのが、保険契約者の通常の意思に合致し、かつ、合理的であると考えられる」とした（最判平6・7・18民集48・5・1233〔百選109〕）。つまり、相続割合によるというわけである。

「相続人」に内縁者は含まれるか。下級審裁判例であるが、否定したものがある（大阪地判昭53・3・27判時904・104、東京地判平8・3・1金判1008・34〔百選72〕）。表示を客観的かつ合理的に解釈する以上、「相続人」に法定とは異なる者も含まれると解することは難しいであろう。

前掲の最高裁判決により「相続人」の指定は有効と解されるが、まだ論点が残されている。例えば、保険契約者と被保険者が別人の場合には、どちらの「相続人」と解すべきであろうか。先例とすべき裁判例は見当たらない。学説は割れている。紛争が生じ得る余地が存在するのである。

そもそも、保険者にしてみれば、被保険者死亡後に、具体的に相続人が誰かについて確認しなければならず、負担は小さくない。誤れば二重払いのリスクを負うことになる。そのため、近時の実務では、「相続人」との指定を受け付けていないようである。

(5) 生命保険と相続（保険金請求権の固有権性） 生命保険における保険契約者、被保険者及び保険金受取人は、法形式上、血縁関係にある必要はないが、現実的には、ケースの各場面のように、親族であることが大半である。そのため、被保険者と保険金受取人が相続関係にあることが多い。したがって、生命保険契約（とりわけ死亡保険契約）は、相続と隣接した場面に、場合によってはそのまっただ中に存在する。遺言の中で保険金受取人の変更がなされる場合もある（5にて後述）。ここでは、生命保険契約と相続法制の基本的なかかわりを解説しておきたい。ケースの⑤は、そのための一事例である。

ケースの⑤のＥのように、相続人が相続を放棄することがある（民938条以下）。相続放棄に至る事情は様々であるが、相続財産に多額の債務が含まれている場面が典型例の１つであろう。ケース⑤のＥも、Ａに多額の債務があるがゆえに、承継しきれず、相続放棄に至ったとしよう。問題は、この場合の、Ｅの保険金請求権である。相続放棄と、運命を共にするのであろうか。

仮に、保険金請求権は、まず保険契約者の下に生じ、指定とともに保険金受取人に承継されると解すると、相続法制の適用を受けるので、保険金請求権は相続放棄と運命を共にすることになる。しかし、判例・通説はそのように解しない。保険金請求権は、保険契約の効力発生と同時に、保険金受取人の固有財産となり、被保険者（兼保険契約者）の遺産より離脱すると解される（大判昭11・5・13大民集15・877、前掲・最判昭40・2・2）。これを、「**保険金請求権の固**

有権性」という。

保険金受取人は、保険金請求権を原始取得すると解されるわけである。承継取得ではないため、相続法制は適用されない。したがって、ケースの⑤のEのように相続を放棄しても、保険金請求権は失われない。限定承認（民922条）の場合も同様であり、保険金請求権の帰趨は影響を受けない。そのため、多額の借金を負った者が、遺族にはせめて当面の生活費は渡したいとして死亡保険金を残す、ということが、法律上許されることとなる。

なお、(4)で述べた「相続人」と指定した場面とで、理解が混乱するかもしれない。ケースの④のように「相続人」と指定した場面は、保険契約者の意思解釈が行われていることに注意してもらいたい。つまり、原則として、保険金請求権は相続法制と関係しないところに存在しているのであるが、保険契約者の意思により相続法制を一部参照している、ということである。他方、(3)で扱ったケースの③では自己のためにする保険契約となると解されるが、その結果、保険金請求権は一旦、保険契約者の相続財産に帰属し、相続人に承継取得される。したがって、相続法制が全面的に適用されることになる。

固有権性により、保険金請求権は相続財産には組み込まれないため、相続順位や相続割合などのルールは、保険契約者（すなわち被相続人）が望まなければ反映されない。しかし、民法には、被相続人の意思にかかわらず相続人間の公平を図るためのルールが存在する。特別受益の持戻し（民903条）や遺留分（民1042条以下）である。これらの規定の適用についてはどうか。

学説上は、実質面を重視し、相続人間の公平を図るべきとして、適用ないし類推適用を認めるのが多数派である。しかし、最高裁は異なる立場に立った。最判平14・11・5民集56・8・2069〔平成14年度重判民法11〕は、保険契約者兼被保険者Aが保険金受取人を妻Bから父C（非相続人）に変更した事案にて、その変更行為は平成30年改正前民法1031条にいう遺贈・贈与に該当しないから、遺留分減殺の対象にならないと判示した。保険金請求権の固有権性を徹底したわけである。

もっとも、特別受益について、最決平16・10・29民集58・7・1979〔百選75〕は、同様の考え方により保険金請求権は持戻しの対象とならないとした上で、「保険金受取人である相続人とその他の共同相続人との間に生ずる不公平が民法903条の趣旨に照らし到底是認することができないほどに著しいものであると評価すべき特段の事情が存する場合には、同条の類推適用により、当該死亡保険金請求権は特別受益に準じて持戻しの対象となると解するのが相当である」とした。例外があることを示唆したのである。

近時、民法の相続法制が改正されたが、これらの判例の意義については特に変わりがないものと解されている。それゆえ、現実には、この特段の事情に該当し、例外的に持戻しの対象となり得るか否かが重要である。いかなる場合に特段の事情が認められるかについて、前掲・最決平16・10・29は、「保険金の額、この額の遺産の総額に対する比率のほか、同居の有無、被相続人の介護等に対する貢献の度合いなどの保険金受取人である相続人及び他の共同相続人と被相続人との関係、各相続人の生活実態等の諸般の事情を総合考慮して判断すべき」と判示している。複数の事情が例示されているが、いずれかが決定的というわけではなく、総合的に考慮され、民法903条の趣旨に照らして著しく不公平か否かが判断される。裁判例では、複数存在する相続人のうち１人のみが保険金受取人と指定され、死亡保険金が遺産の総額と匹敵するほどの大きな額であった一方で、その者が、被相続人と同居しておらず、また、扶養や介護などの貢献もしていない場合、特段の事情に該当し、特別受益の持戻しの対象となると判示したものがある（東京高決平17・10・27家月58・５・94。このほか認められた裁判例として、名古屋高決平18・３・27家月58・10・66、東京地判平31・２・７LEX/DB 文献番号25559699など）。一方で、死亡保険金の遺産の総額に対する比率が大きくとも、被相続人と同居してきたなどの事情から、特段の事情を認めなかった裁判例もある（東京地判令３・11・11 LEX/DB 文献番号25602199、広島高決令４・２・25判時2536・59など）。

学説では、この特段の事情の例外を介すれば望ましい解決が得られるとして、前掲・最決平16・10・29は好意的に受け止められている。ただし、これまでの裁判例では、支払われた保険金が持戻しの対象とされてきたが、公平の観点からすれば、被相続人である保険契約者が支払った保険料の総額や、解約返戻金なども対象になり得ると指摘されているところである。

なお、特段の事情の例外は、特別受益の持戻しだけでなく遺留分侵害請求権（民1046条）についても認められるべきという見解が支配的である。しかし、この点が正面から扱われた裁判例はまだ存在しない。

(6) 保険金受取人指定の「自由」　保険法上は、どのような者が保険金受取人になり得るかにつき、何ら定めを設けていない。そうすると、とりわけ保険契約者が被保険者を兼ねている場合、誰を保険金受取人に指定するかは保険契約者の自由であるといえそうである。果たしてそうであろうか。

保険金受取人は、保険契約から生じる利益を得る者であるから、それが誰であるかで、個々の契約は性格が大きく変わる。家族を指定するのが一般的であろうが、相続人全員にするか、配偶者のみにするか、子にするか、子のうちあえて1人に絞るか、あるいは、親にするか、様々なバリエーションがある。いずれにするかで、当事者にとって保険契約の意味合いは変わることになる。

一方で、家族以外の者を指定することもあり得ないわけではない。例えば、債権者である。比較的身近に存在するタイプとして、住宅ローンに付随する団体信用保険が存在する。一家の働き手に不幸があった場合に、住宅ローンの支払いが重くのしかかることになるが、この保険に加入しておけば、保険金で、ローンの残りは充当されるわけである。しかし、そういう用いられ方ならば問題が小さいかもしれないが、多額の借金を負った者が債権者からの要請を受けて、保険金額を債権額相当とし、債権者を保険金受取人とする死亡保険契約を締結する場合はどうであろうか。モラル・リスク的な事件が生じかねないおそれを感じるのではないであろうか。

あるいは、企業が従業員の生命につき保険金を受け取るとなった場面はどうであろうか。本章**2** 1のケースの③でも挙げているが、過労死に追い込む下地となってしまう危険性はないであろうか。

要するに、保険金受取人の指定次第では、モラル・リスクの危険性が増大し得るわけである。保険者にも、契約の申込みにつき承諾するか否かの自由が認められている。モラル・リスクの疑いがある契約を、進んで締結する保険者は存在しない。保険者は、保険金受取人が誰になるか、非常に敏感である。実務的には、保険金受取人として保険契約者と二親等内にある者が指定されなければ、契約締結に応じないのが基本である（前述の団体信用保険や、本章**2** 2(5)で解説した団体定期保険は例外である）。内縁者ですら、慎重である。

誰を保険金受取人として契約を申し込むかは、まさに「自由」であるが、保

コラム4-3　保険金請求権の放棄

稀ではあるが、保険金受取人が、相続だけでなく、保険金請求権まで放棄してしまう場合がある。この契約はどうなるのであろうか。

手元に残った保険金を保険者が取得するのはおかしいとして、自己のためにする保険契約となると解する見解がある。一理あるようにも思われるが、保険契約者が被保険者を兼ねる自己の生命の保険の場合、死者に保険金請求権が帰属することになる。その事態を避けるために保険金受取人という地位が用意されていることからすれば、保険法の体系上、少々無理のある考え方である。

一方で、放棄された保険金請求権は消滅すると解する見解もある。その結果、受け取られなかった保険金は保険者が取得することになるが、時効の場合でも同様であるため、やむを得ないと考えるのである。筋論としてすっきりとしており、これが多数説である。下級審ではあるが、裁判例ではいずれも多数説の立場が採用された（京都地判平11・3・1金判1064・41、その控訴審である大阪高判平11・12・21金判1084・44〔百選73〕、神戸地尼崎支判平26・12・16判時2260・76、その控訴審である大阪高判平27・4・23生判26・156）。

ただし、多数説の中でも、保険者が保険金を取得することになるのは問題と考え、免責の場合と同様に、保険料積立金は保険契約者に返還すべきとする見解もある。

険者が応ずるとは限らない。現実には、相当に制約された「自由」である。

4　保険金受取人の変更

⑴ **概　要**　　保険契約者は、保険事故が発生するまでの期間であれば、いつでも保険金受取人を変更することができる（43条1項）。

民法は、第三者のためにする契約につき、受益の意思表示がなされ、受益者の権利が発生した後は、受益者を変更することはできないと定める（民538条1項）。一旦発生した権利が奪われることになる受益者の利益を重視するためである。保険金受取人に指定された者には契約発生時から保険金請求権が帰属しているものと解されるから、民法の原則からすれば、変更できないことになるはずである。保険法がこれと異なる特則を置くのは保険契約者の利益を重視したためである。生命保険契約では保険期間が長期にわたることが多いため、契

コラム4－4　不倫相手の指定

保険金受取人として、あろうことか不倫相手が指定された事案がある。一般に、不倫関係の維持・継続を目的として締結された契約は公序良俗に反して無効である（民90条）。しかし、裁判所は、そのような保険金受取人の指定のみが無効と判示した（東京地判平8・7・30金判1002・25、東京地判平11・3・11金判1080・33、その控訴審である東京高判平11・9・21金判1080・30）。契約が無効となると死亡保険金は支払われないが、指定のみを無効とすれば、保険金受取人の指定がない場面と同視でき、自己のためにする生命保険契約となると解し得る。その結果、死亡保険金は、相続により遺族の手に渡ることとなる。裁判所は、この結論が望ましいと考えたわけである。

もっとも、この解釈には批判もある。「不倫関係の維持・継続」を目的としているか否か自体、必ずしも明確に判別できることでもなく（不倫関係はひっそりと築かれるものであるし、また、重要な証人である当の本人は既に死亡している）、保険者は二重払いのリスクを負わされることになるからである。保険者を巻き込むのではなく、妻と不倫相手との間で、不当な関係であったか否かを追究させ、その上で保険金の帰趨を争わせるべきというのが、学説の趨勢である。

約締結時とは事情が変わることが十分にあり得る。保険金受取人の変更を可能とすべき現実的な必要性があることが考慮されたのである。

元々の保険金受取人の同意は必要でない。そもそも、保険金受取人の指定は契約相手の保険者に対してなされるものであるから、指定された本人はわかっていないことも少なくない。知らないうちに保険金受取人としての地位を失っていた、ということもあり得るわけである。

保険金受取人の変更を保険事故の発生と同時まで認めているのは、本章**2** 5にて後述する遺言による受取人変更に対応するためである。

⑵　**変更の法的性質・方式・効力発生時期**　　保険金受取人の変更は、保険契約者の権利である。形成権の性質を有すると解されるが、保険者に対してなされなければならない（43条2項）。そのため、保険金受取人の変更は一方的意思表示でなされるものの、相手方のある単独行為といえる。旧法にはこのような規定がなく、判例・多数説は、保険金受取人の変更は相手方のない単独行為であり、意思表示の相手方は必ずしも保険者であることを要せず、新旧保険金受取

人のいずれに対してなされてもよいと解していた（最判昭62・10・29民集41・7・1527）。もっとも、この解釈の主眼は、旧法下で遺言による保険金受取人変更を可能とするところにあった。遺言による保険金受取人変更について立法的に解決された保険法では（44条、本章**2** 5の解説を参照）、この立場を維持する必要がなくなったため、簡明で自然な法律構成が採用され、意思表示の相手方は保険者に限定されることとなった。

財産行為であり、身分行為ではないと解される。一身専属権ではないため、保険契約者が死亡した場合、その地位とともに相続される（ただし、契約上で別異の定めを設けることは可能である）。債権者詐害行為（民424条）や破産法上の否認権（破産160条）などの対象にもなり得ると解される。ただし、保険金受取人は自由に変更し得るものであるため、保険金受取人としての地位が失われたからといって、直ちに詐害行為などの要件が備わるわけではない。詐害行為などの要件が備わり得るのは、例えば、債務者が、契約している生命保険契約につき、保険金受取人を自己から第三者に変更するようなケースである。それほど一般的に起こり得る場面ではない。

効力は、変更の意思表示が保険者に到達した場合に、発信時に遡って生ずることとされている（43条3項）。保険事故が、保険者に到達する前に生じてしまっても、到達さえすれば、保険金は新しい保険金受取人に支払われるべきこととなる。保険契約者の保険金受取人変更の意思をできるだけ尊重することを意図したものである。何をもって「発信」「到達」といえるかは、基本的には一般原則の通りであるが、営業職員に対して書類を交付した段階で、その営業職員は受領権限を有していなかったとしても、「到達」を認めるべきとの見解が有力に唱えられている。

方式について、保険法は特段の規定を置いていない。それゆえ、法律上は口頭でも足りるが、実務的には、各保険会社指定の書面にてなされている。

なお、保険金受取人を変更するためには、被保険者の同意が必要である（45条）。保険法38条は、他人の生命の保険契約を締結する際には被保険者の同意が必要であるとしているが、その脱法を阻止する趣旨である。すなわち、他人の生命の保険契約に伴う賭博に堕しかねない危険性、被保険者の生命を脅かす誘因が生ずる危険性、被保険者の人格権が侵害される危険性の有無は、誰が保険金受取人かにより左右されるため、変更時にも改めて確認することとしたわけである（本章**2 1**(2)の解説も参照）。

(3)　**強行規定性**　　保険法43条の２項及び３項は強行規定と解されるが、１項は任意規定と解される。したがって、契約上、保険金受取人の変更についての特則を置くことは可能である。例えば、保険期間が短期間の契約では、保険金受取人を変更する必要性に乏しいため、保険金受取人の変更を禁ずるとすることが考えられる。また、モラル・リスクの観点で懸念があるときは、変更の対象者を親族などの一定の者に制限することや、保険者の同意が必要とする定めを設けることも考えられよう。実際に、共済では、組合員の福利厚生という目的から被共済者（被保険者）である組合員の親族に共済受取人を制限すべく、共済事業者の同意を求める規約（約款）規定が置かれる例が見受けられる。

なお、こうした特則が置かれない場合に、保険金受取人の変更が完全に保険契約者の自由かといわれれば、そうではない。民法90条など、法の一般原則に服することになるのは当然である。

5　遺言による保険金受取人の変更

(1)　**概　要**　　保険法44条は、遺言によっても保険金受取人を変更することができると定める。旧法にはこのような定めはなく、遺言によって保険金受取人を変更できるか否か、学説・裁判例は分かれていた。保険法が明文をもって認めたのは、そのニーズがあるからである。例えば、保険契約者が保険金受取人の変更を家族に知られたくない場合や、遺産の分割方法について遺言を残すと同時に死亡保険金の受取人も変更したい場合などには、遺言によって保険金受取人を変更することが１つの方法である。高齢化社会を迎え、遺言の重要性が増してきている状況下において、生命保険をより有効に機能させるために、こうしたニーズに対応すべきと考えられたわけである。

(2)　**変更の方式・効力発生時期**　　保険法44条を適用するためには、法律上の「遺言」でなければならない。すなわち、民法所定の要件（民960条以下）を備えなければならない。遺言が無効となれば、保険金受取人変更の意思表示としても無効となる。

効力については、基本的に遺言に関する民法の規律に従う。遺言は撤回することができ（民1022条参照）、また、内容的に抵触する後の遺言や生前処分などがなされたときは、先の遺言は撤回されたものとみなされる（民1023条）。それゆえ、保険契約者が一旦は保険金受取人をＡからＢに変更する遺言をしたが、後に、Ｃを保険金受取人とする内容の遺言をした場合や、遺言ではなく通常の方式で保険金受取人変更の意思表示をした場合は、先の遺言による保険金受取人Ｂへの変更も撤回されたことになる。

効力の発生も、遺言であるから、遺言者死亡の時である（民985条１項）。しかし、そうなると保険者は、効力が生じたにもかかわらず保険金受取人が変更されたことを直接には知り得ないため、変更前の保険金受取人に対して保険金を支払ってしまう二重払いのリスクを負うことになりかねない。そこで、保険契約者の相続人が、遺言で保険金受取人が変更されたことを保険者に通知しなければ、保険者に対抗できないものとされた（44条２項）。遺言自体は相手方のない単独行為であるが、このようにして、相手方のある単独行為である保険金受取人変更との整合性が図られ、かつ、保険者が二重払いのリスクを負うことが回避されたわけである。

相続人は複数存在することが多いであろうが、この通知は、相続人全員が共同して行う必要はなく、１名が保険者に対して行えば足りる。遺言執行者でも行うことができる（民1012条１項・1015条）。

他人の生命の保険の場合には２点注意する必要がある。まず、遺言の場合であっても、被保険者の同意が必要となることには変わりがない（45条）。被保険者が同意をしなければ、変更の効力は発生しない。同意は、保険事故発生後でも確認できれば良いが、保険事故発生前に確認されるのが望ましいことはいうまでもない。現実的には、保険契約者すなわち遺言者が、生前のうちに、予め被保険者から同意を書面などで得ておくべきことになろう。

第二に、保険契約者よりも先に被保険者が死亡した場合には、遺言の効力が発生する前に、保険事故が発生することになる。保険金受取人の変更が可能であるのは保険事故発生時までであるため（43条１項）、この場合の遺言による保険金受取人の変更は無効となる。

⑶ **遺言の解釈**　民法所定の要件を備え、遺言として法律上有効に成立し

た場合であっても、その内容に疑義が生じ、解釈の必要がある場合もあり得る。一般に、遺言の解釈にあたっては、遺言者の真意を追求することが原則である。問題となっている文言を形式的に判断するだけでなく、遺言書の全記載との関連や、作成当時の状況などを考慮すべきとされる（最判昭58・3・18家月36・3・143）。遺言は相手方のない単独行為であり、かつ、表示者の最終意思であるためである。一方で、保険金受取人にかかる意思表示は、相手方のある単独行為であり、合理的かつ客観的に解釈することが原則である（最判昭58・9・8民集37・7・918〔百選71〕。本章**2** 3(2)の解説を参照）。この二律背反的な解釈原則にどう折り合いをつければよいのであろうか。以下に掲げるケースに基づいて考えてみよう。

［ケース］

Aは、甲生命と、自らを保険契約者兼被保険者とする死亡保険金1000万円の生命保険契約を締結していた。保険金受取人はBであったところ、Aの死亡時に遺言を確認したところ、保険金受取人を変更するかのような文言が含まれていた。次に掲げる文言である場合、それぞれについて、変更の意思表示を認めることができるか。

①「甲生命との生命保険契約につき、死亡保険金1000万円の受取人をCに変更する。」との文言。

②「生命保険金をCに遺贈する。」との文言。

③「生命保険契約をCに相続させる。」との文言。

④「全財産をCに遺贈する。」との文言。

⑤Aは、乙生命とも、A自身が保険契約者兼被保険者であり、死亡保険金を3000万円、保険金受取人をBとする生命保険契約を締結していた。その上で、遺言の中に「死亡生命保険（甲生命・乙生命）の受取人を変更する。右生命保険のうち金1000万円をCに残す」との文言があった。

ケースの①は、明確に変更の意思表示を読み取ることができる。あるべき文言のあり方といえよう。

ケースの②の問題は、「遺贈する」との表示にある。保険金請求権は相続によって承継取得されるものではなく、遺贈の対象となり得ないためである（保険金請求権の固有権性による。本章**2** 3(5)の解説を参照）。学説は、旧来、保険金受取人変更の意思表示と解し得るとするのが多数説であった。遺言による保険金受取人の変更が可能であれば、「遺贈」という表示はあるものの、遺言者（A）

の真意は保険金受取人の変更であると理解することには、ある程度客観性も合理性も認められるものと思われる。なお、裁判例では、「遺贈」という表示がそのまま受け取られ、保険金受取人変更が認められていないが（大判昭６・２・20新聞3244・10、前掲・最判昭40・２・２、東京高判昭60・９・26金法1138・37など)、いずれも旧法下のものである。判断の基盤には、遺言による保険金受取人の変更が可能かどうか不確定であるとの認識があり、したがって、現行法では、これらの判断は引き継がれないと思われる。

一方で、ケースの③はどうであろうか。「相続させる」旨の遺言は、原則として、遺贈と解すべきではなく、遺産の分割の方法（民908条）を定めたものと解されるが（最判平３・４・19民集45・４・477)、保険金請求権は相続財産に含まれないため、この解釈原則は決め手にならない。ケースの②との違いは、契約者をＣに変更する意図であるとも読めることである。一義的には解釈しづらいことから、学説上は、この文言のみでは保険金受取人変更の意思表示とは認められないと解する見解もある。もっとも、近時の裁判例では保険金受取人変更の意思表示と認めたものがある（東京高判令５・２・２ウエストロー・ジャパン文献番号2023WLJPCA02026008)。

ケースの④は、②と同様に「遺贈」という文字が使用されているが、その対象は全財産である。保険金請求権は相続財産に含まれないため、理論的に考えれば「全財産」には死亡保険金は含まれない。そのため、保険金受取人変更の意思表示があったとは読み込めないとする見解が、学説上有力である。一方で、遺言者（Ａ）の真意を探求すれば、保険金受取人変更の意思表示が含まれていると読み込む余地があるとする見解も存在し、学説は割れている。

ケースの③も、ケースの④も、争点となった裁判例はまだ存在していない。実務上は、保険金受取人変更の意思表示がなされたと扱われないようである。

ケースの⑤では、保険金受取人変更の意思表示は明確であるが、変更の対象となる保険金請求権の特定は困難である。ケースの⑤のモデルにした裁判例では、遺言者の合理的意思を推測し、保険金額に応じた案分額で、保険金受取人及び受取額を変更する趣旨の記載と解された（神戸地判平15・９・４生判15・543)。つまり、甲生命との契約においては250万円、乙生命との契約においては750万円、Ｃが保険金受取人となる、というわけである。学説上は、この判決を支持する見解もあるが、不明確な場合は意思表示の効力を認めるべきでないとする見解も存在する。

遺言者の真意の追求と、合理的かつ客観的な解釈をいかに調整するかは、いまだ議論のさなかにある。遺言の解釈はケースバイケースにならざるを得ず、「この記載はこのように解釈する」という一般論は立てるべきではないとする見解も有力である。

6　保険金受取人の死亡

⑴ **概　要**　生命保険の保険期間は長期にわたることが多い。そのため、保険事故が発生する以前に、保険契約者が死亡してしまう場面は全くのレアケースではない。保険契約者が死亡した場合は、契約者としての地位は、その相続人に承継される。約款では通例、この相続人が複数名になることを想定した規定を置いている。例えば、契約者が2名以上存在するときは代表者を1人定めることを要する旨が定められることが多い。

保険金受取人が死亡してしまう場面もあり得る。その場合、保険法は、その相続人が保険金受取人となると定める（46条）。旧法も同様の規定があり、保険金受取人が死亡し、保険金受取人の変更をしないまま保険契約者も死亡した場合、保険金受取人の相続人が保険金受取人となる旨が定められ（平成20年改正前商676条）、これに基づいて判例、実務が構築されていた。保険法46条は、この法状況を基本的に踏襲したものである。

現実には、保険金受取人が死亡した場合、保険契約者は改めて保険金受取人を指定し直す（変更する）ことが通例であろう。ただし、そうしないうちに保険事故が発生してしまう（被保険者が死亡する）こともある。この場合について、保険金受取人の死亡により指定は失効し、保険金受取人の指定がない場面（本章**2** 3⑶を参照）と同様に、保険契約者が保険金受取人を兼ねる自己のためにする保険契約となるという処理方法もあり得よう。比較法的にはそのような法制が多い。しかし、保険法はその処理方法をとらなかったわけである。

仮に、自己のためにする保険契約となると処理しても、保険金は、結局、保険金受取人の相続人に渡ることになる場合が多い。なぜならば、典型的な生命保険契約では、保険契約者が被保険者を兼ねており、また、その家族が保険金受取人であるから、保険事故が発生、すなわち、保険契約者兼被保険者が死亡すると、保険金請求権は、保険契約者の相続財産に組み込まれ、保険金受取人の相続人に相続されていくことになるためである。一見、大きな違いはないように思われるかもしれないが、相続財産に組み入れられれば債務の引当てにもなる。保険法46条によれば、債務の引当てとなることを回避し得るため（保険金請求権の固有権性による。本章**2** 3(5)を参照）、保険金受取人の相続人にとって有利である。そのため、より遺族の生活補償に資する方策であると評されている。

(2) **相続人の範囲**　前述したように、生命保険契約の保険期間は長期にわたることが多いため、保険金受取人の相続人までが死亡する場合もある。この場合に、相続人の相続人も保険金受取人となるのか。

例えば、次のケースで考えてみよう。

［ケース］

Ｂは最初に乙と結婚し、子としてＸ１をもうけたが、その後離婚した。甲は丙と結婚し、子としてＣ、Ｄ、Ｅをもうけていたが、丙に先立たれた。そのため、甲はＢと再婚することとなり、ＡとＸ２の２人の子をもうけたが、甲は先に他界した（親族構成については**図表４－２**参照）。

そのＡは、自らを被保険者とし保険金受取人を母Ｂとする死亡保険金1000万円の生命保険契約に加入した。その後、まずＢが死亡し、次いでＡが、保険金受取人の変更を行わないまま死亡した。誰が保険金受取人となるか。

図表４－２　親族構成図

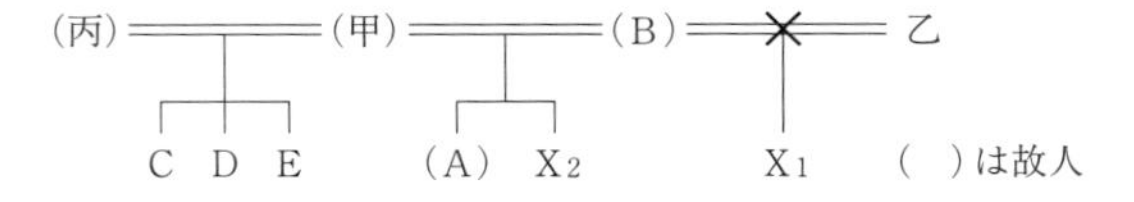

保険金受取人Ｂの相続人は、Ａ、Ｘ１、Ｘ２である。保険法46条の適用があるのは、保険金受取人が死亡した時点の１回限りと考えると、この３名ということになる。ただし、Ａは死亡しているため、その分の保険金請求権はＡの相続財産に組み込まれることとなる。これで終われば３名であるが、保険事故発生は、すなわちＡの死亡であり、その時点でまた保険金受取人が死亡したことになる。もしＡの相続人も含まれるとすると、異母兄弟であるＣ、Ｄ、Ｅの３名も加わることになる。

このケースは、最判平５・９・７民集47・７・4740〔百選78〕の事案を少々簡易にしたものである（実際は、Ｂにはもう１人子がおり、また、甲にはさらに先妻があり、その子、孫も存在するため、相続関係はより複雑である。前掲の民集に掲載されている相続人関係図を参照）。最高裁は、平成20年改正前商法676条２項は、保険金受取人が不存在となる事態をできる限り避けるため、保険金受取人についての指定を補充するものであると解し、同規定の「保険金額ヲ受取ルヘキ者ノ相続人」とは、「保険契約者によって保険金受取人として指定された者の法定相続人又はその順次の法定相続人であって被保険者の死亡時に現に生存する者」をいうと解した。この考え方によれば、上記のケースで保険金受取人となるのはＸ１、Ｘ２、Ｃ、Ｄ、Ｅの５名となる。

保険法46条は、この判例を踏まえ、保険金受取人となるのは「その相続人の全員」と定めた。それゆえ、その意味は「保険契約者によって保険金受取人として指定された者の法定相続人又はその順次の法定相続人であって被保険者の死亡時に現に生存する者」ということになる。したがって、先のケースで保険金受取人となるのは、同様に、Ｘ１、Ｘ２、Ｃ、Ｄ、Ｅの５名である。

⑶　**権利取得割合**　　誰が保険金受取人となるかに並んで重要であるのが、各人の権利取得割合である。保険法46条は権利取得の割合については定めていない。それではどう考えるのか、再び、先のケースを題材として考えてみることにしよう。

考え方としては、まず大きく、相続割合と均等割合に分かれる。均等割合も、各段階で行うのか、最後に一度に行うかで分かれる。

①相続割合の場合

まず、Ｂの権利をＡ、Ｘ１、Ｘ２が相続し（各１/３）、さらにＡの相続分をＸ１、Ｘ２、Ｃ、Ｄ、Ｅが兄弟姉妹として相続することになる（民900条４項により、Ｘ１、Ｃ、Ｄ、Ｅの相続分はＸ２の１/２となる）。合計した結果は次のようになる。

Ｘ１：Ｘ２：Ｃ：Ｄ：Ｅ＝７：８：１：１：１

各自の金額を１万円未満四捨五入にて示すと、Ｘ１は389万円、Ｘ２は444万円、Ｃ、Ｄ、Ｅは56万円となる。

②各段階で均等割とする場合

まず、Ｂの相続人であるＡ、Ｘ１、Ｘ２で均等分割し、次に、Ａの割当分をＡの相続人であるＸ１、Ｘ２、Ｃ、Ｄ、Ｅで均等分割する。合計した結果は次のようになる。

Ｘ１：Ｘ２：Ｃ：Ｄ：Ｅ＝６：６：１：１：１

各自の金額を１万円未満四捨五入にて示すと、Ｘ１、Ｘ２は400万円、Ｃ、Ｄ、Ｅは67万円となる。

③最後に均等割とする場合

Ｘ１：Ｘ２：Ｃ：Ｄ：Ｅ＝１：１：１：１：１

金額としては、全員200万円となる。

いずれの方式をとるかで結論が大きく異なることがわかるであろう。前掲の最判平５・９・７は、実は権利取得割合についても判断を下している。①でも②でもなく、③の立場を採用することを明らかにした。

保険金受取人を「相続人」と指定した場合は、権利取得割合は①の相続割合となる（前掲・最判平６・７・18。本章**２** ３(4)の解説を参照）。一見すると、この２つの判例について、整合性に疑問が生ずるかもしれない。しかし、保険金受取人を「相続人」と指定した場合は、「相続人に対してその相続分の割合により保険金を取得させる趣旨も含まれている」というように、保険契約者の意思をよりどころとして解釈することができる。一方で、先のケースの場合、相続人は法律の作用により権利を取得するわけであるから、保険契約者の意思をよりどころとすることができない。

最判平５・９・７は、「（平成20年改正前）商法676条２項の規定は、指定受取人の地位の相続による承継を定めるものでも、また、複数の保険金受取人がある場合に各人の取得する保険金請求権の割合を定めるものでもなく、指定受取人の法定相続人という地位に着目して保険金受取人となるべき者を定めるものであって、保険金支払理由の発生により原始的に保険金請求権を取得する複数の保険金受取人の間の権利の割合を決定するのは、民法427条の規定である」とも判示している。承継されるものではないから、相続法制を援用することはできず、承継の各段階を観念することもできず、他によるべき法規定もないため、原則に立ち返り、民法427条に基づいて均等分割すると解するほかないと判断したわけである。

前述したように、保険法は権利取得割合について何ら定めておらず、この判例法理が維持されているものと考えられる。したがって、現行法上でも、上記のケースは、③の立場によって処理されることになる。

相続割合（①の立場）と大きく異なる結論である（前述したが、実際の最判平5・9・7の事案では相続人がより増えるため、更に結論に差異が出る）。X1とX2は、期待を大きく裏切られたであろう。保険法では、保険金受取人が保険事故発生前に抱く期待はほとんど考慮されないのである。

なお、民法427条によるとしても、別段の意思表示があれば、均等割合ではない処理が可能となる。すなわち、約款に別異の定めがあれば、そちらによることになる。保険法が定めを置かなかったのは、この判例法理を基盤にしつつ、具体的な処理は各約款に委ねるものとされたからである。ただし、現実の約款では、①相続割合や②各段階で均等割と定めている例はあまり見受けらず、判例法理同様、③最後に均等割と定めている例が多いようである。

⑷　同時死亡の場合　以上では、保険契約にまつわる関係者が順次死亡した場面であるが、それぞれの死亡が同時に起きた場合はどうなるであろうか。

保険金受取人だけでなく、保険金受取人の相続人も、保険契約者も、さらには被保険者までもが同時に死亡した場合である。極めて特殊な場面と思われるかもしれないが、全くあり得ないというほどではない。なぜなら、保険契約者は自らを被保険者とし、家族を保険金受取人としていることが多いためである。その場合は、保険契約者と保険金受取人が同時に死亡すると、被保険者も、保険金受取人の相続人も死亡していることになる。

実例がある。A（保険契約者兼被保険者）と妻B（保険金受取人）が同時に死亡した。ABには子がなく、両親ともに既に他界しており、Aには弟Cが、Bには兄Dが存在した（図表4－3参照）。民法の一般原則では、同時死亡の場合、その者の間では相続は発生しない。DのみがBの相続人となるため、保険金請求権を取得するのもDのみとなる。一方で、Aが先に死亡していたとすると、まず、保険金請求権がBに帰属することで確定し、この時点でBの相続人はDのみであるから、次いでBの死亡により、保険金請求権をDが相続することとなる。これに対し、Bが先に死亡したとすると、Bの相続人はAとDであり、次いでAが死亡した際のAの相続人はCのみである。結果的に、保険金請求権は、C及びDが均等割で取得することとなる（相続法制に従えば、Bの財産をCは4分の3（民900条3号参照）、Dは4分の1相続することとなるが、保険46条が適用される場面であるため、前述したように権利取得割合は均等割となる）。

図表４－３　家族構成図

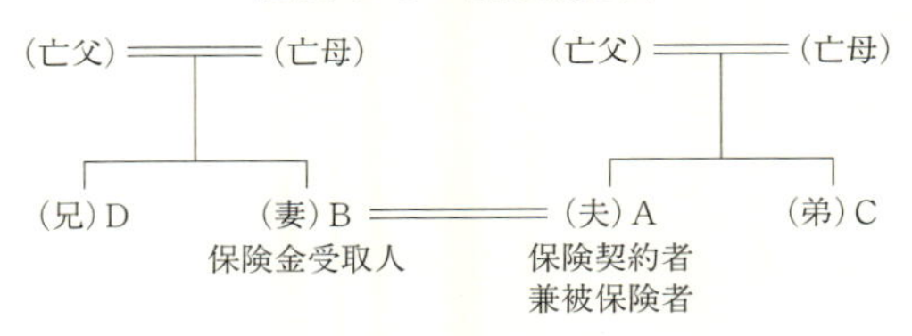

最高裁は、民法の一般原則に従い、相続人はその時点で生存している者のみであるため、Aは相続人になり得ず、したがって、Cは相続せず、Dのみが保険金受取人の地位を相続するものと解した（最判平21・6・2民集63・5・953〔百選79〕）。旧法下の判例であるが、保険法46条の下でも維持されると解されている。

A、Bの死亡の順序は、偶然の事柄であるが、C、Dにしてみれば、結論が大きく異なる。実は、最判平21・6・2の事案では、正確な前後関係は不明であった（同時死亡が推定される。民32条の2）。真実は同時死亡では無い可能性もあったわけである。もとより、保険事故が発生するか否か自体が偶然である。保険金は当てにしてはならないものなのである。

7　保険金請求権の譲渡・質入れ

⑴　保険事故発生後の保険金請求権　保険事故発生後の保険金請求権は、一般的な金銭債権と同様であると解される。したがって、譲渡も質入れも、民法所定の方式によれば可能である（譲渡につき民467条、質入れ（債権質）につき民364条参照）。

保険金受取人の債権者は、保険事故発生後の保険金請求権を差し押さえることもできる（最判昭45・2・27判時588・91〔百選（初版）94〕）。ただし、実質的に社会保険的な性質を有する生命保険契約の場合は、保険金受取人の生活保障の観点から、差押えが一定範囲で禁止されることもある（民執152条1項1号）。

⑵　保険事故発生前の保険金請求権　保険事故発生前であっても、保険金請求権は、観念的には既に保険金受取人に帰属している。この保険金請求権は、

保険事故が発生せずに保険期間が終了した場合や、保険金受取人が他人に変更された場合などは消滅するため、存在としては不安定である。しかし、譲受人が、その不安定さを十分に認識した上で譲受けを希望するのであれば、不安定であることは妨げる事情にはならない。したがって、保険事故発生前の保険金請求権も譲渡は可能であると解されている。また、同様の理由から、質入れも可能である。それぞれ民法所定の方式によるべきことはいうまでもない。

ただし、譲渡・質入れには、被保険者の同意が必要である（保険47条）。実質的には保険金受取人が変更されているに等しいからである（保険法45条に関する本章**2** 4⑵及び保険法38条に関する本章**2** 1⑵の解説を参照）。

なお、差押えも可能であるとは解されているが、実質的な意味はほとんどない。差押えをしたとしても、保険事故が発生するまでは、保険者に何らかの請求ができるわけではないからである。

8　契約者変更

保険契約者が別の者に変更を望む場合がある。例えば、親が子供の生命について、まだ子供が若いうちに生命保険契約を締結しておいたとする。子供が順調に成長し、社会人になった際に、そろそろ保険料の支払いは自らで負担してもらおうと考えた。つまり、保険契約者を、親から、子供本人に変更しようというわけである。

契約者の変更について、保険法には特に規定が置かれていないが、契約の一般原則からすれば、契約の相手方の承諾があれば可能である。契約者の変更は、視点を変えれば、契約者の地位の譲渡である。契約者の地位には、債権者としての立場と同時に、債務者の立場も含まれるから、その譲渡には、債権譲渡だけでなく、債務の譲渡も伴う。すなわち、免責的債務引受が行われるわけで、譲受人が適切に債務を履行できるかを判断するべく、相手方の承諾が必要とされることとなる（民472条3項）。

約款には通常、契約者の変更について、保険者の同意があった場合には認める旨の定めが設けられている。保険法に規定が置かれなかったのは、民法の一般原則か約款規定に基づけば足りると考えられたためである。結局、実態としては、契約者の変更は、保険者の同意（承諾）があれば可能である。

コラム4-5　保険金受取人の破産

保険事故が発生する前に、保険金受取人が破産した場合、保険金請求権は破産財団に属することになるか。肯定するのが多数説であるが、保険事故発生前の保険金請求権は消滅するかもしれず、財産的価値が微小であること、保険事故が発生するまでは具体化しないため破産手続の進行を遅らせることになるなどの理由から、否定する説も有力に存在していた。

最高裁は、死亡保険金請求権は、譲渡、差押えが可能であり、一定の財産的価値を有することは否定できないとして、「破産者が破産手続開始前に生じた原因に基づいて行うことがある将来の請求権」（破産34条2項）に該当し、破産財団に属すると判示した（最判平28・4・28民集70・4・1099〔百選98〕）。多数説の立場に立つことを明らかにしたわけである。

なお、破産手続中に保険事故が発生しそうにない場合、破産管財人は、保険金請求権を破産財団から放棄して破産手続を終わらせる（その結果、保険金請求権は、債権の引当てからは開放され、保険金受取人の下に戻る）などの方策を、適宜柔軟にとるべきこととなる。

保険者は同意（承諾）するか否かを全く自由に判断できるか。この点が争われた裁判例がある（東京地判平17・11・17判時1918・115、その控訴審である東京高判平18・3・22判時1928・133〔百選80〕）。余命少ないAが、B社に生命保険契約を買い取ってもらった（すなわち契約者をAからB社に変更しようとした）ところ、保険者が同意を拒否した。そこでAは、同意しなかったのは保険者の裁量権を逸脱しているとして訴えを提起したという事案である。保険契約の売買については**コラム4-6**を参照してもらいたいが、結局、一審も控訴審も、このAの訴えを認めなかった。裁量権の逸脱はないと判断されたのである。

保険者が同意（承諾）するか否かの判断は、全く自由というわけではなく、一定の裁量権の範囲内であろうとは考えられている。しかし、具体的にどのような範囲かなど、いまだ検討の途上である。

9　保険契約者の当事者確定

保険契約が、他人名義で締結されることがある。例えば、妻が、保険者側の勧誘に応じて、貯蓄目的で、夫や子の名義で契約を締結するケースである。離

コラム4-6　生命保険契約の売買

生命保険契約の買取業というのが存在する。我が国ではまだ一般的ではないが、アメリカでは1990年代から存在している。売主は、典型的には、エイズなどの重い病に罹った者である。治療などで多額の費用が必要となるものの、就業は厳しく、他方で死亡保険金はまだ手に入らない。余命わずかであれば死亡保険金の一部が前払いされるサービス（リビング・ニーズ特約）もあるが、該当しない。そこで、保険契約を業者に売却して、資金を得ようとするわけである。同様の効果は、死亡保険金請求権の売買でも得られるが、保険金受取人が変更されてしまえばその権利は霧消する。業者が契約者の地位ごと手に入れれば、その心配は無いというわけである。他方、業者は契約者として保険料の支払いを負担しなければならないが、売主にとってはむしろ好都合である。

売主にとって願ったり叶ったりのようにみえるが、買取価格が妥当であればである。業者が売主の窮状につけ込み、不当に安い価格を提示したり、不利な契約条件を付したりすることも考えられる。アメリカでは、規制すべき対象と認識されており、各州で監督する法や規則が制定されている。

我が国では、生命保険契約売買のニーズが、まだそれほどないようである。しかし、本文に記したような事案は生じており、今後の検討課題とされている。

婚などで名義と実質が大きく乖離した場合に、契約を解除して解約返戻金を受け取ることができるのは誰かなどの問題が生ずることがある。

裁判例では、保険契約者を、名義上の者ではなく実質的に保険契約に関与した者と判断されることが少なくない（大阪高判平7・7・21金判1008・25、東京高判平24・11・14判時2171・48など）。定期預金者の認定につき名義人ではなく出捐者とする最高裁判例（最判昭48・3・27民集27・2・376）が影響しているという指摘もある。

これに対し、学説は、名義上の者を保険契約者とする見解が多数説である。それが契約の一般原則である上、保険契約では、銀行預金とは異なり、名義上の者を対象に引き受けるか否かの重要な判断がなされるからである（定期預金は消費寄託契約であって、寄託物についての権利者を契約者とは別に観念できるからこそ問題が生じているわけで、そもそも別物といえる）。

もっとも、一律に名義上の者と考えられているわけではなく、個別の事情は考慮され得ると解される。裁判例でも、保険募集人が実態を把握しているといった事情が判断に影響している（前掲・東京高判平24・11・14参照）。

近時は、マネーロンダリングなどの問題から、本人確認が厳格に行われるようになったため、名義と実質が異なるという事態は生じにくくなっている。

3　生命保険契約に基づく保険給付

1　保険者の保険給付事由

保険者は、生命保険契約において定めた保険事故が発生したときに保険給付を行う。具体的に、死亡保険契約では、契約所定の保険期間内（終身保険では期間の制限なし）に被保険者が死亡した場合、死亡保険金の支払義務が生じ、生存保険契約では、被保険者が契約所定の時期まで生存していた場合、満期保険金の支払義務が生じる。なお、生命保険契約では介護サービスなどを給付内容とする現物給付は認められず、金銭（保険金）の支払いに限られる（2条1号括弧書）。

2　保険者の免責

(1)　総　説　保険事故が発生した場合、保険者は原則として保険金支払義務を負うが、保険法又は約款には一定の事由に基づき被保険者が死亡した場合に、保険者が保険金の支払いを行わない旨の免責条項が定められている。生命保険契約において、このような免責条項があるのは死亡保険契約のみで、生存保険契約には存在しない。これは、死亡保険契約の場合、被保険者自身が自殺をしたり、保険契約者又は保険金受取人が被保険者を殺害したりすることにより、死亡保険金を不正に取得するおそれがあるのに対し、生存保険契約の場合、このような保険金の不正取得の弊害が考えられないからである。

(2)　被保険者の自殺　被保険者が自殺した場合、保険者は保険給付を行う責任を負わない（51条1項）。被保険者の自殺が免責とされている理由としては、被保険者が保険金受取人に保険金を取得させるために自殺するというように生命保険契約が不当な目的に利用されるのを防止すること、また、被保険者が保険契約者であるときは、その者の自殺は故意に保険事故を招致することになるので契約当事者間において要請される信義誠実の原則に反することなどが挙げられている（最判平16・3・25民集58・3・753〔百選85〕参照）。

ここでいう自殺とは、被保険者が故意に自己の生命を絶ち死亡の結果を招く行為を指す。したがって、被保険者が過失行為又は精神疾患その他の原因による精神障害中の動作により死亡した場合は、ここでいう自殺に該当しない（大判大5・2・12民録22・234〔百選84〕など）。近時、うつ病による自殺に関して問題となることが多く、ほとんどの裁判例は免責を肯定しているが、うつ病が被保険者の自由な意思決定能力を喪失又は著しく減弱させた結果、自殺行為に及んだものと法的に認められる場合は免責事由である自殺には該当しないとして自殺免責条項の適用を否定した事例（大分地判平17・9・8判時1935・158）もある。また、死亡を目的としていることが必要であるから、正当防衛、職務上の義務又は人命救助などにより結果として死亡したような場合は、死亡を意識していたとしても目的とはしていないので、ここでいう自殺には該当しない。自殺の方法については、保険法においても約款においても規定はないが、死亡を目的とする限り、自ら直接手を下したか、他人に自己の殺害を実行させた（いわゆる嘱託殺人）かを問わず、自殺に該当すると解されている。自殺は免責事由であるので、被保険者が自殺したことの立証責任は保険者が負う。保険金受取人側は被保険者の死亡が自殺であると立証されないように、被保険者の死亡は精神障害などの事由によることを立証する必要がある。

保険法は、保険期間中における被保険者の自殺を一律に保険者免責としているが、生命保険約款では、責任開始から一定の期間（2年又は3年）内の自殺については免責とする旨の規定を置くのが通例である。このような規定が置かれているのは、保険金取得目的で契約締結時から一定期間経過後に自殺をすることを企図して保険に加入する者は少なく、仮にそのような目的であったとしてもそれを長期間維持することは困難であり、一定期間経過後の自殺は契約締結時の動機との関係が通常希薄であること、自殺の動機、原因が何であったかを事後に解明することは極めて困難であること、自殺の原因には経済事情の極端な悪化や事故後の後遺症など同情すべき場合も多く、遺族の生活保障の必要性もあることなどからである（前掲・最判平16・3・25参照）。

このように一定期間経過後の自殺については、通常免責とならない。しかし、一定期間経過後の自殺であっても保険金取得を主な目的とする自殺については原則に戻り免責となるとする下級審裁判例（岡山地判平11・1・27金法1554・90、山口地判平11・2・9判時1681・152など）も存在する。これに対して、判例（前掲・最判平16・3・25）は「自殺に関し犯罪行為等が介在し、当該自殺による死亡保険金の支払を認めることが公序良俗に違反するおそれがあるなどの特段の事情がある場合は格別、そのような事情が認められない場合には、当該自殺の動機、目的が保険金の取得にあることが認められるときであっても、免責の対象とはしない旨の約定と解するのが相当である」とし、原則として約款の自殺免責規定の効力を有効とし、例外的に特段の事情がある場合にのみその効力を否定するという立場をとった。そうすると、どのような場合がこの特段の事情に該当するかが問題となる。この点に関して、被保険者の自殺に関し犯罪行為に類する行為が介在し、当該自殺による死亡保険金の支払いを認めることは公序良俗に違反するおそれがあるなどの特段の事情が認められるとして、自殺免責期間経過後の被保険者自殺であっても、自殺免責条項の適用を否定し、平成20年改正前商法680条1項1号の自殺免責規定を適用した事例として、東京高判平17・1・31生判17・95、及びその原審である東京地判平16・9・6判タ1167・263がある。また、自殺免責期間経過後の嘱託殺人について保険者の免責を認めるべきか否かという問題がある。嘱託殺人は、被保険者が他人を犯罪行為に巻き込む行為であり、公益に反することから、通常の自殺とは区別して保険者免責とすべきであると一般的に主張されている。実際に、傍論ではあるが、自殺免責期間経過後であっても保険者の免責は認められるとする裁判例もある（東京地判平4・11・26判タ843・246）。これに対し、嘱託殺人を通常の自殺と区別するかはともかく、嘱託殺人は刑法上の犯罪行為に該当し、このような場合にまで保険金を支払うことは公序良俗に反することになると考えられるから、前掲・最判平16・3・25の法理に従えば、特段の事情に該当するといえるので、自殺免責条項の適用を否定し、保険法51条1号により保険者免責とするのが相当であるという見解もある。

⑶ 保険契約者による故殺　保険契約者が被保険者を故意に殺害（故殺）した場合、保険者は免責される（51条2号）。その理由としては、契約の当事者である保険契約者が自ら故意に保険事故を招致することは、保険者に対する関係

で信義誠実の原則に反するからである。また、保険契約者が保険金受取人との関係上、保険金受取人に保険給付がなされることで相応の利益を有する場合、保険金受取人の場合と同様、公益に反することになり、保険者は免責されるものと解される（最判平14・10・3民集56・8・1706〔百選87〕参照）。

保険契約者が被保険者でもある場合、この者の自殺は保険契約者による被保険者故殺であるとみることもできるが、この場合は本規定ではなく保険法51条1号が適用される（同条2号括弧書）。したがって、保険契約者の被保険者故殺ではなく、被保険者の自殺であると解されるため、自殺免責期間が経過していれば原則として保険金が保険金受取人に支払われる。

⑷　保険金受取人による故殺

（i）総　説　　保険金受取人が故意に被保険者を殺害した場合にも、保険者は免責される（51条3号）。被保険者を故意に死亡させた者が保険金を受け取ることができるのは公益に反するからである（前掲・最判平14・10・3参照）。

保険金受取人が複数人いる場合で、そのうちのある者が被保険者を殺害した場合、保険者は、死亡保険金のうち当該保険金受取人の受け取るべき部分については免責されるが、その他の保険金受取人に対しては保険給付の責任を免れない（同条柱書但書）。このような場合、当該保険金受取人による保険金の取得のみを排除すれば、免責規定の趣旨が達せられるからである。保険金受取人が被保険者と同一人であるときは、保険法51条1号が適用され、保険金受取人が保険契約者と同一人であるときは、同条2号が適用される（同条3号括弧書）。したがって、保険金受取人でもある被保険者の自殺は、保険金受取人の被保険者故殺ではなく、被保険者の自殺であると解されるため、自殺免責期間経過後であれば、保険金が全額、保険金受取人に支払われる。しかし、自殺した保険金受取人は死亡しているため保険金請求権を行使できないので、この場合死亡した保険金受取人の相続人が保険金受取人となる（46条）。

（ii）遺言による保険金受取人変更に関連する保険金受取人による故殺の場合　保険金受取人の変更は遺言によっても行うことができることから（44条）、保険金受取人による故殺において複雑なケースが生じる可能性がある。例えば、保険契約者兼被保険者Ａが遺言により保険金受取人をＢからＣへと変更する場合で、ＢがＡを殺害したとする。この場合、Ａの死亡と同時に遺言の効力が発生し（民985条１項）、保険金受取人はＢからＣへと変更される。このため、Ｂは保険金受取人ではなくなるので保険金を取得することはない。保険金受取人による被保険者故殺を免責とするのは、被保険者を故殺した者がそれにより保険金を取得できるとなると公益に反することになるからである。そうすると、この場合、Ｂは保険金を取得できないのであるから保険者を免責としなくてもよさそうである。ましてやＣがＡの遺族であり、その生活保障が必要な場合はなおさらである。そこで、Ｂは保険金を取得できる地位には立たないのであるから、保険者免責とすべきではないという見解がある。これに対して、Ａを殺害したときにＢは保険金受取人であるのは間違いないので、この形式を重視してこの場合においても保険金受取人による故殺であると解釈し、保険者免責とすべきであるという見解も主張されている。次に、同じ状況で、今度はＣがＡを殺害した場合はどうであろうか。この場合、ＣがＡを殺害したときＣは保険金受取人ではない。形式を重視すれば、Ａの殺害時にＣは保険金受取人でない以上、保険者は免責されないことになる。しかし、Ａを殺害したことによりＣが保険金受取人となり、その結果、被保険者を殺害した者が保険金を取得できるとなると免責規定の趣旨である公益に反することになる。したがって、保険法51条３号を類推適用して保険者免責とすべきであると解されている。

(iii)　保険金受取人以外の第三者による被保険者故殺の場合　　保険法では、保険金受取人について、保険給付を受ける者として生命保険契約で定められているものと定義している（２条５号）。そのため、保険金請求権を相続、譲渡又は質入により取得した者はここでいう保険金受取人には該当しない。しかし、これらの者による被保険者故殺の場合に保険者が免責されないとなると、被保険者を故殺した者が結果として保険金を取得することになり、免責規定の趣旨である公益に反することになる。そこで、相続人などの事実上保険金を取得する地位にある者が被保険者を故殺した場合には、保険法51条３号が類推適用されると解するのが学説の支配的な立場である。

裁判例では、保険金受取人の相続人が被保険者を故殺した後に保険金受取人が死亡したため、相続により故殺者である保険金受取人の相続人が保険金請求権を取得した場合において、一旦、保険金受取人の下で具体的に保険金請求権が発生した以上、当該保険金請求権は独立した財産権として相続財産を構成し、相続により相続人に承継されるとして、特段の事情がない限り、事故招致者であっても当該保険金請求権を行使・処分できるとした事例がある（東京高判平18・10・19金判1255・6〔百選89〕）。また、被保険者兼保険金受取人の推定相続人による被保険者故殺の事例である高知地判平26・2・7生判25・574（本事案は共済の事案であるが生命保険契約においても同様に考えることができる）は、前述の学説の立場と同様、保険者の免責を認めた。これに対して、その控訴審判決である高松高判平26・9・12生判25・881は保険者の免責を否定した。この判決は、推定相続人はあくまでも第三者であり、第三者による被保険者故殺であるから保険者は免責されず、被保険者の死亡により被保険者兼保険金受取人の下に具体的な保険金請求権が発生し、それが相続財産に組み込まれ、同請求権は相続法理に従って相続人に相続されることになるが、本件の故殺者である推定相続人は相続欠格事由（民891条1号）に該当するので、結果として相続できないと判示している。本判決は、保険金受取人の推定相続人のような事実上保険金を取得する立場にある者が被保険者を故殺したとしても、保険金受取人の下で保険金請求権は具体化するという立場をとっており、前掲・東京高判平18・10・19と共通する立場をとっている。本判決に対しては、推定相続人が被相続人を故殺したとしても常に相続欠格事由に該当するとは限らず、相続欠格事由に該当しない場合、故殺者が保険の利益を享受することになるため、保険法の見地から妥当ではないとの批判がある。

(iv)　保険金受取人が法人の場合　　保険金受取人（又は保険契約者）が法人である場合はどうであろうか。法人自体は観念的存在であるので、この場合法人に属する自然人のどの範囲の者の行為をもって法人の行為とみるべきかが問題となる。前述の通り、損害保険約款では、法人の理事、取締役などの機関による故意の事故招致の場合には保険者が免責される旨の規定が設けられているのが通例であるが、生命保険約款にはこのような規定はない。これについて、法人は、その機関となる自然人の行為を通じて活動するから、法人の代表機関（会社の代表取締役や代表執行役、法人の理事など）の地位にある者が被保険者を故殺した場合に、保険者が免責されることに問題はない。それでは代表権のない取締役などによる被保険者故殺の場合はどうか。これに関して、有限会社X

が同社を保険契約者兼保険金受取人、その代表取締役であるＡを被保険者とする保険契約をＹ社と締結していたが、従前からＡの女性関係に悩んでいたＡの妻でありＸの取締役であるＢがＡを殺害した（Ｂはその後自殺）ため、ＸがＹに保険金を請求したという事例である前掲・最判平14・10・3は、「保険契約者又は保険金受取人が会社である場合において、取締役の故意により被保険者が死亡したときには、会社の規模や構成、保険事故の発生時における当該取締役の会社における地位や影響力、当該取締役と会社との経済的利害の共通性ないし当該取締役が保険金を管理又は処分する権限の有無、行為の動機等の諸事情を総合して、当該取締役が会社を実質的に支配し得る立場にあり、又は当該取締役が保険金の受領による利益を直接享受し得る立場にあるなど、本件免責条項の趣旨に照らして、当該取締役の故意による保険事故の招致をもって会社の行為と同一のものと評価することができる場合には、本件免責条項に該当するというべきである」とし、Ｂが実質的に会社を支配し又は事故後直ちに会社を実質的に支配し得る立場にあったということはできず、また、Ｘが保険金を取得することによる利益を直接享受する立場にも当たらないので、公益や信義誠実の原則という免責条項の趣旨に照らして、Ｂの個人的動機によるＡの故殺を会社の行為と同一のものと評価することはできないと判示した。このように、本判決では、役員の行為が保険金受取人である会社の行為と同視される一般的判断基準として、①当該役員が会社を実質的に支配し又は事故後直ちに支配し得る立場にあったか否か、②当該取締役が保険金の受領による利益を直接享受し得る立場にあったか否かという２つの基準が示された。これに対しては、①と②の判断基準がいかなる根拠で導かれるのか、①と②の相互の関係はどうか、①と②に該当するか否かを判断するために様々な事情を考慮しているが、これらの事情がいかなる意味合いで挙げられているかなどの様々な理論的問題が残されていると指摘されている。

(5) **戦争その他の変乱による被保険者の死亡**　被保険者が戦争その他の変乱により死亡したときには、保険者は、保険給付義務を負わない（51条４号）。この場合、死亡率が増加して、保険料算定の基礎に変更が生ずるからである。もっとも、生命保険約款では、戦争その他の変乱により死亡する被保険者の数の増加が保険の計算の基礎に影響を及ぼすと認めたときに限り、その程度に応じて死亡保険金を削除したり免責とする旨の規定が設けられている。

⑹　**その他の免責事由**　　損害保険契約では地震や津波による保険事故を免責とする旨の規定が存在するが、生命保険契約では、主契約である死亡保険契約については、地震や噴火、津波による死亡であっても保険金が支払われるのが通常である。これに対して、災害関係特約においては、地震や噴火、津波などによる死亡又は高度障害状態となる被保険者の数の増加が当該特約の計算の基礎に影響を及ぼすときに限り、保険金を削減して支払うか、保険金を支払わないとされているものが多い。ただし、このような規定が適用された事例はこれまでになく（関東大震災でも阪神・淡路大震災でも適用されなかった）、平成23年3月11日の東日本大震災においても、我が国における生命保険会社全社が災害死亡保険金などについて削減払いを適用せず全額保険金を支払っている。

4　生命保険契約の終了

1　被保険者による解除請求権

生命保険契約の当事者以外の者を被保険者とする死亡保険契約（他人の生命の死亡保険契約）では、当該被保険者の同意がなければ、その効力を生じない（38条）が、一旦有効になれば、保険契約が有効に成立し存在していることに対する利害関係者の信頼を保護する必要があるため、契約成立後は被保険者による撤回を認めないというのが通説である。しかし、被保険者の生命・身体についてモラル・リスクが具体化することや、離婚・離縁などにより同意の基礎となった状況が変わることがあり得るので、保険法ではそのような契約締結後の一定の事情の変化に対応して、被保険者の契約関係からの離脱を認める制度を導入した（58条）。被保険者に対し直接の契約解除権を与えなかったのは、直接の契約解除権は同意の撤回と同じく、保険契約の効力を不安定にするおそれがあると考えられたからであるが、この制度により実質的には一定の場合に被保険者に同意の撤回を認めているものと解されている。

保険契約者と被保険者が別人である死亡保険契約において、被保険者は、保険契約者に対し、①保険契約者又は保険金受取人が、保険者に保険給付を行わせることを目的として故意に被保険者を死亡させ、又は死亡させようとした場合、②保険金受取人が保険金請求について詐欺を行い、又は行おうとした場合、③前記①②に掲げるもののほか、被保険者の保険契約者又は保険金受取人に対する信頼を損ない、当該死亡保険契約の存続を困難とする重大な事由がある場合、④保険契約者と被保険者との間に親族関係の終了その他の事情により、被保険者が同意をするにあたって基礎としていた事情が著しく変更した場合、当該死亡保険契約を解除することを請求することができる（58条1項）。

このように被保険者が解除請求できるのは、被保険者が同意をした死亡保険契約に対してである。そこで、生死混合保険契約において、被保険者が解除請求できるのは死亡保険部分に限られるのか、それとも生死混合保険全体の解除請求をすることができるのかという問題がある。これについて、一般的に生死混合保険の死亡保険部分と生存保険部分は不可分のものであり、死亡保険部分だけを解除して生存保険部分だけを存続させることは不可能であるので、被保険者は生死混合保険全体の解除請求をすることができると解されている。

①又は②の場合、保険者は、保険者の保険契約者又は保険金受取人に対する信頼を損なう行為であるとして保険契約を解除すること（重大事由解除）ができる（57条1号・2号）。そして、このような行為は同時に被保険者にとっても保険契約者又は保険金受取人に対する被保険者の信頼を損なう行為であるので、これを解除請求事由とした。また、③は重大事由解除に関する保険法57条3号を被保険者による解除請求に適合するよう変容させたものである。このような③に当たる場合としては、保険契約者が当該保険契約とは別の保険契約に関して保険金詐欺を働くようなケースが考えられる。

①②③は被保険者の保険契約者又は保険金受取人に対する信頼を損なうような事由がある場合に、被保険者が保険関係から離脱することを認めるものである。これに対して、④は親族関係の変動など、同意の基礎となった事情が著しく変更した場合に被保険者の保険関係からの離脱を認めるものである。親族関係の終了が解除請求事由に当たると規定されているので、妻の生活保障のために妻が夫を被保険者とする死亡保険契約を締結していたが、その後夫婦が離婚した場合などは、特段の事情がない限り、同意するにあたって基礎とした事情が著しく変更した場合に当たる。しかし、当該保険契約が妻の生活保障のためではなく、子供の生活保障をも目的としていた場合は、離婚したことをもって

当然に解除請求事由が生じるものとみるべきではないと解されている。

保険契約者は、被保険者から死亡保険契約を解除することの請求を受けたときは、当該死亡保険契約を解除することができる（58条2項)。条文上、「解除することができる」と規定されていることから、保険契約者は被保険者から解除の請求を受けたときであっても拒むことができるものと解することができそうであるが、被保険者が適法に解除請求権を行使した場合、保険契約者は解除権を行使しなければならず、被保険者の解除請求を拒むことはできない。「解除することができる」という規定になっているのは、保険契約において、保険契約者の任意解除権（54条）が排除されている場合であっても、保険法58条1項に基づき解除請求を受けた保険契約者は、同条2項に基づいて保険契約を解除することができるということを明らかにするためである。

2　解除の効力

平成20年改正前商法では、生命保険契約の解除に関する一般規定はなく、解除事由ごとに規定を置いていたため（例えば、告知義務違反に基づく保険者の解除については平成20年改正前商法678条2項・645条、保険者の責任開始前の保険契約者による解除については平成20年改正前商法683条1項・653条など)、解除の効力について一般論を展開するということが困難であった。これに対して、保険法では59条1項において生命保険契約の解除の効力に関する規定を置き、生命保険契約の解除は一般的に将来に向かって保険契約が終了するという効果（将来効）を生ずることを定めている。したがって、解除の時までは保険契約は有効に継続するので、保険者はその時までに支払われた保険料については返還する義務を負わず、また、解除の時以降に生じた保険事故については、保険金支払義務を負わない。その代わり、保険料不可分の原則を採用しない保険法の下では、保険契約者が解除時以降に対応する保険料を既に支払っている場合、保険契約者はその分において保険料の返還を請求できる。

解除の効力が将来効であるとすると、解除の時までは保険契約は有効であるので、それまでに生じた保険事故について、保険者は保険給付義務を負うことになる。しかし、一定の事由に基づき契約が解除された場合に、解除の時までに発生した保険事故に基づく保険給付を保険者に負わせることは、公平の見地により妥当ではないことがある。そこで、①告知義務違反に基づき解除がなされた場合（55条1項)、②危険増加の通知義務違反に基づき解除がなされた場合(56条1項)、そして③重大事由に基づき解除がなされた場合（57条）について特別の規定が保険法59条2項に置かれている。①については、保険者は解除がされた時までに発生した保険事故に関する保険給付責任を負わない（59条2項1号本文)。これは告知義務違反をした保険契約者などに対する制裁として保険者の免責を認めたものである。ただし、告知義務違反にかかる事実に基づかずに発生した保険事故については、保険者は保険給付を行う責任を免れない（同号但書)。これはいわゆる因果関係不存在特則であり、生命保険約款でも同様の規定が置かれている。次に、②について、保険者は解除にかかる危険増加が生じた時から解除がされた時までに発生した保険事故に関する保険給付責任を負わない（同項2号)。ただし、この場合においても危険増加をもたらした事由に基づかずに発生した保険事故については、保険者は保険給付を行う責任を免れない（同号但書)。保険者の免責は契約成立時ではなく、危険の増加時にのみ遡及する。そして、③について、保険者は重大事由が生じた時から解除がされた時までに発生した保険事故に関する保険給付責任を負わない（同項3号)。この場合には、①②の場合と異なり、因果関係不存在特則の例外は定められていない。道徳的危険の著しい保険契約から保険者を保護するためであると同時に、かかる保険契約者側を保護する必要はないからである。

解除の時までに保険者が既に保険給付を行っていた場合には、保険者は不当利得として保険給付の返還を請求することができる。

3　保険料不払いの効果

(1) **総　説**　保険契約者は、保険契約に基づき保険者の危険負担の対価として約定の報酬を支払う義務、すなわち保険料支払義務を負う。保険料の支払方法には、全保険期間に対応する保険料を契約締結時にすべて支払う方法と、全保険期間に対する保険料を年払い、半年払い、月払いなどの形で順次支払っていく方法がある。生命保険の場合、通常、長期にわたる契約となるため、保険料の支払方法としては後者が選択されることが多い。

約款における規定は初回の保険料の不払いの場合と、2回目以降の保険料の不払いの場合とで異なっている。すなわち、初回保険料については、その支払いがなされない限り、保険者は、保険契約が成立していたとしても責任を負わない。もっとも、実務では初回の保険料のみ前払いで、契約の承諾後に支払いを受けるという取扱いは原則としてなされていない。

順次支払っていく方法の場合において、生命保険約款では、２回目以降の保険料の不払いの場合については、伝統的に、保険料の払込期月（支払いをなすべき日の属する月の初日から末日まで）の翌月初日から一定の猶予期間（月払いの場合は１か月、年払い又は半年払いの場合は２か月）を経過した後に、生命保険契約が自動的に失効するものとしている。この猶予期間とは、その間に保険料の支払いがなされるならば債務不履行が治癒されて保険契約者側に不利益が生じないとされる期間である。

⑵　**保険契約者貸付**　保険契約者は生命保険契約を解約したときに解約返戻金があれば、それを受け取ることができる。生命保険契約は長期にわたるものであるため、その間に保険契約者の経済状況に応じて一時的な資金調達の必要性が生じる場合がある。このような場合に保険契約を解約することなく保険者から貸付を受けることができれば、保険契約を継続しながら保険契約の積立金を利用することができるため、保険契約者の便宜に資するし、保険者にとっても一時的な資金調達の必要性のために保険契約を解約されるといったことを防ぐことができるためメリットがある。そこで、生命保険約款では、保険契約者が、解約返戻金の一定範囲内で、保険者から貸付を受けられる制度が設けられており、これを保険契約者貸付という。これにより保険契約者は保険者に対する権利として貸付を受けることができ、保険者は拒否することができない。また、貸付がなされた場合、元本の完済がなされるまでは利息を支払わなければならないが、元本の返済期限は付されておらず、利息の支払期日も定められていない。保険契約が不払い等に基づき消滅した場合には、保険金額や解約返戻金から元利金を差し引いて保険契約者に返還され、保険契約が継続中でも元利金合計が解約返戻金を上回る場合には、超過額を一定期間内に支払わないときに保険契約自体が失効する。

保険契約者貸付の法的性質については、大きく分けて消費貸借説と前払い説がある。前者は保険契約者貸付も貸付と称しているところから消費貸借契約であるとする見解である。このうち、保険金請求権又は解約返戻金といった生命保険契約上の権利が具体化した場合に、これを貸付債権と相殺するという内容の予約が含まれた消費貸借契約と解する説（相殺予約付消費貸借説）は、保険実務が拠り所としている説であると解されている。この説に対しては、貸付金の弁済期が定められていないことから保険契約者は返済義務を負わないものと考えられるが、そのような消費貸借契約は成立しないとか、保険契約者破産や会社更生となった場合に問題が生じるといった批判がなされている。これに対して、後者は、保険金又は解約返戻金の前払いであるとする見解である。この説によれば、保険契約者が貸付金の元利金の返済義務を負わないことも説明できるし、保険契約者破産や会社更生の場合にも問題は生じない。しかし、貸付額に対して利息が付されることの説明がつかないといった問題がある。結局、両説では完全に説明することができないので、保険契約者貸付の経済的実質を踏まえて問題ごとに適切な解決を導くべきであるとする見解も有力に主張されている。判例（最判平9・4・24民集51・4・1991〔百選100〕）は、保険契約者「貸付けは……貸付金額が解約返戻金の範囲内に限定され、保険金等の支払の際に元利金が差引計算されることにかんがみれば、その経済的実質において、保険金又は解約返戻金の前払と同視することができる」と判示して、前払い説に親和的な立場をとっているようにみえる。しかし、本判決は法的な意味で前払いといっているわけではなく、保険者の免責を認めるための前提として傍論で述べられているにすぎないため、前払い説が判例であると理解することはできないと解されている。

本判決は、保険契約者の妻が、虚偽の委任状、保険証券、保険契約者の印鑑を持参して保険会社から保険契約者貸付を受けたという事案であるが、最高裁は、保険会社が保険契約者の妻を代理人と認定するにつき相当の注意義務を尽くしたときは、「保険会社は、民法478条の類推適用により、保険契約者に対し、右貸付けの効力を主張することができる」と判示した。保険契約者貸付は解約返戻金等の純粋な前払いであると解することはできず、貸付の側面も否定できないとなると、貸付という行為を弁済として、債権の準占有者に対する弁済の効力を定めた平成29年改正前民法478条を直接適用することは困難である。しかし、銀行が預金担保貸付を行う場合にも同条の類推適用がなされるという法理を援用して、保険契約者貸付にも同条を類推適用し、権利者や代理人であると善意無過失で信頼した保険者を保護するという法理が下級審裁判例（例えば、東京地判昭62・10・26判時1298・126など）では採用されており、本件の最高裁でもこれが採用されたのである。なお、民法478条は、「債権の準占有者」の概念を表見受領権者に対する弁済であることを明らかにする概念である「取引上の社会通念に照らして受領権者としての概観を有するもの」へと改めた上で、そのような者へ弁済者が善意無過失で弁済した場合、その弁済は効力を有することを規定している。

近年の裁判例としては、解約手続への民法478条の類推適用の可否が問題となった東京高判平30・12・20生判27・804や、インターネット手続上の契約者貸付における民法478条の類推適用の可否が問題となった東京地判令元・8・19LEX/DB 文献番号25583083などがある。

⑶　**自動振替貸付**　生命保険約款では、保険料が未払いのまま猶予期間を徒過した場合でも、解約返戻金がある場合は、これを自動的に保険契約者に貸し付けて保険料及び利息の支払いのために充当し、この処理が続けられる限り、その保険契約を有効に継続させるという規定がある。これを保険料の自動振替貸付という。保険料の自動振替貸付が行われるためには、保険契約者による貸付の請求は必要でなく、約款に定められている所定の要件が備わったときに自動的に貸付が行われる。ただし、自動振替貸付の適用を望まない保険契約者は、保険者に申し出ることで予めこの制度の適用を排除することができる。また、保険料の自動振替貸付が行われた場合でも、約款上、一定期間内に保険契約が解約された場合などには、これを取り消すことができる旨を定めているのが通常である。

⑷　**保険契約の失効と復活**　猶予期間内に保険料が払い込まれず、保険料の自動振替貸付もなされない場合、当該保険契約は猶予期間の満了日の翌日から失効する。失効とは保険契約が効力を停止することである。したがって、失効中に保険事故が発生しても当然に保険者は保険給付を行わず、保険料の払込みがなされたとしても失効中は収受しない。生命保険約款では、保険契約が失効した日から通常３年以内に保険契約者が復活の申し出をし、保険会社がこれを承諾した場合には、従前の保険契約の効力が回復することとしている。これ

は、契約失効後に保険契約者が新たな保険契約の締結を希望しても、新契約締結の年齢範囲外となったり、保険料が高くなるなどの不利益を受けることがあるため、このような事情を考慮して当事者の便宜を図ったものである。保険契約者の復活の請求について、保険者は無条件に承諾を与えなければならないわけではなく、不良危険ばかりが戻ることを避けるため、告知義務を課して、再度、危険選択を行うことができる。保険者が承諾すれば、保険契約者は復活時までの未払保険料とその利息を支払い、その支払いと告知のいずれか遅いほうから従前の保険契約が回復し保険者の責任が開始される。被保険者の自殺免責期間もこの時点から再度起算される。

保険契約の失効と復活の法的性質については学説上争いがある。従来の通説とされている見解は、復活を、契約当事者間の合意により、失効した保険契約の消滅の効力を失わせて契約失効前の状態に回復させることを内容とする特殊の契約であるとし、約款において復活が認められている場合の保険契約の失効は復活を解除条件とするもので、復活した場合には保険契約は最初からその効力を失わないが、解除条件が成就し復活しない限り、失効により保険契約は完全に消滅するとする見解（保険契約完全消滅説）である。これに対して、失効によって保険契約者と保険者の契約関係が完全に消滅してしまうとすると、復活に関する合意や解約返戻金の支払いに関する合意まで消滅することになって復活や解約返戻金の支払いにおける法的基礎が失われてしまうことから、これらに関する契約関係はなお存続し、これらを除く、その他の保険契約の効力が消滅するのが失効であるとする見解（復活条項存続説）もある。また、失効によって、保険契約に基づく保険者の責任が消滅するにすぎず、保険契約関係自体は消滅せず、復活は一旦消滅した保険者の責任を再開させるにすぎないとする見解（保険関係存続説）もある。

⑸　**無催告失効条項と消費者契約法10条**　債務不履行により契約関係を解消するとき、民法は、原則として、催告を要求し、それでも履行がなされないときに限り、契約関係を解消できるものとしている（民541条）。このような催告には、債務者に対し、その者が債務不履行に陥っている事実を気付かせる機能がある。これに対して、前述の約款上の失効制度は、（実務上、はがきなどを送付する形で注意喚起はしているものの、しかし、約款上保険者が義務として行わなければな

図表４－４　約款による保険料不払い時の処理の具体的内容

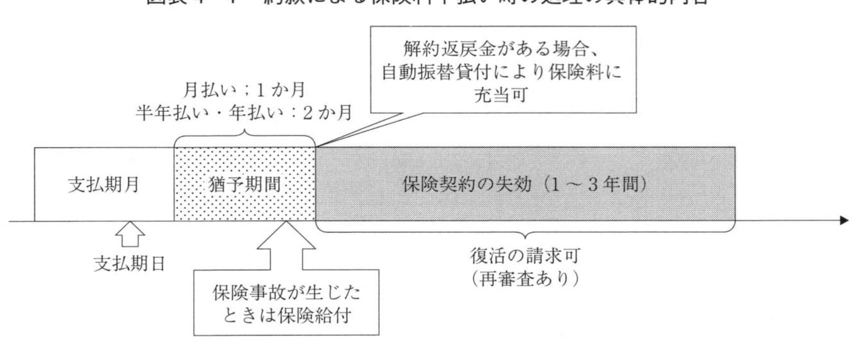

らないものとして制度化まではされていないところの）催告なくして、一定の期間経過のみで、当然に契約関係を解消するものである。このように、注意喚起なく大切な保障が奪われるという形式・構造に着目すれば、この失効制度は民法541条が規定する場合よりも債務者側にとって不利な合意がなされているとみる余地もある。このため、その多くが消費者契約となる生命保険契約の保険契約者（消費者）から、そのような無催告失効条項は、消費者契約法10条が定める「法令中の公の秩序に関しない規定の適用による場合に比して消費者の権利を制限」する不当な条項であると争われたことがある。

判例（最判平24・３・16民集66・５・2216〔百選82〕。原審である東京高判平21・９・30判タ1317・72については〔百選（初版）79〕参照）は、当該失効条項は、任意規定の適用による場合に比し、消費者である保険契約者の権利を制限するものであること自体は認める（すなわち、消費者契約法10条前段の要件は満たされる）が、①民法541条の催告期間（の解釈）よりも長い１か月の猶予期間を与え、また、②自動貸付条項を用意し失効を防ぐなど、保険契約者の権利保護を図る一定の配慮をしていることを踏まえつつ、また、③保険者において、問題となった保険契約の締結の当時に、保険料支払債務の不履行があった場合に契約失効前に保険契約者に対して保険料の払込みの督促を行う態勢を整え、その運用が確実にされていたとすれば、通常、保険契約者は保険料支払債務の不履行に気付くことができる事実（催告の目的が現実には達成されていること）を踏まえつつ判断すれば、③の実務運用が確実であるときには、問題の失効条項は信義則に反して消費者の利益を一方的に害するものにならない（すなわち、消費者契約法10条後段の要件は満たさない）と判断し、消費者契約法10条違反を認めた原審を破棄し、事件を差し戻した（なお、③の実務運用が審理された差戻審では、上記の実務上の運用は確実になされていたと判断され、消費者契約法10条後段の要件が否定された。東京高判平24・10・25判タ1387・266参照）。

このような失効条項が有効であるとしても、生命保険、医療保険といった、人の生命リスク、疾病リスクにかかる保障は、高齢になればなるほど引受けが制限され、再加入が困難となることは紛れもない事実である。極端な例でいえば、数十年間、給与天引きなどで問題なく保険料が支払われ続けてきたが、退職後、僅かな不注意で２か月程度の支払いを遅延したことで、契約（これからまさに必要となる医療保障など）が当然に失効となり、復活の申し出をしても、そのときの告知状況・健康状態に鑑みて不承諾となるケースを考えれば、ここに失効の主張を認めることが正当であるとは考えられない。信義則上、保険者による失効条項の援用が制限される場合は解釈論としてあり得るであろう。特に、失効制度は、約款上の独自の制度（合意）であるとはいえ、もともと、債務不履行に由来する制裁であるから、解釈上、債務不履行責任の場合と同様、過失責任の考え方が採用されるべきであり、債務者の側がその債務不履行（保険料の不払い）について帰責性がないこと（例えば、疾病などで保険契約者が入院の状態にあり、事実上、払込みの手配ができないままに、猶予期限を経過した場合など）が証明されれば、債務者は責任を負わない（＝失効の不利益を受けない）と解すべきであろう。

なお、最近、生命保険会社の中には、長年利用されてきた失効条項を廃止し、払込みがない場合、民法の原則に従い、催告をした上、相当期間内に払込みがなければ、契約解除の意思表示を行い、そのことをもって、契約関係を解消するという実務に変更したところもある（ただし、当然のことながら、このような約款条項に基づいた新規契約についてのみこのような取扱いがなされる）。

4　契約当事者以外の者による解除請求と介入権

⑴　**総　説**　　保険契約者の債権者は、保険契約者からの任意の弁済が受けられない場合、解約返戻金請求権を差し押さえ、取立権に基づき保険契約を解

コラム4－7　無催告失効条項と民法541条・542条

催告による解除に関する民法541条は、その但書において、催告期間が経過した時における債務の不履行がその契約及び取引上の社会通念に照らして軽微である場合、契約の解除が認められない旨を定めている。このため、2か月分の保険料の不払いがこの「軽微」な不履行に該当するか否かという問題が生じる可能性がある。これに関して、保険料には保険契約という集団的な契約関係における保険給付の原資という側面があり、保険料の支払いのないまま保険給付がなされることのないような仕組みを維持することが必要であるということを考えると、2か月分の保険料の不払いであっても軽微な不履行とはいえないであろう。また、民法542条1項は、催告によることなく直ちに契約を解除できる場合として、1号から5号まで列挙しているが、ここに列挙されているもの以外は催告によらなければ解除できないのか、これ以外の場合も特約により無催告で解除できるのかといった問題も生じる可能性がある。この点に関し、現行の民法のもとでも、無催告解除特約が認められている場合、債権者は催告をすることなく契約の解除をすることができるとの見解があり、そうであるのならば生命保険約款で定める無催告失効条項は民法542条1項の規定にかかわらず有効であると解することができる。仮に同項各号に該当するもの以外は無催告で解除することができないとしても、保険実務では前述のような督促（通常2回）を行っており、この督促は実質的に催告と同じ機能を果たしていることから、民法542条1項にいう無催告解除に該当しないと解する余地はあるものと思われる。

除することがある（民執155条）。また、保険契約者が破産手続開始決定を受けた場合、保険契約者の有する解約返戻金請求権は破産財団に帰属することから、破産管財人は破産法上の権利（破産53条1項）に基づき保険契約を解除して、解約返戻金を破産財団の財産とすることがある。

しかし、生命保険契約においては、長期契約であることが一般的であり、一度保険契約が解除されてしまうと、被保険者の健康状態や年齢などによっては、再度保険契約を締結することができない場合があり得る。また、生命保険契約は被保険者が死亡した場合における遺族の生活保障を目的として締結されていることが多いため、保険契約者以外の者が保険契約を解除しようとする場合に、これに対抗して保険契約を存続させる手段を保険金受取人に認める必要がある。そこで、保険法は、保険金受取人の保護を図るために、差押債権者や破産管財人などの契約当事者以外の第三者（解除権者）が死亡保険契約を解除した場合について、当該解除の効力を直ちに生じさせないで、保険者が解除通知を受けた時から１か月を経過した日に生じさせることとし、その間に、保険契約者又は被保険者の親族である保険金受取人が保険契約者の同意を得て、当該解除の効力を生じさせないこととし、保険金受取人の意思により保険契約を存続させることができるという制度を定めた（60条〜62条）。保険契約の解除に対し、契約当事者ではない保険金受取人が保険契約を存続させることができることから、保険金受取人のこの権利を介入権といい、一定の要件を満たし介入権を行使することができる保険金受取人のことを介入権者という。

⑵　**対象となる保険契約**　介入権の対象となる保険契約は、死亡保険契約であって、保険料積立金（63条）があるものである（60条１項）。介入権制度の趣旨は被保険者死亡時の遺族の生活保障にあるので、必ずしも被保険者の死亡に備えて締結されているわけではない生存保険契約は、介入権の対象から除外されている。養老保険のような生死混合保険においては、死亡保険契約の性質を有する以上、介入権の趣旨が妥当することは明らかであるため、当然に介入権の対象となる。

また、保険料積立金のある死亡保険契約に限定しているのは、保険料積立金のある保険契約は長期契約であることが多く、一度保険契約が解除されてしまうと被保険者の健康状態や年齢などにより新たな保険契約を締結することが難しくなることから、従前の契約を維持する必要性が高いためである。保険料積立金のない保険契約では解約返戻金請求権もない以上、解約返戻金請求権を差し押さえてその取立てのために保険契約を解除するという事態は通常起こり得ない。これに対して、無解約返戻金型の死亡保険契約については、解約返戻金はなくても保険料積立金はあるため、解除権の対象になるものと解される。

⑶　**解除権者**　保険法60条１項では、解除権者として、差押債権者と破産管財人が掲げられているが、これらの者に限られるわけではない。例えば、保険契約者の債権者は、債権者代位権（民423条）に基づき、保険契約者の任意解除権（保険54条）を代位行使して、保険契約を解除することもできる（ただし、保険契約者が無資力であることが要件）ため、この場合に解除権者となる（東京地

判平13・4・18判タ1106・207参照）。また、解約返戻金請求権に質権の設定を受けた質権者も、質権の実行としての取立権（民366条1項）に基づき、保険契約を解除することが可能なので、解除権者となる。

⑷　**解除権の効力と効力発生時期**　保険法60条1項では、解除権者による保険契約の解除は、「保険者がその通知を受けた時から1箇月を経過した日に、その効力を生ずる」としている。民法97条1項によれば、解除権者による保険契約の解除は、解除の通知が保険者に到達した時点でその効力を生じることになるが、この特則として、保険法60条1項では解除権者が行う解除の効力発生日を特別に遅らせている。これは介入権者が介入権の行使にあたり解除権者に対して一定の金銭を支払い、かつ、保険者に対してその旨の通知を行うことが求められていることから、このような一連の行為を行うための時間的猶予を確保するためのものである。

効力の発生を1か月間遅らせることの趣旨が、介入権者の介入権行使のための時間的猶予の確保であるとすると、介入権者が存在しない場合は同項の規定によらず直ちに解除の効力が発生してもよさそうである。しかし、条文上、介入権者の存在が同項の要件とはなっておらず、介入権者の有無という必ずしも解除権者が把握できるわけではない事情により、解除権の発生時期が変わることは、解除権者にとって不測の事態を招く可能性があることなどから、同項は介入権者の有無にかかわらず適用されることになる。

介入権が行使されずに保険者が解除の通知を受けた時から1か月が経過すると解除の効力が生じ、保険者は解除権者に対し解約返戻金などを支払うことになる。この場合、保険者は、解除の通知がなされた時点ではなく、解除の効力が発生した時点での解約返戻金などの金額を支払うことになる。

⑸　**介入権者の範囲**　保険法60条2項は介入権者を保険金受取人であって、解除権者による解除通知の時において、保険契約者ではなく、かつ、保険契約者の親族若しくは被保険者の親族、又は被保険者である者と限定している。したがって、介入権者は自然人に限られ、法人が保険金受取人であっても介入権者になることはない。また、保険契約者又は被保険者の親族であったとしても、解除通知の後に保険金受取人の変更により、新たに保険金受取人になった者は解除権者にはなれない。これに対して、解除通知後で解除前に介入権者で

ある保険金受取人が死亡した場合は、通知時の保険金受取人が介入権を行使することはできないので、新たに保険金受取人となった保険金受取人の相続人全員が介入権者となる。

ここでいう「親族」とは、6親等内の血族、配偶者、3親等内の姻族をいう(民725条)。内縁関係にある者が含まれるかについて、介入権の趣旨が遺族の生活保障であるという点に鑑みると、実質的に親族（配偶者）と同視できる生活実態のある者は親族に含まれ介入権者となり得るという見解が有力である。

また、前述した通り養老保険のような生死混合保険も介入権の対象となるが、死亡保険金受取人と満期保険金受取人が異なる場合、死亡保険金受取人は介入権者となり得るが、満期保険金受取人は介入権者とはなり得ない。

(6) **介入権行使の要件**　介入権者が介入権を行使するには、①保険契約者の同意を得て、②解除の効力発生日までに、解除通知の日に解除の効力が生じたとすれば保険者が解除権者に対して支払うべき金額を解除権者に支払い、③保険者に対してその旨の通知をすることが必要とされている。

保険契約者はそもそも保険金受取人の変更権（43条1項）や保険契約の任意解除権を有している（54条）のであるから、保険契約者の意思に反してまで保険契約を存続させる必要ないため、介入権の行使にあたっては、保険契約者の同意を要件としている。また、介入権者の支払うべき金額には、解除通知の日における解約返戻金のほかに、未経過保険料や前納保険料などが含まれると解されている。さらに、保険者へ通知を要件としているのは、保険者が、介入権者が解除権者に支払いをしたにもかかわらず、通知の日から1か月が経過した日に解除の効力が発生したとして、誤って解除権者に解約返戻金などを支払ってしまうといったことを避けるためである。

(7) **介入権の効果**　介入権者が介入権を行使した場合は、解除権者がした解除はその効力を生じず、従来の保険契約者の下でそのまま継続することになる。しかし、これでは解約返戻金請求権に差押えの効力や破産手続などの倒産手続の効力が継続することになってしまう。そこで、保険法60条3項の規定により、差押えの手続き、破産手続、再生手続又は更生手続との関係においては、保険者が当該解除により支払うべき金銭の支払いをしたものとみなされる。これにより、差押えの効力や倒産手続の関係では、解約返戻金請求権が消滅したものとして、それぞれの手続きが終えられることになる。

⑻　**介入権者による供託**　差押債権者が死亡保険契約を解除した場合に、民事執行法などの規定（例えば、民執156条1項）により保険者が権利供託を行うことが可能な場合には、介入権者にも権利供託が認められる（61条1項）。また、差押えが競合した場合などの差押手続において保険者が供託の義務を負う場合（民執156条3項）には、介入権者も解約返戻金相当額の支払いをする際に供託の方法により支払う義務を負う（61条2項）。このような義務が発生している場合は、介入権者が特定の債権者に解約返戻金相当額を支払ったとしてもその効力を他の差押債権者には対抗できず、他の差押債権者のした保険契約の解除はその通知到達の時から1か月を経過した日に効力を生ずることになる。

また、介入権者が権利供託や義務供託の方法による支払いをした場合、当該差押手続との関係において、第三債務者たる保険者が当該供託の方法による支払いをしたものとみなされる（同条3項）。供託をした介入権者は、第三債務者が執行裁判所などに対してなすべき届出をしなければならない（同条4項）。

⑼　**保険事故の発生による解除権者への支払い**　解除権者の解除の通知をした後で解除の効力が発生する前に保険事故が発生した場合、保険金受取人に保険金が支払われて保険契約は終了する。そのため保険契約者の解約返戻金請求権は消滅し、解除権者は解約返戻金から回収することができなくなる。しかし、介入権者の介入権行使の機会を確保するために解除の効力の発生を遅らせたことによって、解除権者が一方的に不利益を被り、保険金受取人のみが利益を受ける結果となるのは公平とはいえない。そこで、保険者は保険給付を行うべき限度で解除権者に対して解約返戻金相当額を支払い、保険金受取人にはその残額を支払うものとする（62条1項）。これにより、解除権者は解除通知の時における解約返戻金などの相当額の支払いを受けることになるから、不利益は解消されることになる。保険者の解除権者に対する支払いについても保険法61条の供託に関する規定を準用する（62条2項）。

それでは、生死混合保険において、解除権の通知後、解除の効力発生前に満期が到来した生存保険の満期保険金についてはどのように取り扱うべきか。介入権の対象となるのはあくまで死亡保険契約であるので、生存保険の満期保険金については満期保険金受取人に全額支払いがなされるということになると、解除の効力が１か月遅れた結果、満期保険金受取人が利益を得る一方で、解除権者は不利益を被ることになるので、やはり公平性を欠く。したがって、保険者は、解除権者に対し、満期保険金の限度で、解除通知の時における解約返戻金などの相当額を支払い、残額を満期保険金受取人に支払うことになる。

5　保険料積立金の払戻し

⑴ **総　説**　保険料積立金とは、保険者の受領した保険料の総額のうち、当該生命保険契約にかかる保険給付に充てるべきものとして、保険料又は保険給付の額を定めるための予定死亡率、予定利率その他の計算の基礎を用いて算出される金額に相当する部分である（63条柱書本文括弧書）。生命保険契約において、平準保険料方式（年齢にかかわらず同一の保険料を支払う方式）が用いられると、実質的には、将来の保険金の支払いに充てる部分の保険料を予め支払っていることになるので、一定の事由により保険契約が途中で終了した場合には、この将来のための保険料に相当する金額を保険契約者に払い戻す必要がある。保険料積立金が払い戻される保険契約の終了事由として、保険法63条は次のものを列挙している。この規定は保険契約者保護の観点から片面的強行規定である（65条３号）ので、保険契約者に不利なもの（例えば、保険料積立金の一部しか返還しないとするもの）は無効になる。

⑵ **保険者が免責される場合**　死亡保険契約において、被保険者の自殺、保険金受取人による被保険者故殺又は戦争その他の変乱による被保険者の死亡により、保険給付義務を免れるとき、保険者は、保険契約者に対し、保険料積立金を払い戻す義務を負う（63条１号）。これに対し、保険契約者による被保険者故殺の場合には、保険者はこの保険料積立金の払戻義務を免れる（同条１号括弧書）。これは信義則に反する行為をした保険契約者に対する制裁のためであると解されている。しかし、保険者が利得する理由もないので、このような場合においても保険料積立金の払戻しを定める約定は有効であると解されている。保険契約者兼被保険者が自殺した場合、保険契約者による被保険者故殺と捉えることもできそうであるが、この場合は被保険者の自殺の規定が適用されることが明示されている（51条２号括弧書）ので、保険者は保険料積立金の払戻義務を負う。また、保険契約者兼保険金受取人が被保険者を故殺した場合は、

保険契約者による被保険者故殺の規定が適用されることが明示されている（同条3号括弧書）ので、保険者は保険料積立金の払戻義務を免れる。被保険者を故意に死亡させた保険金受取人以外に保険金受取人がいる場合（同条柱書但書）は、その者に対し保険給付を行うので、保険契約者に対し保険料積立金の払戻義務を負わないと解されているが、約款により、支払われなかった死亡保険金に対応する部分については、その部分の保険料積立金を保険契約者に支払う旨を定めているものもある。

⑶　**保険者の責任が開始する前に保険契約者が解除する場合**　保険者の責任が開始する前に保険契約者が任意に解除する場合（54条）、又は保険者の責任が開始する前に被保険者の解除請求により保険契約者が任意に解除する場合（58条2項）、保険者は保険契約者に対して保険料積立金を払い戻さなければならない（63条2号）。平成20年改正前商法683条2項においても、責任開始前における保険契約者の任意解除の場合に、保険者は「被保険者ノ為メニ積立テタル金額」を保険契約者に払い戻さなければならないとしていたが、保険法では新たに被保険者による解除請求に基づく保険契約者の任意解除の規定が設けられたため、本条において、保険者の責任開始前の任意解除の1つとして明文化された。本条は保険者の責任開始前の保険契約者による任意解除の場合のみを規定しているので、責任開始後の保険契約者による任意解除の場合における解約返戻金の請求の可否については通常約款で定められている。保険実務上、保険者の責任開始前は、保険料の受領がないか、あったとしてもごくわずかであるため、保険者の責任開始前の保険契約者による解除が問題となることはほとんどないといわれている。

⑷　**危険増加により解除する場合**　危険増加が生じたことにより保険者が保険契約を解除した場合（56条1項）、保険者は保険契約者に対して保険料積立金を払い戻さなければならない（63条3号）。

⑸　**保険者の破産の場合**　保険者が破産手続開始の決定を受けた時に保険契約者が保険契約を解除した場合（96条1項）、又は保険者が破産手続開始の決定を受けた時から3か月内に、保険契約者が保険契約を解除しなかったことによりその保険契約が失効した場合（96条2項）には、保険者は保険契約者に対し保険料積立金を払い戻す義務を負う（64条4号）。

5章 傷害疾病保険契約

1 傷害疾病保険契約の種類・特色・内容

1 種 類

傷害疾病保険契約は、保険法上、傷害疾病損害保険契約（2条7号）と、傷害疾病定額保険契約（2条9号）に分類される。

このうち、第1に、傷害疾病損害保険契約は、人の傷害疾病を保険事故とし、これにより受傷者に生ずることのある損害をてん補することを約する損害保険契約であり、海外旅行傷害保険契約における治療費用保険金支払条項や、自動車保険における無保険車傷害条項等がその一例である。これは、損害保険契約の一種であるため、損害保険契約に関する保険法の規律を受けるとともに、人保険としての特色を踏まえた傷害疾病損害保険契約にかかる特則（34条・35条）の適用を受ける。なお、人身傷害保険については、その法的性質をめぐり、保険法上の傷害疾病損害保険契約と解する説と、保険法にいう保険契約の3類型のいずれにも該当しない非典型契約と解する説の対立があり、前者が多数説である（この点については、コラム1-2を参照）。

これに対し、第2に、傷害疾病定額保険契約は、人の傷害疾病による治療、死亡その他の保険給付を行う要件として契約で定めた給付事由（66条参照）の発生を条件として一定の保険給付を行うことを約する保険契約である。これは定額給付型の傷害疾病保険であり、自動車保険の搭乗者傷害保険、普通傷害保険契約、ファミリー交通傷害保険契約、海外旅行傷害保険、定額給付型の癌保険・三大疾病保険契約（癌・急性心筋梗塞・脳卒中）や生命保険契約に付加される高度障害保険、成人病特約等がその具体例である。この保険契約は、保険法

66条ないし94条の適用を受ける。

2　傷害保険契約・疾病保険契約の定義・特色

傷害疾病保険契約のうち傷害疾病損害保険契約は、「損害保険契約のうち、保険者が人の傷害疾病によって生ずることのある損害（当該傷害疾病が生じた者が受けるものに限る。）をてん補することを約するもの」と定義されている（2条7号）。当該契約がてん補する損害は、傷害疾病の生じた受傷者が受ける損害に限られる。そのため、傷害疾病が生じた者（受傷者）以外の者が受傷者の当該傷害疾病により被った損害をてん補する保険契約（出演者の傷害疾病によるイベントの中止によって興行主が負担する費用等の損害をてん補する興行中止保険契約、企業の経営者等のキーパーソンが傷害疾病により休職したことで当該企業に生じた損害をてん補する保険契約等）は、傷害疾病損害保険契約とされない。これらの契約は、損害保険契約ではあるが、人保険であることに基づく規律を及ぼす必要がないからである。

これに対し、傷害疾病定額保険契約は、「保険契約のうち、保険者が人の傷害疾病に基づき一定の保険給付を行うことを約するもの」と定義される（2条9号）。同契約の保険法上の定義では、被保険者の傷害疾病に特段の要件が付されていないが、約款の取扱いを踏まえると、傷害定額保険契約は、被保険者が急激かつ偶然な外来の事故によってその身体に被った傷害について保険給付が行われる保険契約と定義することが可能であり、疾病保険は、被保険者が契約所定の疾病と診断され確定したこと、被保険者が身体障害を被り、その直接の結果として入院を開始したこと、手術又は（所定の）治療を受けたことを保険給付事由とする保険契約と定義することができる。

このように傷害疾病保険契約は、損害保険型と定額保険型の分類があるが、いずれも人の傷害・疾病を保険事故とするため、人保険である。しかし、傷害保険契約は、被保険者の一定時点における生存を給付事由としないことはもちろん、被保険者の死亡のみを給付事由とせず、被保険者の傷害による死亡・入院・手術等を給付事由とする点で、生命保険契約とは異なる。

3　傷害疾病保険契約の内容

⑴ **概　要**　保険法には、傷害概念・疾病概念の定義規定は置かれていない。当該概念を法定することによる将来の保険商品の開発の阻害を避けるためである。他方、実務上は、傷害概念や疾病概念が約款で定められているのが一般的である。

傷害疾病損害保険契約は、損害保険契約の一種であり、被保険者が自己の傷害疾病により被る損害（治療費用の支払いによる費用損害等）をてん補するために保険給付が行われるため、保険者からの保険給付は、被保険利益を有する被保険者に対して行われる。損害保険契約では、当該契約によりてん補することとされる損害を生ずることのある偶然の事故として当該契約に定められている事由が保険事故とされているため（5条1項）、傷害疾病損害保険契約の保険事故は、被保険者の傷害疾病それ自体とされ、保険期間中に被保険者の傷害疾病により当該被保険者に生ずる損害をてん補することになる。

これに対し、傷害疾病定額保険契約では、被保険者の傷害疾病の発生を前提として、当該傷害疾病による治療、死亡その他の保険給付を行う要件として当該契約で定めた事由の発生を条件として、一定の保険給付が行われるものとされている（66条参照）。

そのため、第1に、傷害疾病定額保険契約は、保険給付の要件として、保険期間中の被保険者の傷害疾病の発生に加え、当該傷害疾病による治療・死亡等が所定の期間内に発生することが求められることから、保険給付要件の面で傷害疾病損害保険契約と異なる。

第2に、傷害定額保険契約は、保険約款によれば、一般的に、「被保険者が急激かつ偶然な外来の事故によりその身体に傷害を被ったこと」を保険事故とし、被保険者が当該保険事故の直接の結果として死亡する等した場合に、給付事由に応じて死亡保険金、後遺障害保険金、入院保険金、手術保険金等の保険給付が行われる。

第3に、疾病定額保険契約は、被保険者の疾病の発生を前提とし、当該疾病による治療、死亡その他の契約所定の給付事由の発生が保険給付の要件とされており、実務の取扱いをみると、被保険者が疾病により入院または治療を受けたことが、給付事由として定められることが多いとされている。他方で、癌保険のように疾病にかかったことそれ自体を給付事由とするものや、疾病により一定の身体状態となったこと（高度障害保険）、疾病により就業不能となったこと（所得補償保険、就業不能保障保険）、疾病により要介護状態となり入院・治療を受けたこと（介護費用保険）を給付事由とする疾病定額保険もみられる。

⑵　傷害保険契約における傷害事故の約款上の要件

（i）急激性の要件　　傷害疾病保険契約のうち傷害定額保険契約については、傷害保険の約款で、被保険者の身体の傷害が「急激かつ偶然な外来の事故」により生じたものであることと定めるのが一般的である。そのため、被保険者の身体の傷害は、急激性・偶然性・外来性の３要件を充足することが必要となる。一部の生命保険に付帯する傷害保険では以下で説明する３要件のそれぞれについて約款で定義規定を置いているものもある。

このうち第１に、被保険者の身体の傷害の（発生の）急激性とは、被保険者の身体の傷害の原因となった事故（以下、「原因事故」という）から当該傷害の発生までに時間的間隔がない、又は、その間隔が極めて短時間であることをいうとされ、溺水事故・交通事故による被保険者の傷害・死亡がその典型例である。他方で、長期間の同一労働の継続による身体の傷害（キーパンチャーの腱鞘炎等）や過重労働による死亡は、急激性を欠くと判断されている（東京地判平9・2・3判タ952・272）。

しかし、原因事故から被保険者の身体の傷害の発生までの間に一定の時間的間隔があるときは、常に急激性が否定されるわけでないことに留意する必要がある。原因事故の発生から身体の傷害の発生までの間に時間的間隔がある場合でも、被保険者において結果すなわち身体の傷害の発生を予見できたかどうか、予見可能であっても結果の回避可能性があったかどうかの観点から、急激性の有無が判断されることもあるとされている。例えば、石油ストーブの不完全燃焼による一酸化炭素中毒の事例や、登山中に遭難して動けなくなった被保険者が低体温症によって死亡した事例（東京地判平20・3・13ウエストロー・ジャパン文献番号2008WLJPCA03138001）等は、急激性の要件を満たすと解されている。これに対し、アルコール依存症の被保険者が冬季に低温の自宅室内で飲酒し酩酊状態に陥ったために寒冷暴露を回避できず低体温症となり凍死した事例では、低体温症に至るまでの経過が漸次的であったことに加え、その原因となった寒冷暴露は回避可能であったことから、急激性が否定されている（福岡高判令元・10・24LEX/DB 文献番号25593123〔百選102〕）。また、過重労働による被保険者の身体傷害又はその結果として生じる死亡の事例は、長時間労働の反復継続によるものであることに加え、回避の余地もあるため、急激性の要件を満たさないとされている（前掲・東京地判平9・2・3）。なお、熱中症による被保険者の死亡事例については、急激性を認める判例（大阪高判平6・4・22判時1505・146）とこれを否定する判例（大地判平5・8・30判時1474・143、東京地判平23・5・13生判23・247）がみられ、裁判例の対応が分かれている。

(ii) 偶然性の要件　　第2に、被保険者の身体の傷害の（発生の）偶然性とは、被保険者にとって原因事故から被保険者の身体の傷害が発生することが予見できないことをいう。原因事故自体が偶然である、すなわち予見できない場合のほか、原因事故の結果が予見できない場合も含まれる。また、偶然性要件は、被保険者の故意によらないことと同義とされている。したがって、被保険者の自殺のケース（東京高判平26・5・28判時2231・106、千葉地判平22・9・16判タ1337・228、東京地判平20・10・15判時2032・151、神戸地判平14・3・29判タ1145・232）、喧嘩・自傷行為による受傷・死亡のケースは、その結果が被保険者の予見の範囲内にあり、偶然性を否定される（大阪高判昭62・4・30判時1243・120）。なお、傷害保険における傷害概念の偶然性・偶発性と被保険者の故意免責との立証責任の分配に関する問題については、**5章3 1**(1)を参照のこと。

(iii) 外来性の要件　　第3に、被保険者の身体の傷害（の発生）の「外来性」とは、被保険者の身体の外部からの作用による事故であることをいう（最判平19・7・6民集61・5・1955〔百選103〕、最判平19・10・19判時1990・144〔百選42〕）。この要件が課されることにより、被保険者の身体の傷害が被保険者の身体の疾患等の内部的な原因から生じたものであるときは、外来性要件を充足せず、被保険者は保険給付を受けることができない。身体の疾患等による被保険者の傷害・死亡のケースは、疾病保険又は生命保険がカバーする領域である。

被保険者の身体の外部からの作用であることは、外部からの物理的作用、化学的作用その他の性質の作用でよく、被保険者自身の行為によって身体の傷害が生じた場合（重い荷物を持ち上げて腰を痛めるケース等）も外来性要件を充足すると解されている。

ちなみに、外来性要件の充足の有無が問題となるのは、第1に、被保険者の嘔吐物誤嚥による死亡のケースである。前掲・最判平19・7・6は、パーキンソン病と診断されたものの飲食に支障がなく医師からも食事に関する指導を受けていなかった被保険者が餅をのどに詰まらせて窒息し、低酸素脳症による意識障害が残って要介護状態となった事案につき、外来性要件を満たすとする。また、最判平25・4・16判時2218・120〔百選104〕は、被保険者が胃の内容物を嘔吐し、これを誤嚥して窒息死した事案について、「誤嚥は、嚥下した物が食道にではなく気管に入ることをいうのであり、身体の外部からの作用を当然に伴っているのであって、その作用によるものというべきであるから、……外来の事故に該当すると解することが相当である」旨を判示する。更に、飲酒後の嘔吐物誤嚥の事例についても、外来性要件を充足する旨を判示する下級審裁判例もみられること（東京高判平26・4・10判時2237・109）から、嘔吐物誤嚥のケースについては、判例は、外来性を肯定する立場がほぼ確立したといえる。学説もこれと同旨の立場が多数説であるが、嘔吐物の誤嚥については外来性を否定する立場も有力である。

第2は、被保険者が入浴中に心臓発作等の疾病の発作に見舞われ浴槽で溺死したり、車の運転中に心臓発作を起こし衝突事故を生じさせて死亡したりしたケースである。従来、この種のケースは外来性要件を満たさないとする下級審裁判例が少なくなかったが、前掲・最判平19・10・19は、狭心症発作による意識障害を起こした被保険者が運転中の自動車の適切な運転操作を行えなくなり、ため池に転落して溺死したと疑われる事案につき、被保険者の疾病によって生じた運行事故も外来の事故に該当する旨を判示している。前掲・最判平19・7・6が、パーキンソン病を患っていた被保険者が餅をのどに詰まらせて窒息し身体に傷害を被り要介護状態となった事案に関して、前述のように、事故の外来性を肯定していることから、最高裁は、被保険者の傷害事故が疾病を原因として生じた場合に直ちに外来性を否定するというアプローチを採用せず、被保険者の身体の外部からの作用の有無を問題とする判断基準を採用する。また、大阪高判平27・5・1生判26・165〔百選105〕は、被保険者の入浴中の溺死事案において、被保険者の身体の外部から気道内に水が入ったことにより当該被保険者が溺死したものと認められると判示し、事故の外来性を肯定している。

第3は、作為義務を負う者の不作為（安全確保義務違反）の場合の取扱いである。この問題を扱った最判平19・7・19生判19・334は、知的障害者入所更生施設の職員が、てんかんの持病のある施設利用者（被保険者）の施設内での入浴中に、他の施設利用者の様子を見に行くため浴室を離れたところ、当該施設利用者がてんかん発作を起こし意識を喪失して浴槽内で溺れ、結果的に死亡（溺死）したという事案につき、被保険者以外の者の行為は被保険者の身体の外部からの作用であるとして、事故の外来性を肯定した上で、この事案のように、被保険者以外の者の行為が作為義務を負担する者の不作為である場合は、作為義務を負担しない者の不作為のケースと異なり、被保険者の身体の傷害の主要な原因となり得るものであり、作為による行為と同等に評価すべきであるとして、事故の外来性が認められると判示する。

⑶ **傷害保険における被保険者の身体傷害**　傷害保険契約では、被保険者の身体傷害の発生が給付事由の構成要件の1つとなっている。ここに身体傷害とは、要件を満たした傷害事故により被保険者が身体の損傷を受けることをいう。外傷を伴うケースはもちろん、ガス中毒死・溺死・窒息死のように外傷を伴わない場合も、身体の傷害に該当するが、いずれにせよ客観的に存在が確認されるものであることを要する（名古屋高金沢支判平4・5・20判タ795・243）。

また、被保険者の身体の傷害は、傷害事故によって生じたものであること、すなわち因果関係の存在が必要であり、最高裁判例によれば、傷害事故と被保険者の身体の傷害との間に相当因果関係があることを要するとされている（前掲・最判平19・7・6、前掲・最判平19・10・19）。

2　傷害疾病保険契約の成立と効力

1　傷害疾病保険契約の募集・成立過程

傷害保険は、普通傷害保険、旅行傷害保険のように、人の傷害リスクの補償が主たる内容となっている単体商品として引き受けられることもあれば、自動車保険、こども総合保険、ゴルフ保険（以上、損害保険会社の商品）、又は傷害特約付き生命保険（生命保険会社の商品）のように、他のリスク（賠償責任リスク、死亡リスクなど）とともにパッケージされた商品の中で、それら別の保険契約と一体に引き受けられることも多い。

疾病保険も同様、癌保険、医療保険のように、疾病リスクの補償が主たる内容となっている単体商品として、引き受けられることもあれば、海外旅行傷害保険の治療救援費用担保特約ないし疾病死亡保険金支払特約（損害保険会社の商品）、入院特約付き生命保険（生命保険会社の商品）のように、他のリスク（傷害リスク、死亡リスクなど）とともにパッケージされた商品の中で、それら別の保険契約と一体に引き受けられることもある。

特に、パッケージされた商品の中で成立している傷害保険、疾病保険については、補償されている被保険者本人の保険加入の認識が薄いこともあり得る。更に、旅行傷害保険は、クレジットカード契約にサービスとして自動附帯していることもあり、また、自動車保険の中の人身傷害保険では、記名被保険者の同居の親族など一定の範囲の者が自動的に当該傷害保険の被保険者とされているが、そのような特色ある契約成立過程ないし契約上の補償（被保険者）範囲の設定からも、やはり、自己が傷害保険等の被保険者であるという認識は薄くなりがちになる。このような特色は、例えば、後に述べる他保険契約の告知・通知の問題等を考える際、考慮要素になり得る。

2　他保険契約の告知義務ほか

傷害疾病保険、特に、傷害疾病定額保険契約が、無意識であれ、意図的であれ重複して存在するとき、そこにある重複給付の可能性が不正な保険金取得の誘因になり得る。そのような道徳危険に鑑みて、保険者が、他の保険契約の存在を告知義務の対象とすることは可能である（前述。なお、告知義務違反の判定にあたっては、上記事情にも配慮すべきであるが、違反が認定されれば、契約解除は可能である。しかし、因果関係不存在特則が働き、法定免責効は得られない）。他保険契約の告知義務を課すときには、保険者としては、その告知を受け、保険金額が合計して既に高額になっている危険な契約をそもそも引き受けないという選択が可能となる。実際、旅行保険、所得補償保険など、損害保険会社が扱う傷害疾病保険においては、他保険契約を告知しなければならないとされる。旅行保険、特に海外旅行保険は、低廉な保険料で多額の保険金を得られ、かつ、証拠等の収集が容易でない海外で事故が起こり得る構造から、関係者が被保険者を故意に殺害等して保険金を詐取するという犯罪に好んで用いられるので、慎重な引受けが必要である。もっとも、生命保険会社が扱う傷害疾病保険においては、他保険契約の告知を要求しない実務が一般となっている。これは、従来、生命保険会社が扱う傷害・疾病保険は、死亡保険など生命保険の特約と構成されてきた関係で、その商品のみ単体で購入することは困難なこと、そのため、これらを意図的に重複させようとすると生命保険部分を含めたそれなりの額の保険料が必要となり、これを悪用する者にとって有効な手段とは認識されにくいこと、もともと死亡保険などの生命保険では他保険契約の告知をさせるという実務が定着していないこと（古い判例〔大判明40・10・4民録13・939、大判昭2・11・2大民集6・593〕が、生命保険事案につき、他保険契約の有無は告知事項〔危険に関する重要な事項〕にならないと判断していたことによる）、更に後述する業界の契約内容登録制度があり、その場で承諾が求められる旅行保険などと異なり、承諾までの時間的猶予がある中この制度を活用できることが影響していると考えられる。

他方、他保険契約の告知を求める損害保険会社の実務でも、現在（現在の傷害保険約款）は、ある契約（A社契約）を締結した後に他の同種契約（B社契約）を締結した場合、先の契約の保険者（A社）にこれを通知しなければならないという、他保険契約の通知義務は定められていない（保険法改正前の傷害保険約款では、他保険契約の告知義務とともに通知義務も課されており、それに違反した場合には保険者は契約が解除でき、免責されるものとされていた。判例は、事後通知〔通知義務の履行〕が契約者の負担になること等に鑑みて、故意又は重過失において通知義務に違反し、かつ、その不通知が不正な保険金取得の目的に出た場合をはじめ、事案全体を眺めて保険者による解除権の濫用とならない場合に限り、その効力が認められるとするなど、解除、免責という不利益が生じる場合を限定的に解してきた。東京高判平5・9・28判時1479・140〔百選A12〕。いずれにしても、新しい保険法では、保険法に法定される法定解除事由にかかる解除の効力は、片面的強行規定として将来効とされたので〔31条1項・88条1項・33条・94条〕、改正前約款のような遡及免責は、規定することが困難である）。疾病保険においても、他保険契約の通知義務は存在しないようである。

ところで、事後に締結された他保険契約を、危険増加通知義務の形で通知させるということは理論上不可能ではない。しかし、義務違反においては、解除はできても、その解除は将来効としてしか設計できないし（保険88条1項・94条2項）同じく片面的強行規定としての因果関係不存在も働くので（88条2項2号但書・94条2号）、保険者に秘密裏に不正に他保険契約を重複させ、事故を生じさせるというモラル・リスクに、十分対処できるものではない。約款がこのような方法をとらないのは、その理由からであろう。

そこで、保険者に秘密裏に不正な傷害疾病保険の重複がなされる場合に対しては、因果関係不存在特則のない重大事由解除の法理で対処することが有効である（86条3号）。このような方法を活用した傷害疾病保険の不正利用ないし道徳危険への対応は、仮に他保険契約について告知義務を課していない場合でも可能である（他保険契約の告知を求めない生命保険の短期過度の重複のもとに、他の信頼関係破壊事情も考慮して重大事由解除を認めた大阪地判平29・9・13生判27・227〔百選94〕参照）。実際、傷害疾病定額保険にかかる傷害保険約款、疾病保険約款は、損害保険会社、生命保険会社問わずそのように対応するものとしており、その約款上、「他の保険契約との重複によって、被保険者にかかる保険金額・給付金額の合計額が著しく過大であって、保険制度の目的に反する状態がもたらされるおそれがある場合」、重大事由解除が可能であり、解除した場合には既に保険事故ないし給付事由が発生していても保険金を支払わないとしている。

なお、傷害疾病損害保険は、契約が重複しても、重複した保険給付がなされることは理論上ないので、仮にこの種の契約が重複しても、保険制度の目的に反する事態は生じない。そのことを踏まえつつ、実損てん補型の傷害保険（例えば、所得補償保険⇒249頁）には、上記のような他の保険契約との重複を解除事由とする重大事由解除条項は置かれずに、ただ、事故発生通知義務・調査協力義務の枠組みにおいて、他の保険契約の存在を適切に通知すべき義務を課すこととし、その違反に対して、民法の一般原則に従い、保険者が被った損害の額を保険金の額から差し引く（＝損害賠償。免責ではない）という処理をしている。

3　契約内容登録制度

他保険契約の存在、特にその著しい重複は、故意の保険事故招致など不正な保険金請求の誘因になり得るところ、たとえ、それが現実に起こったときに重大事由解除等で対応ができるとしても、未然に重複した契約関係の形成そのものを防ぐこと（不正請求・犯罪の予防）ができるなら、それに越したことはない。重複契約があることを知ったならば、新たに申し込まれた契約を引き受けないとの手段をもって不正請求を未然に予防していくことは、保険者にとっても、後に余分なコストをかけなくて済むという意味で魅力的である。また、保険を用いた犯罪を予防するという社会的な使命にも沿うことになる。

この一環として、損害保険会社の実務では、他保険契約の告知義務を課しているものと解されるが、これを課したところで、不正なたくらみには無力であり（他保険の有無を聞かれても、無いと不実告知することは明らかである）、その効果は限定的である。

このことを踏まえて、保険者は、不正請求の予防（水際対策）に効果を発揮する独自の制度を構築し対応するものとしている。それは、契約者からの情報提供に依存することなく、保険者同士が協力することで、特定の保険契約者、被保険者、保険金受取人に重複している契約情報をあぶりだし、これを引受判断等に活用する、という制度である。

損害保険協会は、参加する損害保険会社の間の制度として、保険犯罪の発生を未然に防止するため、死亡・後遺障害保険金、入院・通院保険金等を支払う保険契約（傷害保険契約等）の内容（保険契約者、被保険者、保険金受取人の氏名、保険金額等）を同協会に登録し、損害保険会社がそこにアクセスして重複保険契約の有無を確認できる制度（傷害保険契約等の契約内容登録制度）を構築・運用している。これにより、過度に重複した契約関係につき、更なる申込みがあった場合、同情報から引受けを拒絶することも可能となる。また、損害保険協会には、傷害・疾病保険金の支払局面で加盟保険会社（及び一部の共済団体）が利用する、重複契約の状況を確認するための制度も構築されている（自動車事故情報交換システム、人保険事故等情報交換システム、保険金請求歴情報交換制度）。

また、生命保険協会、協会加盟の各生命保険会社、全国共済農業協同組合連合会は、保険（共済）契約・特約の引受けの判断あるいは保険（共済）金、給付金の支払いの判断の参考とすることを目的に、申込みのあった保険契約等の内容（保険契約者、被保険者の氏名、保険金額、給付金額、契約日等）を同協会に登録するものとし、登録された情報は、同じ被保険者について保険契約等の申込みがあった場合又は保険金等の請求があった場合に、同協会から各生命保険会社等に提供され、各生命保険会社等における保険契約等の引受判断、保険金等の支払判断の参考として利用されるという制度（契約内容登録制度。なお、全国共済農業協同組合連合会との間では「契約内容照会制度」という）を構築・運用している。

このような契約内容登録制度、事故照会制度は、故意の事故招致免責、著しい重複を理由とする重大事由解除を判断する際にも有益な情報として活用される。

4　他人の傷害疾病保険契約における被保険者の同意（傷害疾病保険に特有な事情）

生命保険契約において、他人（保険契約者以外の者）の死亡を保険事故とする場合、そのような契約の効力要件（有効要件）として、その被保険者となる者の同意が要求されているが（38条⇒192頁参照）、これが要求される趣旨（賭博保険、モラル・リスクの防止）に鑑みて、傷害疾病保険契約においても、一定の範囲で、そのように他人に生じる事故（傷害・疾病）を保障する契約を締結する際、契約の効力要件として、被保険者の同意が必要となる（他人の傷害疾病保険のすべてに同意が必要になるわけでなく、この点が、生命保険契約の被保険者同意の制度と異なるところである）。

被保険者の同意が必要となるのは、①被保険者が保険金受取人にならない（死亡給付がなされる場合は、被保険者又はその相続人が保険金受取人にならない）形式の、②他人の（＝保険契約者以外の者が被保険者になる契約）傷害疾病定額保険契約である（67条1項本文及び但書）。

上記以外の場合、基本的に（例外は、67条2項の場合）、他人の傷害疾病定額保険は、たとえ、そこに死亡給付が含まれていても、当該他人たる被保険者の同意は不要である。

生命保険（死亡保険）の場合（38条）と異なり、このような例外が、死亡給付を含む傷害疾病定額保険に認められたのは、従来、損害保険会社が販売してきたこのタイプの保険の引受実務に支障がでないためという政策的なものであり、定額保険の被保険者同意の制度の下に、当該、傷害疾病定額保険に同意不要の例外法則があることを、理論一貫して説明することは困難である。

あえてまとめるなら、保険法は、被保険者の同意なく、他人の傷害疾病定額保険を引き受けてきた従来の損害保険実務に配慮し、他方に残る賭博保険、モラルリスクの弊害については、基本的に、保険業法上の規制（保険業規則53条の7第2項、損害保険協会「傷害保険等のモラルリスク防止に係るガイドライン」）にその防止措置を委ねるものとし（なお、実際の効果面では疑問もあるが、一応、87条1項1号の被保険者による解除請求制度もこれに資する制度ではある）、この前提において、上記の場合以外の他人の傷害疾病定額保険について、同意不要の例外を認めるものとしている。

したがって、被保険者又は被保険者の相続人が死亡給付の受取人になっている（すなわち、被保険者が保険金を実際には受け取れない状況にある）傷害疾病定額保険であっても、基本的に（ただし、その保険契約の給付事由が生存給付を含まず、傷害疾病による死亡のみであり、実質的に、38条の保険契約と同じである場合は別。67条2項参照。なお、わずかな生存給付を入れることでこの規定を潜脱することはできないと解されている）、当該、被保険者の同意は、不要とされる。

なお、上記被保険者同意の制度は、経済的損失とは無関係な第三者にも定額給付がなされ得る生命保険及び傷害疾病定額保険に必要な制度であり、経済的損失を受けた被保険者に生じる損害を当該被保険者に対しててん補するという給付の方式がとられることで、既に賭博保険ないしモラル・リスクに予防的に対応できていると考えられている損害保険契約には必要のない制度であると整理されている。この結果、そもそも、傷害疾病損害保険には、被保険者同意の制度は用意されていない（傷害疾病損害保険型：34条等参照）。したがって、例えば、自動車保険の人身傷害保険では、約款上、保険契約者以外の者が広く被保険者と設定されるが、そもそも、被保険者同意という制度の適用がなく、したがって、これらの被保険者の同意を得なくとも、保険契約は有効である。

5　契約前発病不担保（責任開始前不担保条項）

高度障害保険ないし疾病を原因とする入院を保障する疾病保険には、通例、保険金支払事由にかかる合意、すなわち、保険事故の要件論として、責任開始期以後の傷害又は疾病を原因として高度障害状態に該当したとき、あるいは、責任開始期以後に生じた疾病・不慮の事故を直接の原因とする入院・手術をしたときに保険金を支払う旨の規定を置き、その反射的効果において、責任開始「前」に存在した疾病等を原因とする高度障害ないし入院・手術には保障を提供しない（保険事故の範囲外とする）との合意がなされる。これを、契約前発病不担保条項ないし責任開始前発病不担保条項という。なお、損害保険会社が販売する介護費用保険などの種類では保険事故の要件論としてでなく、免責事由として保障しないことを定めるものもある（契約前発病免責条項と記す）。不担保、免責のいずれと構成するかで、契約後の発病であったことあるいは契約前の発病であったことの立証責任の所在は異なってくる。この点、実務に比較的多い契約前発病不担保条項では、保険金請求者が、保険金の支払いを求めるにあたり、契約後の傷害・疾病による事故（高度障害・入院）であったことを主張し、立証する責任を負うが、契約前発病免責条項では、保険者が、契約前の傷害・疾病による事故（高度障害・入院）であったことを主張し、立証しなければならないことになる。

これらの条項は、約款上、高度障害状態の原因や入院、手術等の原因となる傷害疾病が責任開始期後ではなく、既に責任開始前に存在していたことについて、保険契約者側の自覚の有無（善意であるか悪意であるか）にかかわらず適用できる。また、契約前に存在している被保険者の不良危険事情が、保険金不支払の決定的事情になるという制度である点で告知義務制度と類似する面（機能）をもつが、約款に告知義務制度は別に用意されているから、それとは異なった制度（すなわち、告知義務違反が問われないとしても、そのことは関係なく、契約前発病不担保条項が適用できるもの）と位置付けられている。

契約前発病不担保条項・免責条項は、責任開始期以後に発生する傷害・疾病による一定の結果（高度障害状態への該当、入院、手術）を保険金・給付金の支払い対象とすることにより、保険者の引受危険の範囲を画し、予定事故発生率の維持を図ることを目的とし、また、逆選択（モラル・ハザード）を防止することも目的とするものであるが、契約前発病不担保条項を形式的・額面通りに適用するとき、状況次第では、保険契約者側の保険保護に対する合理的期待を裏切る事態になり得ることが深刻な問題となる。特に問題が生じるのは、①保険契約者・被保険者の側において、契約締結前に、後に不担保を主張されることとなる事故の原因となった疾病について自覚症状はなかったが（契約前に高度障害、入院の原因事実があったことについて善意）、後の高度障害や入院・手術に直面した際の医的判断の結果、その原因が既に契約前に存在していたことが医学的に明らかになった場合に、それでも契約前発病不担保条項の適用が主張されるケースである。契約前発病不担保条項は、保険契約者側の主観（善意・悪意）に関係なく適用できるが（なお、この点は、告知義務違反の場合と異なる扱いである。84条1項参照）、契約者側には主観的に偶然な事故でも保障は得られないという結果がつきつけられ得る。また、②高度障害など身体障害をもたらす疾病の中には、罹患の後、数十年という時間経過をたどり症状が現れる（発症する）ものもあるところ（網膜色素変性症がその典型例である）、契約前発病不担保条項には、その適用にかかる時間的・期間的制限がないから、仮に契約から何十年と経っていようがこれを適用して、生じた高度障害に対して不担保を主張できる（この点も、告知義務違反の場合と異なる扱いである。84条4項参照。ただし、入院保障に関しては、約款で契約から2年経てば不担保を主張しないとの約定を置くことが、今日、通例である）。このとき、契約者側には、契約からどれだけ長い年月が経過しても保障は得られないという結果がつきつけられる。さらに、③契約者側には、後に不担保を主張されることとなる事故の原因となった疾病について何らかの自覚症状があったため、あるいは、これについて医師の診察を受けていたため、当該事実については告知義務を適切に履行し、その上で無事、保険契約が引き受けられたものの、後になって、告知済であるその原因疾病から高度障害状態ないし入院に至ったという経過をたどるとき（原因疾病は、責任開始前にある）、告知義務制度とは別物の契約前発病不担保条項は依然適用される。このとき、適切に告知をしたため引き受けてもらったと契約者が期待してもおかしくない危険に、（告知義務違反は問われないが別の契約前発病不担保条項により）結局、保障がなされないという結果を契約者はつきつけられる（なお、従来、裁判例も、告知があっても不担保主張が可能であるとしてきた。大阪高判昭51・11・26判時849・88、宇都宮地大田原支判平10・6・30生判10・242）。

このような保険契約者側に生じる不利益に対処するため、諸外国では、契約前発病不担保条項の効力を法律等の規定により積極的に制約・限定したり（オーストラリア、カナダ、アメリカなど）、あるいは、同条項は契約目的を危殆化させる不当条項であり無効である、とする判例を通じて、その効力の修正を試みる動き（ドイツ最高裁判例）があるが、我が国では制限立法の創設は見送られた。保険者によるこの分野における保険商品の開発の妨げになる点を考慮した面があり、また、我が国では例えばEU加盟国のように、国家が約款の事前認可に関与できないというシステムではなく、監督官庁による事前認可（商品認可制度）が維持されているため、これらソフトな形による対応（適正化）も可能であることもまた影響したものと考えられる。もっとも、そのような状況にある我が国でも、今日では、生命保険協会のガイドライン（保険金等の支払いを適切に行うための対応に関するガイドライン）、又は各生命保険会社の約款上の配慮により、ある程度、上記、契約者側の不利益が除去される状況は作られている。すなわち、我が国には、昭和57年以降、契約前発病不担保条項の適用について留意事項を示す内容を含む生命保険協会のガイドライン（これは、保険法成立後に内容を充実させる改正が行われている）が存在しており、いわばこのソフトローが（時に約款に取り込まれて）機能するという形での対応は進んでおり、そこにおいて上記の諸問題がすべて解決されているわけではないものの、改善に向けた取組み（対応）は一定なされている。

同ガイドラインでは、被保険者が契約前に存在した、事故（高度障害・入院）の医学的原因について受診歴がなく、検査異常の指摘も受けていない状況があり、また、本人に症状についての自覚又は認識がないことが明らかな場合は、契約前発病であっても保険金を支払うものとするとしている。このガイドラインの理を約款上に明確にする会社もあるが（そのような約款では、この場合、責任開始期以後の原因による高度障害とみなすものとしている）、すべての会社の約款にこの理が明記（合意）されているわけではない。

また、保険法成立後に改定されたガイドラインは、契約前発病不担保条項の適用・運用にあたっては、信義則の観点から慎重に判断することも要求している。

いずれにしても、同ガイドラインにより解決された問題は、上記①の問題だけであり、②③の問題は少なくともガイドライン上は、課題として残されたままでである。ただし、生命保険会社によっては、ガイドラインよりも踏み込んで、保険契約者側の合理的期待に応えようとする取組みを行っている会社もあり、そこには、部分的ながら②の問題及び③の問題に対応して保険契約者側を保護するための約款規定が整備されていることも注目される。

すなわち、何年経過しても契約前発病不担保の主張ができるとする②の問題に対応するため、入院保障にかかる保険・特約に限ってではあるが（これが部分的ながらとした意味である）、責任開始日から２年を経過した後に入院・手術をしたときは、（真には・医学的には）責任開始前に生じた疾病を原因とする入院等であっても、責任開始期“以後”の原因による入院と“みなし”、支払事由に該当することになる旨規定し、保険金の支払いをするものとしている約款がある。これにより、契約から永遠に不担保を主張され得るという契約者側の不利益が取り除かれることになるが、入院保険では、このような約款実務がもはや一般的になっている。また、告知義務制度とのダブルスタンダードにより、告知義務違反は問われないのに、契約前発病不担保は主張されるという③の問題に対応するため、後に生じる高度障害、入院の医学的原因となった疾病について、保険契約の締結の際に告知があった場合には、（真には・医学的には）責任開始前に存在した当該疾病を医学的原因とする高度障害・入院であっても、責任開始期“以後”の原因による高度障害・入院と“みなし”、支払事由に該当することになる旨規定し、保険金の支払いをするものとしている約款がある。ただし、そのように「告知等により知っていたその疾病に関する事実を用いて承諾したときは不担保とはしない」とする一方、その取扱いに限定を設け、「告知義務者がその疾病に関する事実の一部のみを告げたことにより、当会社が重大な過失なくその疾病に関する事実を正確に知ることができなかった場合を除く」としている約款（会社）もある。

さて、契約前発病不担保条項の具体的適用にかかる議論に目を向ければ、学説・裁判例の議論では、どのようなものが「契約前の発病」にあたるのか、また、契約前の疾患と高度障害（事故）との間に必要な因果関係の内容は何か、という議論がある。もっとも、契約前発病免責条項の場合（要件論）ならともかく、契約前発病不担保条項の場合は、そもそも当該約款に、「契約前の発病」や「契約前の疾患」という概念は存在しないから、約款に存在しない要件論について論じるという先の議論は奇異にうつる。これは，保険金の支払いを要しない場合はどのような場合かという保険者目線の議論である。仮に約款に則して議論するなら、「責任開始期以後の傷害疾病」とは何を意味するのか、また、「責任開始期以後の傷害・疾病を原因として」とは、どのような意味なのかという議論である。

この点、責任開始期以後にその医学的原因となった疾病への「罹患」があったと言えなければ、支払要件を満たさないのか、それとも、責任開始期前に既に「罹患」はあるが、発症や自覚症状はいまだ現れておらず、その発症等は責任開始期後であったという場合も支払要件を満たすことになるのかという議論があり得る（これは、従来、「発病」の意義として議論されてきた論点である）。裁判例は、自覚症状なき単純な契約前の医学的原因への罹患のみで契約前発病（＝不担保）を認めることには消極的で、罹患に加え、他覚的所見の存在や自覚症状の発現まで契約前にあったことを不担保の成立に際して要求するものが多く（神戸地判平15・6・18金判1198・55、津地判平11・10・14生判11・574、福岡高判平19・12・21生判19・666）、このことからすれば、裁判例は、後者の見解に親和的であると考えられる。これはガイドラインと同じ結論を可能にする解釈である。逆に、ガイドラインは、実は、そのような裁判例の立場を採用・確認しているにすぎない、ということもできよう。このような解釈は、保険契約者側の主観（善意悪意）を問わず同条項の適用が可能である、との同条項の過酷さを緩和し、事実上、事故の医学的原因が契約前に存在したことについて善意であれば同条項は適用できないものとする結果を導くものであり、解釈論として基本的に支持できる。もっとも、ここにいう自覚症状ないし発症をどのようなものとして理解するかは、慎重に考えるべきであろう。医学的には後の高度障害等につながる自覚症状が現れており、被保険者もそれを認識していたことは事実であるが、被保険者において、その自覚症状が後の重大な高度障害を引き起こすとはおよそ認識をもてないような内容である場合も、自覚症状が契約前にあったものと解するなら、ガイドラインないし約款での配慮にかかわらず、結果として契約者側を救える場合が狭くなってしまう。例えば、何十年もの病状経過の中、最後は失明に至る網膜色素変性症の自覚症状ないし発症に関し、小学生、中学生時代の夜盲をもって、被保険者に網膜色素変性症の自覚症状（発症）があったと解してよいかという問題である。保険法には、告知義務制度、遡及保険制度に体現されているように、契約者側に（主観的に）知られていない危険は保険者が負担するという基本原理がある。そのことや信義則という観点に鑑みれば、被保険者が重過失なく契約前に存した客観的危険状況を自分自身の後の高度障害ないし入院にかかる危険因子であるといまだ認識できない状況がある限り、たとえ、そこに医学的に関連する自覚症状が現にあらわれ、これを被保険者自身自覚していたとしても、「自覚症状」があった（＝ゆえにガイドライン上、約款の救済対象にはならず不担保となる）と解すべきではなかろう。

同時に、仮に後の事故（高度障害・入院）の医学的原因の存在とそれについての自覚ないし認識が契約前に存在したとしても、その原因と後の事故との関係性がどの程度（レベル）で必要なのかという議論もあり得る。例えば、後の高度障害や入院と医学的に無関係ではない責任開始前の疾病への罹患が一方で認められるが、他方でそれが必然に後の高度障害等を引起こすとまではいえないとき（蓋然性が低いとき）、あるいは原因競合的に後の高度障害等が生じ、契約前に存在した原因は、それのみで高度障害等を引き起こさない（いうなれば、それは後の高度障害の主たる原因ではない場合）、それらのいわば弱い原因も、後の高度障害の原因となり、不担保を導くか。裁判例の立場は分かれており、責任開始前の疾病が高度障害状態の原因の１つであれば足るとする立場（要するに、契約前の疾病と高度障害状態との間に条件的因果関係があれば、契約前発病不担保が成立する、と解する立場。札幌地判昭62・10・23生判５・144、札幌高判平元・２・20生判６・５、東京地判平17・１・27LLI/ID 文献番号06030290）と、責任開始前の疾病が高度障害状態をもたらす高い蓋然性をもっている場合のみ不担保となるとする立場（要するに、契約前の疾病と高度障害状態との間に単なる条件的因果関係があるだけでは足らず、高い蓋然性のある原因結果の関係があるときに契約前発病不担保が成立する、と解する立場。大阪地堺支判平16・８・30判時1888・142〔百選112〕）とがみられる。学説にも、それぞれを支持する説がある。

6　癌保険における「対象となるがん」

癌保険においては、被保険者が「がんまたは上皮内新生物」と確定診断されたことに基づいて保険給付が行われるが、約款では、別表を用いて、「がん」または「上皮内新生物」が定義され、その定義に当てはまる病態に基づくもののみが、保険給付の対象となる。

別表においては、疾病等の統計のために用いられる国際的な分類基準である分類提要（ICD10）が用いられその範囲が限定されるとともに、当該分類項目にある用語としての「悪性新生物」を更に限定的に定義し、「厚生労働省政策統括官編『国際疾病分類—腫瘍学3.1版』中、新生物の性状を表す第５桁コードが次の（範囲の）ものをいいます」、などとして、良性のもの（第５桁コード）をそこから除外するものとしている。癌の医学的定義としては正確である反面、一般人が考える「がん」ないし医師が一般人（患者）に対して説明する際の「がん」の概念とは、必ずしも範囲が一致するものではなく、このように約款上の専門的な「がん」の概念が、癌該当性をめぐる争いの種となっている（東京地判令２・３・27ウエストロー・ジャパン文献番号2020WLJPCA03278053。もっとも、生命保険会社も、契約のしおりにおいて、給付事由にかかわるこのような「がん」の定義について一定の説明は行っている）。

また、癌保険では、契約締結後に、対象となる「がん」と確定診断された場合でも、癌保険特有の契約前発病不担保ルール（いわゆる90日条項：責任開始期から90日を経過した後に確定診断された癌にのみ保険給付を行う、あるいは、契約後、３か月経過後を責任開始日とし、それ以降に確定診断された癌にのみ保険給付を行う条項）に抵触する場合には、保険給付は行われない。

3　傷害疾病保険契約に基づく保険給付

1　保険者の免責

⑴　法定免責事由　　保険法80条は、法定免責事由として、傷害疾病定額保険の被保険者が故意又は重大な過失により給付事由を発生させた場合（１号）、保険契約者が故意又は重大な過失により給付事由を発生させた場合（２号）、保険金受取人が故意又は重大な過失により給付事由を発生させた場合（３号）には、保険者は保険給付責任を負わないと定めている（故意、重過失免責）。なお、保険金受取人が複数いる場合には、故意又は重過失で給付事由を

発生させた者だけが免責となり、それ以外の受取人に対して保険者は給付責任を負う（80条柱書但書）。ちなみに、傷害疾病損害保険の保険契約者、被保険者が故意又は重過失により保険事故を発生させた場合には、保険法17条１項が適用され、同様に、保険者免責となる（被保険者の死亡によって生じる損害をてん補する傷害疾病損害保険契約では、被保険者の故意重過失のみならず、被保険者の相続人の故意、重過失も免責となる。35条）。

故意・重過失の対象は、給付事由（いわゆる保険事故）であり、その発生について認識があるか仮に認識しなかったとしてもそこに著しい注意の欠如（程度の重い過失）があったことで免責は成立する。保険金取得目的を要しないことは、損害保険における故意免責の解釈と同じである。また、ここに重過失の意義は、保険法17条にいう重過失と同趣旨のものであるとするのが判例である（災害関係特約上の重過失について、最判昭57・７・15民集36・６・1188〔百選110〕）。具体例として、過度のスピード違反による事故、路上の寝こみによる事故、遊泳禁止区域での溺死事故、シンナー吸引などによる中毒死などがその例となる。

免責の趣旨につき、故意又は重過失により給付事由を発生させ、これについて保険金の支払いを受けることは公益に反し、また保険契約当事者間の信義則にも反することがいわれる。もっとも、故意による給付事由招致に保険金を支払うことが公益違反となるといえても、重過失の給付事由招致に保険金を支払うことが公益違反といえるかは疑問である。したがって、重過失免責と故意免責の趣旨は厳密には同じではなく、重過失免責は固有に信義則違反の問題と考えられる（注意力の減退・モラール・ハザードによる事故について保険金を求めることの問題性）。また、重過失による事故を保障することは一般論として保険者が引受けを好まない異常な危険であるという意味の異常危険除外もその趣旨になっている。

損害保険会社の販売する各種の傷害保険約款、生命保険に付帯する災害関係特約、身体障害保障保険など傷害保険の約款には、保険法の法定免責事由の通り、故意、重過失免責が規定されている。もっとも、上記の通り、重過失の事故について保障を与えることは、直ちに公益違反とならないから、約款で保険法80条ないし17条の規律を変更し、重過失による保険事故にも保障を与えることは可能である。

ところで、傷害保険約款には、前述の通り、被保険者の故意によって生じた傷害には保険金を支払わない旨の条項が置かれているが、この条項が、保険法80条にいう故意免責規定であるのかという問題がある。

平均的顧客がその約款文言をみてどのように解釈するか（できるのか）という観点から考えた場合、少なくとも保険法の下では、この約款条項は、もはや免責条項そのものである、と解するのが素直なように思われる。そのように解すると、個々の傷害保険商品においても、故意に傷害・給付事由が引き起こされたことの立証責任は、免責主張をする保険者が負うことになる。

しかしながら、裁判例は、そのように解していない。これは、過去、最高裁判例（最判平13・4・20民集55・3・682〔百選（初版）97〕）が、傷害保険に関する法律規定の用意がなかった旧法下、傷害保険約款の故意による傷害に保険金を支払わないとする類の規定は、免責規定ではない、それは、故意の場合は保険金支払要件（偶然性）を満たさないということを注意的に確認したにすぎない、あってもなくてよい規定である、と性質付けたことが影響している。

保険法は、傷害保険にかかる法律規定を新規に整備し、故意に給付事由を発生させたときに保険者は責任を負わないとする法理を免責規定と位置付けて用意したが（80条1号）、保険法施行後の裁判例（名古屋地判平28・9・26判時2332・44〔百選101〕）は、保険法施行前の旧商法下に出された最高裁判例（前掲・最判平13・4・20）によりかかり、同最判と同様、傷害保険約款の上記条項は、免責条項ではなく、あってもなくてもよい規定であると解し、また、保険法80条1号との関係では、そのルール（任意規定である）を約款で変更した規定が約款に置かれている（したがって、保険者は故意に傷害が引き起こされたことについて立証責任を負わず、保険金請求者が故意によらない＝偶然な事故による傷害であったことの立証責任を負い、証明できない場合には敗訴するという不利益を受ける）、と解している。裁判例としては、このような立場が圧倒的であり（旭川地判平26・1・20自保ジャーナル1921・163、東京地判平28・5・12生判26·671、福岡高判平29・6・28金判1540·51）、これに反する立場はみられず、学説にもこれを支持するものがある。

他方、学説には、新しい保険法の下で平成13年最判が維持されることについて懐疑的にみる立場も有力である。法律は、平成13年最判当時のものから変化しており、これまでルール不在であったところに新たにルールが定立され、被保険者の故意は「免責事由」と位置付けられたこと（80条1号）、逆に、偶然性（非故意性）を傷害保険の保険事故の要件として位置付けなかったこと、約款には、被保険者の故意による傷害の場合、保険金を支払わない旨が明示されているが、そのことの意味としては、約款でも“法律にしたがって被保険者の故意を免責事由に位置付けた”と解するのが極めて素直な解釈になること、また、約款解釈は、平均的保険契約者の理解可能性にしたがって解釈されるべきことに鑑みても、文言が同じ規定であるのに、あえて、これは保険法80条1号とは異なる規定で、免責事由ではなく、あってもなくてもよい確認規定である、とする解釈は（今日ではもはや）恣意的に過ぎる解釈になってしまうこと、また、そのように素直に解釈して上記約款規定を正真正銘の免責規定であると解さなければ、消極事実（偶然な事故であったこと＝故意によらない事故であったこと）の証明という、極めて困難な証明を保険金請求者に課すことになってしまい、立証が困難な結果、あやしいもの（グレー）は保険者が疑いさえすればすべて排除される（黒になる）という、極めて乱暴・不当な議論が可能になってしまうこと、そして、民事訴訟法学の立場からも、証明責任分配の解釈にからむ約款解釈は、疑義あるときは法律規定（平成13年当時は存在しなかったが、現在では、保険法80条がこれに当たる）を参照しながら行うべきであり、また、その解釈が正当性を得るためには、参照される法律が採用している価値判断が反映されるよう解釈されなければならないこと（なお、保険法は、80条において、主観的要素の存否が解明されない危険を保険金請求者に負わせないという明確な価値判断を採用している）が説かれていること等々に鑑みて、保険法の下では、平成13年最判の解釈は、維持できず、また維持すべきでもない、と主張している。なお、平成13年最判の後、最高裁（平19・4・17民集61・3・1026〔百選48〕〔自動車盗難事案〕）は、本件問題状況と同じく、一方で保険事故概念（盗難概念）の中に非故意性が内在しており、他方で故意による場合に保険金を支払わないとする規定があるときの保険事故の故意性ないし非故意性の立証責任の所在の解釈として、保険法に故意免責規定（17条）が置かれていることの意味を重視し、問題の保険事故概念から非故意性という要素を意図的に切り離し、切り離された故意性にかかる部分の立証責任は保険者に負わせている。このような解釈手法は、傷害保険における事故の偶然性ないし故意による事故をめぐる立証責任分配にも応用可能なものであるが、いずれにしても、このように、最高裁自身、故意によらない事実を保険金請求者に立証させることに対し、その態度を変えつつあることには、十分、注意しておく必要がある（なお、同事件は車両保険事案であるが、車両保険分野は、平成13年最判がいうモラル・リスクが高い分野でもあるということは特筆される）。近時有力な学説は、上記、自動車盗難事案に関する平成19年最判を含む、事故の故意性をめぐる立証責任分配について判示した上記平成13年最判後の一連の損害保険契約にかかる判例法理は、平成13年最判が不正請求のおそれという要素のみ重視して故意によらない事故であることの立証責任を保険金請求権者に負担させると即断したことと対照的に、その不正請求のおそれという考慮要素とともに、保険金請求者に偶然性の立証責任を負担させる場合は立証が困難になるという考慮要素（保険契約者側の利益）もまた重要であることを認識して確立された、適切な立証責任分配に関する判例法理であると評価し、この確立された判例法理の中にある、自動車盗難事案に関する平成19年最判の解釈手法が、上述の通り、傷害保険の偶然性の立証責任の解釈にも応用されるべきであるとし、具体的に、保険金請求者側は、盗難の場合と同様、外形的に傷害であることを立証すれば足り（なお、通常、立証という場合よりもハードルは意識的に下げられており、偶然の事故であるという単なる〔＝高度ではない〕蓋然性が認められる程度の証明で足るとする）、その立証がなされれば、保険金請求を棄却するためには、保険者において、故意による事故であることの立証が必要であるとする。

この見解は、要するに、平成13年最判は、実質的な意味において、今日、もはや維持できない、とするものである。

下級審裁判例にも、この見解がいうように、おそらく平成19年最判の考え方から着想を得て、事故の態様が、外形的、客観的にみて事故、被保険者の故意に基づかない原因により十分に発生し得る態様であることを立証すれば足りる旨判示し、平成13年最判から、距離をとることに一定の理解があるとみられるものもあるが（仙台高判平28・10・21生判26·819。そのほか、前掲・名古屋地判平28・9・26）、内容をみれば、それらの事案は、いずれも、外形的、客観的に事故があったとみれる事案であるにもかかわらず（また、いずれも自殺の明確な動機がない事案である）、立証ができていないとして請求が棄却されており、少なくとも立証のハードルが下がっている印象はもてない。上記の学説ともまだ距離があるように思われる。

なお、比較法的にみて、英国やドイツでは、偶然性を保険事故の要件にする同じ構造の傷害保険約款が使用されているにもかかわらず、その解釈として、我が国の平成13年最判のように、故意によらない事故であったことが高度の蓋然性（通常人が疑いを差し挟まない程度に真実性の確信を持ち得ること）をもって保険金請求権者から証明されない限り、傷害保険金請求は認められない、という解釈は行われていない。

英国においては、the balance of probability の証明法理の下、ドイツでは、保険契約法の強行規定（VVG178条２項２文）の下、保険金請求者の傷害保険金請求がより緩やかな要件（負担）のもとに認められている。我が国の多くの裁判所が平成13年最判をもとに繰り返している法理は、比較法的にみれば、保険金請求権者に極めて厳しい、異常な法理である。

そのほか、保険法80条４項は、法定免責事由として、戦争その他変乱によって給付事由が発生したときを法定免責事由としている。損害保険会社の傷害保険約款では、保険法の規定通り、（全面的な）免責が規定される一方、生命保険会社の災害関係特約、身体障害保険などでは、戦争等によって支払事由に該当した被保険者の数の増加が当該保険の計算の基礎に影響を及ぼすときには、保険金を削減して支払う旨が規定されるのが通例である（削減支払い）。

なお、テロ行為（政治的、社会的もしくは宗教・思想的な主義・主張を有する団体・個人又はこれと連帯するものがその主義・主張に関して行う暴力的行動）は、規模次第であるが、解釈上、本号にいう「その他の変乱」に含みうる余地があると解されるところ（ただし、「戦争……その他の変乱」という約款規定の解釈として、戦争に準じるような行為が該当するものと解釈することも可能であり、そのような解釈の下では、現在、多くみられる、ローンウルフ型の一過性・単発的なテロ行為は、そもそも免責事由に該当しないと解する余地がある）、損害保険会社が販売する海外旅行傷害保険の実務では、「戦争危険等免責に関する一部修正特約」を自動付帯する方法で、約款上免責対象とされている戦争等から「テロ行為は除く」という修正を施し、テロ行為の結果死亡した場合に、傷害死亡保険金が支払われるよう工夫している（なお、このような、特定商品のみの対応としての特約による戦争危険免責適用除外の実務（対応）は、その前提において、テロも戦争危険免責に該当するとの考え方がなければ説明できない対応といえよう）。

⑵　**約款上の免責事由**　　傷害保険約款には、上記、法定免責事由にかかわる事柄以外にも、契約上合意された免責事由が存在している（約款上の免責事由）。

損害保険会社の販売する傷害保険には、約款上の免責事由として、地震・噴火・津波免責、核燃料物質免責、被保険者の闘争行為・自殺行為免責、無免許運転免責、麻薬等吸引運転免責、酒気帯び運転免責、被保険者の脳疾患・疾病・心神喪失免責、被保険者の妊娠・出産等免責、被保険者に対する外科的手術・医療措置免責、被保険者に対する刑の執行免責などが定められている。

また、生命保険会社の販売する災害関係特約などの傷害保険には、約款上の免責事由として、被保険者の犯罪行為免責、被保険者の精神障害・泥酔免責、無免許運転免責、酒気帯び運転免責が定められる。地震・噴火・津波事故には、免責ではなく、削減支払条項が置かれる。地震・噴火・津波免責、核燃料物質免責（損保）は、巨大リスク・異常危険除外を趣旨とする免責である。被保険者の闘争行為・自殺行為、刑の執行免責（損保）、犯罪行為（生保）免責には、そこに保険給付を行うことに社会的非難が向けられることに着目した免責事由であり、保険法では削除された旧商法680条１項１号（法定免責事由としての決闘・犯罪・死刑執行免責）に由来するものである。旧法下の当該免責の趣旨は、被保険者の犯罪行為に対して保険金を支払うこととすれば犯罪者をして後顧の憂いなく犯罪行為に走らせることにもなり、また犯罪行為に対して保険金を支払うことは保険の倫理性に反し、公序良俗違反となるというものであった。したがって、傷害保険約款では、保険法施行後も、これが約定免責事由として維持されているが、上記趣旨に鑑みて、ここに「犯罪行為」とはおよそありとあらゆる刑法違反が入ると解するのではなく、「特に反社会性の高い犯罪」というように限定して解釈する必要があろう。

被保険者の脳疾患・疾病・心神喪失免責（損保）、被保険者の精神障害・泥酔免責（生保）は、傷害保険という性質（疾病保障は行わない）、ないし一定の注意力、判断能力が被保険者になく傷害危険が異常に高くなることを理由とする免責条項である。

以上はすべて、原因事象（例えば、地震）と傷害との間に因果関係の存在（『による』）が必要となる免責条項である（原因免責という）。

これに対して、無免許運転免責（損保・生保）、麻薬等吸引運転免責（損保）、酒気帯び運転免責（損保・生保）については、約款文言上、例えば、「法令に定められた運転資格を持たないで自動車を運転している『場合』又は『間』」に生じた傷害等に保険金を支払わないとされており、これらは、原因事象（無免許、酒気帯び運転等）と傷害（事故）との間に因果関係を必要としない、状態免責である（無免許運転により傷害事故が生じたといえなくても、無免許運転『中』に傷害事故が生じたという事実があれば免責となる）。因果関係が不要とされる点で、状態免責は、原因免責よりも、厳しい免責である。

「法令に定められた運転資格を持たない」とは、免許そのものを取得していない場合だけでなく、免許一時停止処分中の場合も含む。酒気帯び運転免責にかかる「酒気を帯びて運転している場合」の意義・解釈については、損害保険会社の約款解釈（実務）と生命保険会社の約款解釈（実務）とが分かれている。生命保険会社は、生命保険・災害関係（傷害）特約、就業不能保険における「法令に定める酒気帯び運転」とは、道路交通法65条にいう酒気帯び運転をいい、身体に血中アルコール濃度で血液1mlにつき0.3mg以上、呼気濃度で呼気１ℓにつき0.15mg以上のアルコールを有する状態をいうとしている。要するに、道路交通法施行令44条の３に定められた罰則のある酒気帯び運転（道交117条の２の２第１項３号）を「法令に定める酒気帯び運転」と解する（なお、道路交通法は、これに該当しない、政令基準値以下の酒気帯び運転に罰則を用意していない）。

他方、損害保険会社は、自動車保険約款中の、「被保険者が、道路交通法第65条第１項に定める酒気帯び運転またはこれに相当する状態でご契約のお車を運転している場合に生じた傷害」について保険金を支払わない旨定める規定の解釈として、具体的な訴訟において、「道交法65条１項にいう「酒気を帯び」の定義は、「社会通念上、酒気帯びといわれる状態をいうものであり、身体にその者が通常保有する程度以上にアルコールを保有していることが外観上（顔色、呼気等）認知できる状態にあること」とされ、当該、道路交通法65条１項の解釈（形式解釈）がそのまま妥当する形に、保険約款に免責となる酒気帯び運転かどうかも決定される関係にあると主張してきた。したがって、いわゆる政令数値未満の酒気帯び運転は、罰則の対象とならないが、道路交通法65条1項違反には該当するものであり、そうである以上、保険者は、そのように罰則のないレベルの酒気帯び運転についても免責されると主張してきた（大阪地判平21・5・18判タ1321・188〔呼気1ℓにつき、0.10mgの検知事案〕の保険者の主張参照。また、東京地判平23・3・16金判1377・49〔呼気1ℓにつき、0.05mgの検知事案〕の保険者の主張参照）。

多くの裁判例（前掲・東京地判平23・3・16、仙台高判平31・2・28自保ジャーナル2024・166ほか）は、この保険者の主張する通りの解釈を採用し、学説の多数説もそれに賛成する。ここでは、酒気を帯びていることを被保険者が認識しているかどうかも問題ではなく、身体にその者が通常保有する程度（血液1mlにつき0.03mg、呼気1ℓにつき0.015mg）以上にアルコールが身体に客観的に存在することが決定的に重要である。そのように、異常ともいえるほどに厳しい解釈がとられており、これは、飲酒運転厳罰化の風潮を保険約款の解釈にも応用するものであるが、他方、全体の中ではわずかな例であるとしても、そのような厳しい解釈を施す結果が厳しすぎて妥当ではないケースもあり得るところであり、そのようなケースも含めて形式論できってしまうのか、結論が妥当ではないとしてそれは救済すべきであるか、学説判例に議論がある。

同じように、限定解釈が必要であることは、麻薬等吸引運転免責（これも状態免責）についてもいえる。本条項は不正行為を免責にする趣旨で設けられたものであるが、近時の裁判例（岐阜地判平25・2・15判時2181・152、名古屋高判平25・7・25判時2234・115）には、その趣旨を超え、吸引、所持そのことが禁止されてもいない合法の医薬品・治療薬の摂取の事故にまで適用範囲を広げ、その薬品の効果として正常な運転ができないおそれがある状態になっているなら、当該状態免責の対象になるとして、免責を肯定した例があるが（なお、同事案の約款は、保険法対応前の約款であり、重過失免責は存在しなかった）、違法薬物使用という不正行為に保険給付を行わないというもともとの条項の趣旨、また、「麻薬、大麻、あへん、覚せい剤、シンナー等の影響により正常な運転ができないおそれがある状態で」としている約款文言から平均的保険契約者が理

コラム５－１　酒気帯び運転免責条項の解釈にかかる少数説

多数説のような厳格な裁判例の形式解釈に疑問を呈する裁判例もあり、少数の裁判例の立場ではあるが、酒気帯び運転のすべてを禁止している約款の形式文言にかかわらず、酒気帯び運転免責条項が、これと併記して、無免許運転及び麻薬、覚せい剤やシンナー等の薬物ないし毒物の影響により正常な運転ができないおそれがある状態での運転という、社会的非難の対象となる理由により正常な運転ができないおそれがある状態での運転として道路交通法上罰則が定められた場合を免責の対象としていることとの整合性を考慮すれば、酒気帯び運転免責条項が、無免許運転及び麻薬影響下の運転の場合よりも厳格に、およそ運転行動にアルコールの影響が現れるおそれがないような場合も含めて、酒気を帯びているといわれる状態での運転を当然に免責とする趣旨とみることは困難であると判示し、結論、酒気帯び運転免責条項は、その形式的文言にかかわらず、酒気を帯びた状態での運転のうち、アルコールの影響により正常な運転ができないおそれがある状態での運転を免責事由とする趣旨であると制限的に解釈することが、当事者の合理的意思にかない、相当であるとするものがみられる（大阪地判平21・５・18判タ1321・188、名古屋地判平25・７・26金判1441・22）。

また、酒気帯び運転をしてはならないということは、社会全般の共通認識であり、公序を形成しているとして、それを実現するべく、基本的には多数裁判例、多数説のいう形式解釈に依拠しなければならないとするが、他方に、被保険者が損失を一切てん補されない過酷な状況に置かれる不利益にも配慮して、「酒気帯び運転をするに至った経緯、身体におけるアルコールの保有状況、運転の態様及び運転者の体質等に照らして、酒気帯び運転をしたことについて、社会通念上、当該運転者の責めに帰すことができない事由が存するなど特段の事情がある場合には、本件免責条項は適用され」ないとする裁判例もある（大阪高判令元・５・30判タ1469・89、金判1577・８〔百選43〕）。

学説には、罰則のある酒気帯び運転（なお、当然、罰則のある酒酔い運転も含む）に限り、免責とすることが適当であるとして、多数説の形式解釈に反対する少数説もある。また、基本多数説の形式解釈でよいとしながらも、上記、令和元年大阪高判を評価する形に、制裁が過度になりすぎることを問題視する少数説の価値判断も一定取り入れた、修正（緩和）された形の多数説的見解も現れている。いずれにしても、多数説のように解しながらも、一定の場合に例外を認めるのであれば、制裁が課題になるという理由を述べる以上に、そのように解することができる理論的根拠を示すことが、その理論の説得力を高めるためにも重要となる。この点、これまでから罰則のない酒気帯び運転は免責にされないことを説いてきた少数説は、その理論的根拠を丁寧に示してきた。特に、対価性の観点が注目される。その詳細は、法律文化社 WEB 上にある、本書の補論コーナーを参照されたい。

解できる免責範囲の理解からして、行き過ぎた解釈ではなかろうか（なお、いわゆる危険ドラッグは、今日、医薬品医療機器等法（旧・薬事法）により広範に「指定薬物」に指定され、使用・吸引等が違法とされており、これを吸引中の事故は、麻薬等吸引運転免責条項で対応してよい）。

このように、状態免責は、原因行為と結果との間に因果関係を要求しないがゆえ、免責範囲はおのずと広範になりがちであり、これが暴走すると保険契約者側に対する不利益は大きいものとなり得るから、傷害保険事案ではないが、まさに最高裁判例（法令違反運転中免責にかかる最判昭44・4・25民集23・4・882）が行ったごとく、当該免責条項の妥当範囲というものは、趣旨目的沿って必要な範囲に解釈上限定していく努力が常に必要である。

なお、酒気帯び運転免責等は、機能上、重過失免責を捕捉するものであるが、原因免責か状態免責かという、その適用上に大きな違いがあることに注意しなければならない。

以上述べてきた、酒気帯び運転免責、麻薬等吸引運転免責は、あくまで、酒気を帯びて、あるいは麻薬という違法薬物を吸引して運転している者の傷害に対して免責とするものであり、そのような運転により被害者となった者に対する賠償責任保険契約関係について保険者は免責されることはなく（故意免責をはじめとする賠償責任保険における免責事由に該当しない限り）、被害者救済のために機能し得ることは注意しておく必要がある。

4　傷害疾病保険契約の終了

1　被保険者による解除請求

傷害疾病定額保険では、モラル・リスクの防止・賭博保険の防止の趣旨において、他人に生じる事故（傷害・疾病）を保障する契約を締結する際には、契約の効力要件として、原則、被保険者の同意が必要とされているが（67条1項。前述）、被保険者が同意を与えた後、信頼していたはずの保険契約者、保険金受取人が被保険者の生命・身体に危害を加えるなどしたため、そのような保険契約者等に対する被保険者の信頼が失われ、また、それに伴ってモラル・リスクのおそれも（事後的に）生じることはあり得る。また、契約当時は、保険契約者と被保険者とが夫婦など、一定の親族関係にあり、また、それゆえに、被保険者は自らが被保険者となる他人の傷害疾病定額保険（保険契約者、保険金受取人が他方配偶者となる保険）に対し同意を与えたが、同意を与えた後、離婚等によりその親族関係が終了し、同意をするにあたって基礎とした事情が著しく変更するという事態もあり得る。このような場合にまで、一旦与えた同意には絶対の効力を認められるとして、その契約における被保険者の地位を離脱できないとすることは、被保険者の同意を契約の有効要件とした法の趣旨に反することとなるとして、保険法87条は、一定の要件を満たす場合（87条1項2号ないし4号事由があるとき）について、同意を与えていた被保険者による保険契約の解除請求（当該他人の傷害疾病保険の被保険者が、保険契約者に対して、自らが被保険者となっている契約を解除するよう請求する制度）を認めるものとしている。

なお、解除請求できる場合が限定されるのは、一旦与えられた同意が無条件に（解除請求により）後に覆させられることは法的安定性の観点から適切でないからである。ところで、傷害疾病定額保険には他人の傷害疾病定額保険でも、被保険者同意が不要な例外が設けられており（67条1項但書。前述）、ここには先行して一切の同意が与えられていないから、別の対応が必要となる。保険法は、この場合は、法的安定性よりも、一度も同意を与えることなく被保険者にされた被保険者の意思を尊重することとし、この例外により引き受けられた傷害疾病定額保険については、何の制限・限定もなく、無条件に事後的な解除請求ができるものとしている（87条1項1号）。

また、そもそも被保険者同意という制度がない傷害疾病損害保険においては、類似する別途の制度が置かれている。保険法35条1項は、他人の傷害疾病損害保険契約につき、当該被保険者は、保険契約者に対し、当該保険契約者との間に別段の合意がある場合を除き、解除請求ができるものと規定し、原則、いつでも解除請求ができるものとされている（なお、損害保険約款には、この場合、保険契約者に対してのみならず、保険者に対して、直接、解除請求ができるとしているものがある)。

2　傷害疾病保険契約の過度の重複による、公序良俗違反による無効

傷害疾病保険が過度に集中している場合につき、端的にその契約が公序良俗に反して無効とされることがある。

すなわち、保険契約者の職業、収入、経済状態からみて、過度の保険契約が累積し、保険料負担が過重な中、過大な保険金額が約定されているときに、その契約が公序良俗に反して無効とする裁判例がある（東京地判平6・5・11判時1530・123、大阪地判平3・3・26生判6・307、大阪高判平9・6・17判時1625・107〔百選（初版）92〕)。

参考文献一覧

石田満『保険業法2019』（文眞堂、2019年）
江頭憲治郎『商取引法〔第９版〕』（弘文堂、2022年）
岡田豊基『現代保険法〔第２版〕』（中央経済社、2017年）
加藤新太郎・高瀬順久・出張智己編『裁判官と弁護士で考える保険裁判実務の重要論点』（第一法規、2018年）
金澤理『保険法』（成文堂、2018年）
嶋寺基『新しい損害保険の実務―保険法に対応した損害調査実務の解説』（商事法務、2010年）
洲崎博史・後藤元編『保険法判例百選〔第２版〕』（有斐閣、2025年）
東京海上日動火災保険株式会社編『損害保険の法務と実務〔第２版〕』（金融財政事情研究会、2016年）
中西正明監修『文研生命保険判例集　第１巻～第７巻』（生命保険文化センター、1993年～1999年）
日本生命保険生命保険研究会編『生命保険の法務と実務〔第４版〕』（金融財政事情研究会、2023年）
萩本修編著『一問一答・保険法』（商事法務、2009年）
長谷川仁彦他『生命保険・傷害疾病定額保険契約法実務判例集成　上・中・下』（保険毎日新聞社、2016年～2017年）
長谷川仁彦他『生命・傷害疾病保険法の基礎知識』（保険毎日新聞社、2018年）
潘阿憲『保険法概説〔第２版〕』（中央経済社、2018年）
細田浩史『保険業法』（弘文堂、2018年）
安居孝啓編著『最新保険業法の解説〔改訂第４版〕』（大成出版、2024年）
山下友信『保険法』（有斐閣、2005年）
山下友信『保険法（上）』（有斐閣、2018年）
山下友信『保険法（下）』（有斐閣、2022年）
山下友信監修・編『新保険法コンメンタール（損害保険・傷害保険）』（損害保険事業総合研究所、2021年）
山下友信監修『生命保険判例集　第８巻～第27巻』（生命保険文化センター、2004～2024年）
山下友信・永沢徹編『論点体系保険法１・２〔第２版〕』（第一法規、2022年）
山下友信・米山高生編『保険法解説』（有斐閣、2010年）
吉田和央『詳解保険業法〔第２版〕』（金融財政事情研究会、2023年）

事項索引

あ行

か行

さ行

た行

な行

は行

ま行

や行

ら行

判例索引

大審院・控訴院

最高裁判所

高等裁判所

地方裁判所

■執筆者紹介（＊執筆順、※は編者）

※山下(やました) 典孝(のりたか)	青山学院大学法学部教授 大阪大学名誉教授	1章、3章5節
土岐(どき) 孝宏(たかひろ)	中京大学法学部教授	2章1節～5節、5章2節～4節
中村(なかむら) 信男(のぶお)	早稲田大学商学学術院教授	2章6節～9節、5章1節
広瀬(ひろせ) 裕樹(ゆうき)	愛知大学理事長・学長	3章1節・2節、4章1節・2節
深澤(ふかざわ) 泰弘(やすひろ)	上智大学法学研究科教授	3章3節・4節、4章3節・4節

Horitsu Bunka Sha

スタンダード商法Ⅲ 保険法〔第2版〕

2019年2月10日　初　版第1刷発行
2025年4月15日　第2版第1刷発行

編　者　山下典孝
発行者　畑　　光
発行所　株式会社 法律文化社

〒603-8053 京都市北区上賀茂岩ヶ垣内町71
電話 075(791)7131 FAX 075(721)8400
customer.h@hou-bun.co.jp
https://www.hou-bun.com/

印刷：中村印刷㈱／製本：㈱吉田三誠堂製本所
装幀：白沢　正

ISBN 978-4-589-04403-7